LENGUA Y LECTURA

un repaso y una continuación

LENGUA

Y LECTURA

un repaso y una continuación

Matilde O. Castells

California State College at Los Angeles

Phyllis Zatlin Boring

Rutgers University

Harcourt, Brace & World, Inc.

New York / Chicago / San Francisco / Atlanta

ACKNOWLEDGMENTS

The authors wish to thank the following persons for permission to reprint the plays and stories appearing in this volume:

Joaquín Calvo-Sotelo for his play *El ajedrez del diablo*, Número 100 Colección Teatro, Ediciones Alfil, © 1954 by Joaquín Calvo-Sotelo.

José de Jesús Martínez for his play *Juicio final* from *El teatro hispanoamericano contemporáneo*, edited by Carlos Solórzano, © 1964 by Fondo de Cultura Económica.

Ana María Matute for her story "La felicidad" from *Historias de la Artámila*, Ediciones Destino, © Ediciones Destino, 1961.

Francisco Ayala for his story "El prodigio" from *Mis páginas mejores*, Editorial Gredos, © Francisco Ayala, 1965.

Illustrations by Oscar Liebman, pp. 122, 244, 312, 358, 364

ISBN: 0–15–550553–X

Library of Congress Catalog Card Number: 74–110505

Printed in the United States of America

PREFACIO

Lengua y lectura: un repaso y una continuación es un libro de texto que ofrece un repaso completo de gramática combinado con ejercicios de pronunciación, ejercicios sobre problemas de vocabulario y cuatro selecciones literarias, o lecturas, con cuestionarios y composiciones dirigidas. El libro está escrito en un español claro y sencillo, al alcance del estudiante que ya está familiarizado con la lengua. Sólo aparecen en inglés las explicaciones sobre pronunciación, las traducciones de las oraciones básicas y algunas traducciones de ejemplos en las notas gramaticales.

Después de un curso elemental, existen distintos objetivos que deben alcanzarse en la continuación de los estudios de una lengua extranjera. Es preciso repasar las estructuras que se presentaron en el curso elemental, ampliar el vocabulario del estudiante y su conocimiento de la gramática, dándole, al mismo tiempo, suficientes oportunidades para hablar y escribir y comenzar la lectura de obras literarias. Un libro de texto que trate de alcanzar todos estos objetivos corre el riesgo de llegar a ser tan extenso que no le permita a cada profesor la posibilidad de desarrollar su propio programa. En este texto, sin sacrificar los objetivos mencionados anteriormente, hemos logrado cierta brevedad al combinar estrechamente la gramática y la lectura. Las oraciones básicas, los ejercicios y las notas gramaticales presentan vocabulario y estructuras de la lectura que los estudiantes van a encontrar después; de esta manera, la gramática prepara al estudiante para la lectura y la lectura refuerza la gramática. El no tener un libro extremadamente extenso le permite al profesor que así lo desee, ampliar su programa con lecturas adicionales o materiales que satisfagan las necesidades específicas de su curso.

El libro tiene catorce lecciones y cuatro lecturas. Cada lección contiene oraciones básicas, ejercicios de pronunciación, varias secciones de gramática con ejercicios y notas y algunos ejercicios sobre problemas de vocabulario. Las oraciones básicas están tomadas directamente de la siguiente lectura y presentan vocabulario y estructuras que se usan en la lección. Las secciones de gramática de las primeras lecciones tratan aspectos básicos de la lengua, mientras que las siguientes introducen aspectos más complicados y sutiles. Los ejercicios sobre problemas de vocabulario están diseñados para ayudar al estudiante a expresarse con más facilidad en español y para aclarar y resolver las dificultades que existen a causa de la interferencia del inglés.

Las cuatro lecturas se encuentran después de las lecciones 6, 10, 12 y 14. Hemos escogido dos obras teatrales de un acto y dos cuentos de conocidos autores contemporáneos. Con la preparación de las lecciones que preceden a la obra y las notas que se ofrecen con el texto, el estudiante debe leer estas obras literarias sin dificultad. Las obras de teatro se presentan primero porque, con su énfasis en el diálogo y su falta de pasajes descriptivos, resultan más fáciles que los cuentos. Estas lecturas, además de su intrínseco valor literario, le darán al estudiante la oportunidad de prepararse para la lectura de la literatura hispánica. Con los cuestionarios, las composiciones dirigidas y los temas, aprenderá a apreciar y discutir obras literarias.

Las composiciones dirigidas completan los ejercicios escritos del libro al darle al estudiante más oportunidad para escribir en español. En estas composiciones hay un desarrollo gradual a través del texto, desde las que son rígidamente controladas hasta las últimas, donde el estudiante encuentra una libertad casi absoluta para expresarse.

Queremos expresar nuestro agradecimiento a los señores Francisco Ayala, Joaquín Calvo-Sotelo, José de Jesús Martínez y Ana María Matute, autores de las cuatro obras literarias incluidas en el texto, no sólo por habernos dado su autorización para usarlas, sino también por sus gentilezas al aclarar ciertos puntos de las mismas. Queremos además extender nuestra gratitud a los compañeros del Departamento de Español de la Universidad de Rutgers, especialmente al profesor Ricardo J. Aguiar, por sus comentarios y sugerencias. También agradecemos la cooperación prestada por el profesor Roger Peel, de Middlebury College, quien leyó el manuscrito, y cuyas acertadas recomendaciones mucho nos ayudaron en la preparación y revisión del libro. Por último, nuestro reconocimiento a nuestros alumnos, con los cuales probamos muchos de los ejercicios que aparecen en el texto, y cuyas palabras fueron una fuente constante de estímulo.

Matilde O. Castells   Phyllis Zatlin Boring

ÍNDICE GENERAL

LECCIÓN 2

LECCIÓN 3

LECCIÓN 4

LECCIÓN 5

LECCIÓN 7

LECCIÓN 8

L·E·C·C·I·Ó·N 9

LECCIÓN 10

LECTURA II

LECCIÓN 11

LECCIÓN 12

LECTURA III

LECCIÓN 13

LECCIÓN 14

LECTURA IV

LECCIÓN 1

1 Oraciones básicas[1]

1 La escena transcurre en la planta baja de una villa veraniega situada en un pueblo.	The scene takes place on the ground floor of a summer villa located in a town.
2 Mientras se levanta el telón, se oye el timbre de la puerta.	As the curtain rises, the doorbell is heard.
3 El gobierno de hoy es el mismo de ayer.	Today's government is the same as yesterday's.
4 Don Augusto ha vuelto al ajedrez.	Don Augusto has turned back to the chess game.
5 Leopoldina lleva pantalones y una blusa blanca.	Leopoldina is wearing slacks and a white blouse.
6 Entonces don Augusto interrumpe su lectura.	Then Don Augusto interrupts his reading.
7 Yo creo que se ha enamorado de él.	I believe that she has fallen in love with him.
8 Rosa golpea el cristal de la ventana sin ser vista.	Rosa taps the window pane without being seen.
9 Sé quién ha escrito este anónimo.	I know who wrote this anonymous letter.
10 Don Augusto estudia unas jugadas difíciles en el tablero de ajedrez.	Don Augusto is studying some difficult moves on the chessboard.

---

[1] Because of structural differences between Spanish and English, a sentence can seldom be translated word for word from one language to the other. If idioms, popular expressions, or slang appear in the sentence, translation is even more difficult; the expression with an equivalent meaning in the second language, if it exists at all, may use totally different words. The **Oraciones básicas** in this book are drawn from the **Lecturas**. Note how the suggested translations differ from the original Spanish wording.

2   Spanish pronunciation

Stress, intonation, rhythm, and juncture

Natural languages like Spanish and English are spoken and used for communication. They are made up of individual sounds that are combined into words and sentences. Different languages have different sound systems; some sounds may appear in both, but at least a few that appear in each one will be missing from the other. The languages will also differ in their patterns of stress, intonation, rhythm, and juncture.

    Students of a foreign language must listen carefully to native speakers of the language they are studying, learn to hear the sounds in the new language that are different from their own, and train themselves to reproduce these sounds in an acceptable manner—without a foreign accent. The pronunciation sections in this book compare the sound systems of English and Spanish. They do not offer a complete description of either sound system, but they present many pointers that should help students whose native language is English to learn to hear the unfamiliar aspects of Spanish speech, to identify errors in their own pronunciation, and to start speaking Spanish more correctly.

Stress

Stress is the prominence that we give to certain syllables.

> **mar**ket
> **top**ic
> im**por**tant
> tech**nol**ogy
> re**sent**

In Spanish there are only two degrees of stress: strong and weak.

casa	**strong** · weak
ca**sa**do	weak · **strong** · weak

Sometimes stress is the only difference one can hear between different words:

crítico	*critic, critical*
cri**ti**co	*I criticize*
criti**có**	*he criticized*

The same use of stress to differentiate between words occurs in English.

permit	(noun)
per**mit**	(verb)

1 ◆ PRONUNCIATION EXERCISE²

Repeat the following words after your teacher.

esta	está	ira	irá	domino	dominó
tomo	tomó	hala	Alá	disputo	disputó
papa	papá	fumo	fumó	ópera	opera

Intonation

When we speak, our voices reach different pitches. These pitches or inflections produce a melody known as intonation. The most common intonation patterns in Spanish are the patterns for normal statements, information questions, emphatic statements, and yes–no questions. The difference between the Spanish patterns and the English ones will now be shown. The student should listen carefully and attempt to imitate the Spanish intonation patterns as closely as possible.

There are four levels of pitch in English and three in Spanish. Using a music-like notation, we can depict a *normal statement* pattern in English as follows:

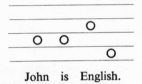

John is English.

If we use numbers to represent these variations in pitch, the sentence may be represented like this:

/ 2 2 3 1 ↓ /
John is English.

The arrow pointing down shows that the voice falls and fades out.

Spanish has a different intonation pattern for normal statements:

/ 1 2 1 1↓ /
Está triste.

---

² Words used in the pronunciation exercises do not appear in the vocabulary unless they are used elsewhere in the text.

In this sentence, the pitch rises on the first stressed syllable and stays more or less at the same level until the last stressed syllable, where it falls. In a sentence starting with a stressed syllable, the intonation pattern is like this:

/ 2   1 1 ↓ /

Tú   vienes.

Notice that in the English sentence the pitch rises on the last stressed syllable, while in the Spanish sentences it falls.

2 ◆ PRONUNCIATION EXERCISE

EXAMPLE   / 1   2   1 1 ↓ /

Estudia   mucho.

Camina poco.
Trabaja lejos.
No come nada.
Elena cose.
Y nada vale.
Y rifan todo.
Y casi toca.
Elisa bebe.
Antonio pone.

Information questions (those with words like **quién, qué, cuál, dónde**, etc.) follow the same intonation patterns as normal statements:

/ 1   2   1 1 ↓ /

¿Y   cuándo   tocas?

/   2   1 1 ↓ /

¿Cuándo   tocas?

3 ◆ PRONUNCIATION EXERCISE

EXAMPLE   / 1   2   1 1 ↓ /

¿Y   cuándo   llega?

¿Y dónde vive?
¿Y cómo sale?
¿Y dónde come?
¿Adónde vamos?
¿De dónde vienen?
¿A cuánto sale?
¿Por qué lo haces?

Emphatic statements in English differ from normal statements in that they reach a higher pitch:

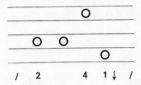

/ 2   4 1↓ /

John   is   English   (he's not Spanish).

Emphatic statements in Spanish follow a different pattern:

/ 1 2   3 1↓/

Está   triste   (no está contenta).

Emphatic statements in Spanish are quite similar in intonation to normal statements in English. One result of this circumstance is that American students who superimpose their normal intonation pattern on Spanish sentences sound emphatic all the time.

4 ◆ PRONUNCIATION EXERCISE

	normal	emphatic
EXAMPLE	/ 1 2 1 1↓ /	/ 1 2 3 1↓ /
	Estudia mucho.	**Estudia mucho.**
	Camina poco.	Camina poco.
	Trabaja lejos.	Trabaja lejos.
	No come nada.	No come nada.
	Elena cose.	Elena cose.
	Y nada vale.	Y nada vale.
	Y rifan todo.	Y rifan todo.
	Y casi toca.	Y casi toca.
	Elisa bebe.	Elisa bebe.
	Antonio pone.	Antonio pone.

Information questions can also be emphatic:

/   1   2   3 1↓ /

¿Por qué pregunta?

The *yes–no question* pattern does not ask for information, but for an affirmative or negative answer. It never starts with a question word. At times, the word order is the same as in a normal statement; only the intonation lets the listener know that the sentence is a question and not a statement.

statements

/ 1 2   1 1↓ /   / 2   2   3   1↓ /

Está   triste.   John   is   English.

questions

/ 1 2   2 2↑ /   / 2   2   3   3↑ /

¿Está   triste?   John   is   English?

The arrow pointing up shows that the voice rises at the end of the question.

5 ◆ PRONUNCIATION EXERCISE

EXAMPLE   /   1 2   2 2↑ /

¿Estudia mucho?

¿Camina poco ?
¿Trabaja lejos ?
¿No come nada ?
¿Elena cose?
¿Y nada vale ?
¿Y rifan todo ?
¿Y casi toca ?
¿Elisa bebe ?
¿Antonio pone ?

Rhythm

English is a stress-timed language, but Spanish is a syllable-timed language. In English the length of syllables is closely related to stress: syllables with strong stress are lengthened considerably, while unstressed ones are shortened.

For all practical purposes, stressed and unstressed syllables in Spanish have the same length. They are shorter than strong-stress syllables in English.

In an English sentence, syllables can be added between the strong-stress syllables with very little effect on the time it takes to say the sentence. The added syllables seem to be "squeezed in":

John ate   fish.
John ate a lot of fish.

When syllables are added to a Spanish sentence, however, the time it takes to say the sentence is lengthened according to the number of syllables added:

> Juan comió pescado.
> Juan comió muchísimo pescado.

Open juncture

In spoken English, words are generally separated by a slight break; this is called "open juncture." The break allows us to distinguish between expressions that would otherwise be identical in sound:

> May date
> made eight

In spoken Spanish, words are linked together. When a sentence is spoken, the student may receive the impression that a single very long word has been pronounced. Two words are pronounced exactly the same as one word with the same sounds:

> **alelado**   *stupefied*
> **al helado**   *to the ice cream*

The student must become accustomed to this linking to understand what is being said. He must also train himself to speak without breaks between words.

3 El presente

Formas regulares de las tres conjugaciones

6 ◆ EJERCICIOS DE SUSTITUCIÓN

Repita las siguientes oraciones haciendo los cambios que requiera el apunte [*cue*].

Don Augusto estudia la jugada.	Don Augusto estudia la jugada.
(Nosotros) _____.	Estudiamos la jugada.
Don Augusto y Gómez _____.	Don Augusto y Gómez estudian la jugada.
_____ miran _____.	Don Augusto y Gómez miran la jugada.
(Yo) _____.	Miro la jugada.
(Tú) _____.	Miras la jugada.

Benjamín comprende la carta.
(Yo) _____ .
(Ustedes) _____ .
_____ rompen _____ .
(Tú) _____ .
(Nosotros) _____ .

Benjamín comprende la carta.
Comprendo la carta.
Comprenden la carta.
Rompen la carta.
Rompes la carta.
Rompemos la carta.

María y yo recibimos el paquete.
Don Augusto _____ .
(Ellos) _____ .
_____ abren _____ .
(Nosotros) _____ .
(Yo) _____ .
(Tú) _____ .

María y yo recibimos el paquete.
Don Augusto recibe el paquete.
Reciben el paquete.
Abren el paquete.
Abrimos el paquete.
Abro el paquete.
Abres el paquete.

7 ◆ EJERCICIO DE TRADUCCIÓN

Leopoldina lleva una blusa blanca.
Leopoldina and I are wearing white slacks.
I am wearing a white dress.
My brother is wearing a blue suit.
My father is wearing a blue jacket.
They are wearing black gloves.
Leopoldina is wearing a blue nightgown.
Leopoldina is wearing a white blouse.

Leopoldina lleva una blusa blanca.
Leopoldina y yo llevamos pantalones blancos.
Llevo un vestido blanco.
Mi hermano lleva un traje azul.
Mi padre lleva una chaqueta azul.
Llevan guantes negros.
Leopoldina lleva un camisón azul.

Leopoldina lleva una blusa blanca.

Nota gramatical

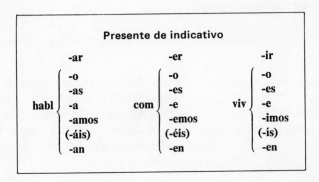

Presente de indicativo								
		-ar			-er			-ir
		-o			-o			-o
		-as			-es			-es
habl	{	-a	com	{	-e	viv	{	-e
		-amos			-emos			-imos
		(-áis)			(-éis)			(-ís)
		-an			-en			-en

4 El presente

Formas irregulares de algunos verbos de uso frecuente

8 ◆ PLURAL → SINGULAR

Vemos al diablo.	Veo al diablo.
Salimos de la casa.	Salgo de la casa.
Hacéis mucho ruido	Haces mucho ruido.
Decimos la verdad.	Digo la verdad.
Van al pueblo.	Va al pueblo.
No sabemos la respuesta.	No sé la respuesta.
Oyen un golpe en la ventana.	Oye un golpe en la ventana.
Estamos en la sala.	Estoy en la sala.
No tenemos mucho tiempo.	No tengo mucho tiempo.
Ponemos las cartas en la mesa.	Pongo las cartas en la mesa.

9 ◆ SINGULAR → PLURAL

Es español.	Son españoles.
Traigo los paquetes.	Traemos los paquetes.
Oigo la música.	Oímos la música.
No doy la fiesta esta noche.	No damos la fiesta esta noche.
Vengo en seguida.	Venimos en seguida.
No soy rico.	No somos ricos.
No hago el trabajo.	No hacemos el trabajo.
Voy al teatro.	Vamos al teatro.

Notas gramaticales

1 Las formas irregulares de estos verbos de uso frecuente se encuentran en la sección 4 del apéndice.

2 Algunos verbos sólo tienen formas irregulares en la primera persona singular:

caer	caigo	saber	sé
dar	doy	salir	salgo
hacer	hago	traer	traigo
poner	pongo	ver	veo

3 **Estar** es irregular en la primera persona singular (**estoy**) y en el uso de los acentos en la segunda y tercera persona singular y tercera persona plural (**estás, está, están**).

4   Otros verbos no sólo son irregulares en la primera persona singular, sino que también presentan cambios (e→ie, o→ue, e→i) en la raíz:

tener   tengo
              tienes, etc.
venir   vengo
              vienes, etc.
decir   digo
              dices, etc.

Los verbos que cambian en la raíz se revisan en la siguiente lección.

5   **Haber, ir, oír** y **ser** son casi por completo irregulares y se encuentran en el apéndice.

5   El participio pasivo usado como adjetivo y el pretérito perfecto

10 ◆ EJERCICIOS DE SUSTITUCIÓN

La villa está situada en un pueblo.   La villa está situada en un pueblo.
— hotel _____ .   El hotel está situado en un pueblo.
— casa _____ .   La casa está situada en un pueblo.
— colegio _____ .   El colegio está situado en un pueblo.
— villas _____ .   Las villas están situadas en un pueblo.
— hoteles _____ .   Los hoteles están situados en un pueblo.

Es una comedia muy divertida.   Es una comedia muy divertida.
_____ juego _____ .   Es un juego muy divertido.
_____ chicos _____ .   Son unos chicos muy divertidos.
_____ escenas _____ .   Son unas escenas muy divertidas.
_____ lectura _____ .   Es una lectura muy divertida.
_____ noticias _____ .   Son unas noticias muy divertidas.

Don Augusto ha cerrado la puerta.   Don Augusto ha cerrado la puerta.
(Nosotros) _____ .   Hemos cerrado la puerta.
_____ puertas.   Hemos cerrado las puertas.
(Yo) _____ .   He cerrado las puertas.
_____ ventana.   He cerrado la ventana.
(Tú)_____ .   Has cerrado la ventana.
_____ ventanas.   Has cerrado las ventanas.
(Ellas) _____ .   Han cerrado las ventanas.

Ya han vendido los periódicos.   Ya han vendido los periódicos.
— (tú) _____.   Ya has vendido los periódicos.
— Juan _____.   Ya Juan ha vendido los periódicos.
— Juan y yo _____.   Ya Juan y yo hemos vendido los periódicos.
_____ leído _____.   Ya Juan y yo hemos leído los periódicos.
— (ustedes) _____.   Ya han leído los periódicos.
— (yo) _____.   Ya he leído los periódicos.
— María _____.   Ya María ha leído los periódicos.

Braulia no ha oído el timbre.   Braulia no ha oído el timbre.
(Nosotros) _____.   No hemos oído el timbre.
(Yo) _____.   No he oído el timbre.
(Ellos) _____.   No han oído el timbre.
(Usted) _____.   No ha oído el timbre.
(Tú) _____.   No has oído el timbre.

11 ◆ PRESENTE → PRETÉRITO PERFECTO

Comes temprano.   Has comido temprano.
Leopoldina toma el sol.   Leopoldina ha tomado el sol.
Escribimos todos los días.   Hemos escrito todos los días.
Braulia busca la carta.   Braulia ha buscado la carta.
Hacen su trabajo muy bien.   Han hecho su trabajo muy bien.
Rosa golpea la ventana.   Rosa ha golpeado la ventana.
Ella trae unos paquetes.   Ella ha traído unos paquetes.
Abro la puerta.   He abierto la puerta.

12 ◆ EJERCICIO ESCRITO

Escriba las siguientes oraciones usando la forma correcta de los verbos en *bastardilla*.

1. Los alumnos han *repasar* sus lecciones.

2. Estos ejercicios ya están *repasar* .

3. El chico ha *abrir* la puerta.

4. Las puertas están *abrir* .

5. Los trabajos *terminar* están allí.

6. Los señores han *terminar* su trabajo.

7. La mesa está *poner* .

8. La sirvienta ha _poner_ la mesa.

9. Siempre he _preferir_ ese periódico.

10. Ése es mi periódico _preferir_ .

11. Hemos _pasar_ unos días muy _divertir_ .

12. Lo vi la semana _pasar_ .

Notas gramaticales

1 El participio pasivo se forma añadiendo **ado** a la raíz de los verbos de la primera conjugación:

hablar   habl**ado**

ido a la raíz de los verbos de la segunda y tercera conjugación:

comer   com**ido**
vivir   viv**ido**

2 Cuando el participio pasivo funciona como adjetivo, concuerda [agrees] con el nombre que modifica.

El **ejercicio terminado** está allí.
Los **ejercicios terminados** están allí.
La **villa** está **situada** en un pueblo.
Las **villas** están **situadas** en un pueblo.

3 El pretérito perfecto se forma con el presente del verbo **haber** y el participio pasivo. El verbo **haber** concuerda con el sujeto. El participio pasivo no varía.

he
has
ha
hemos   } hablado   comido   vivido
(habéis)
han

4 Algunos participios son irregulares.

abrir	abierto
cubrir	cubierto
decir	dicho
escribir	escrito
hacer	hecho
morir	muerto
poner	puesto
resolver	resuelto
romper	roto
ver	visto
volver	vuelto

Los derivados de estos verbos tienen también participios irregulares.

devolver   devuelto
deshacer   deshecho

5 En inglés es posible intercalar palabras entre los dos verbos. Generalmente los dos verbos no se separan en español.

¿**Ha visto** usted esa comedia?   *Have* you *seen* that play?
Él siempre **ha llegado** a tiempo.   He *has* always *arrived* on time.

6   La voz pasiva

13 ◆ ACTIVA → PASIVA

Cambie las siguientes oraciones a la voz pasiva.

EJEMPLO   Braulia abre la puerta.
         La puerta es abierta por Braulia.

Braulia recoge los periódicos.	Los periódicos son recogidos por Braulia.
Juana bebe la manzanilla.	La manzanilla es bebida por Juana.
La criada lava las copas.	Las copas son lavadas por la criada.
José escribe la carta.	La carta es escrita por José.
Las chicas llamaron al diablo.	El diablo fue llamado por las chicas.
Don Pablo recibió la carta.	La carta fue recibida por don Pablo.
Ricardo abrió las ventanas.	Las ventanas fueron abiertas por Ricardo.

14 ◆ SINGULAR → PLURAL

Repita las siguientes oraciones haciendo los cambios que requiera el apunte.

La renta es cobrada por don Mauricio. (rentas)	Las rentas son cobradas por don Mauricio.
El pasaporte fue entregado por el empleado. (pasaportes)	Los pasaportes fueron entregados por el empleado.
La puerta fue cerrada por don Augusto. (puertas)	Las puertas fueron cerradas por don Augusto.
El reloj fue recogido por Benjamín. (relojes)	Los relojes fueron recogidos por Benjamín.
La jarra es traída por la criada. (jarras)	Las jarras son traídas por la criada.

Notas gramaticales

1   La voz pasiva se forma con el verbo **ser**+el participio pasivo. El participio concuerda con el sujeto.

sujeto   participio

Los diablos fueron llamados.   *The devils were called.*

participio   sujeto

Fue servida la manzanilla.   *The manzanilla sherry was served.*

2   Se usa **por** con el agente.[3]

Los diablos fueron llamados por la gente.
La manzanilla fue servida por la sirvienta.

3   El verbo **estar** se usa también con el participio pasivo, pero no expresa acción como la voz pasiva sino condición. El participio, en tales casos, es un adjetivo.

La vertana es abierta por Juan.   **La ventara está abierta.**
The window is opened by John.   *The window is open.*
(Lo importante es la acción.)   (Lo importante es la condición.)

4   La voz pasiva se usa relativamente poco al hablar. Es preferible usar la voz activa o el reflexivo.

El diablo es llamado por la niña. → La niña llama al diablo.
Los periódicos son vendidos. → Se venden los periódicos.

7   El reflexivo

En lugar de la voz pasiva

15 ◆ EJERCICIOS DE SUSTITUCIÓN

Se abre la puerta.	Se abre la puerta.
_____ puertas.	Se abren las puertas.
__ han abierto __.	Se han abierto las puertas.
_____ ventana.	Se ha abierto la ventana.
__ abre _____.	Se abre la ventana.
_____ ventanas.	Se abren las ventanas.

---

[3] A veces, cuando se trata de sentimientos en vez de una acción física, se usa **de**. Este uso es poco frecuente hoy.

Él es muy estimado **de** todos. → Él es muy estimado **por** todos.

El timbre se oye otra vez.	El timbre se oye otra vez.
__ campana _____ .	La campana se oye otra vez.
_____ ha oído ___ .	La campana se ha oído otra vez.
__ timbres _____ .	Los timbres se han oído otra vez.
_____ oyen ___ .	Los timbres se oyen otra vez.

Notas gramaticales

1 No se usa el reflexivo en vez de la voz pasiva cuando:

    a. El sujeto es una persona.
    Juan fue invitado a la fiesta.

    b. El agente está expresado.
    La puerta fue abierta **por Juan**.

2 En el reflexivo, el verbo concuerda con el sujeto.

    Se levanta el **telón**.
    Se abren las **puertas**.

8 Sustantivación

16 ◆ EJERCICIO DE SUSTANTIVACIÓN

Las siguientes oraciones tienen un nombre modificado por un adjetivo o una frase que comienza con **de** o **que**. Omita este nombre modificado y sustantive el adjetivo o frase de cada oración.

EJEMPLO   La muchacha rubia está en mi clase.
       La rubia está en mi clase.

Es el señor del traje gris.	Es el del traje gris.
Esa es la alumna nueva.	Esa es la nueva.
Aquel es el estudiante que siempre llega tarde.	Aquel es el que siempre llega tarde.
Este es el anónimo de la semana pasada.	Este es el de la semana pasada.
Este es el sobre que quería.	Este es el que quería.
Ese traje rojo es muy bonito.	Ese rojo es muy bonito.
Los estudiantes invitados han llegado.	Los invitados han llegado.
El reloj roto es de Juan.	El roto es de Juan.

El gobierno de hoy es el mismo de ayer.	El gobierno de hoy es el mismo de ayer.
— programa _____.	El programa de hoy es el mismo de ayer.
— comida _____.	La comida de hoy es la misma de ayer.
— exámenes _____.	Los exámenes de hoy son los mismos de ayer.
— noticias _____.	Las noticias de hoy son las mismas de ayer.

Notas gramaticales

Cuando se omite un nombre modificado por adjetivos o frases que comienzan con **de** o **que**, estos adjetivos o frases se sustantivan (tienen la función de un nombre) al combinarse con un artículo definido o un adjetivo demostrativo.

El anónimo de la semana pasada → El de la semana pasada
El señor que vive allí → El que vive allí
Esa muchacha rubia → Esa rubia
El gobierno de hoy es el mismo gobierno de ayer → El gobierno de hoy es el mismo de ayer

9 Problemas de vocabulario

Enamorarse (de), estar enamorado (de), casarse (con), estar casado (con)

Estas expresiones pueden causar dificultades debido a que las preposiciones que se usan en inglés y en español son diferentes:

enamorarse (de)	*to fall in love* (*with*)
estar enamorado (de)	*to be in love* (*with*)
casarse (con)	*to marry* (complemento directo sin preposición)
estar casado (con)	*to be married* (*to*)

Fíjese que, igual que sus equivalentes en inglés, **enamorarse** y **casarse** expresan acción, mientras que **estar enamorado** y **estar casado** expresan una condición.

EJEMPLO   Benjamín se enamora.   **Benjamín se enamora.**
Rosa _____.   **Rosa se enamora.**
_____ de Benjamín.   **Rosa se enamora de Benjamín.**
Leopoldina _____.   **Leopoldina se enamora de Benjamín.**

Benjamín está enamorado.   Benjamín está enamorado.
Rosa _____.   Rosa está enamorada.
_____ de Benjamín.   Rosa está enamorada de Benjamín.
Leopoldina y Rosa _____.   Leopoldina y Rosa están enamoradas de Benjamín.

Don Augusto y Leopoldina no se casan.   Don Augusto y Leopoldina no se casan.

Don Augusto _____.   Don Augusto no se casa.
_____ con Leopoldina.   Don Augusto no se casa con Leopoldina.

_____ con Rosa.   Don Augusto no se casa con Rosa.

Don Augusto no está casado.   Don Augusto no está casado.
Leopoldina _____.   Leopoldina no está casada.
_____ con don Augusto.   Leopoldina no está casada con don Augusto.

Rosa _____.   Rosa no está casada con don Augusto.

10   Misleading cognates

Lectura y *conferencia*

Particularly troublesome are words in a foreign language that closely resemble words in one's native language but that have totally different meanings. The following exercises are designed to show the correct use in Spanish of two such "misleading cognates," **la lectura** and **la conferencia**.

> **la lectura:** cualquier cosa que se lee;   *reading, reading passage*
> acción o arte de leer

19 ◆ leer → lectura

Use la palabra **lectura** en lugar de **leer** en las siguientes oraciones.

EJEMPLO ¿Has terminado de leer?
¿Has terminado la lectura?

Empezamos a leer.	Empezamos la lectura.
Él prefiere leer.	Él prefiere la lectura.
¿Has terminado de leer?	¿Has terminado la lectura?
Empiezan a leer ahora.	Empiezan la lectura ahora.
¿Por qué prefieres leer?	¿Por qué prefieres la lectura?

---

la conferencia: lección pública, discurso   *lecture*

---

20 ◆ discurso → conferencia

Use la palabra **conferencia** en lugar de **discurso** en las siguientes oraciones.

EJEMPLO El profesor va a dar un discurso.
El profesor va a dar una conferencia.

El discurso fue muy aburrido.	La conferencia fue muy aburrida.
¿Vas a ir al discurso esta noche?	¿Vas a ir a la conferencia esta noche?
He escuchado un discurso interesante.	He escuchado una conferencia interesante.
No me gustan los discursos largos.	No me gustan las conferencias largas.
El señor González da un discurso esta noche.	El señor González da una conferencia esta noche.

21 ◆ EJERCICIO DE TRADUCCIÓN

It's a long lecture.	Es una conferencia larga.
It's a long reading passage.	Es una lectura larga.
He has finished the reading passage.	Ha terminado la lectura.
He has finished his lecture.	Ha terminado su conferencia.
He is going to the lecture.	Va a la conferencia.

LECCIÓN 2

1 Oraciones básicas

1 Se trata de tu novia.

What we're talking about is your fiancée.

2 Le cuesta trabajo cerrar la puerta.

She has a hard time closing the door.

3 Don Francisco se frota las manos con fruición.

Don Francisco rubs his hands with pleasure.

4 Viste con pulcritud un traje oscuro.

He is neatly dressed in a dark suit.

5 Ando siempre de un lado para otro y no paro nunca en ninguno.

I'm always going from one place to another and I never stop in any.

6 No le queda tiempo de pensar en otra cosa.

He doesn't have any time left to think about anything else.

7 ¿Quieres que ponga a Leopoldina de patitas en la calle?

Do you want me to kick Leopoldina out in the street?

8 Es probable que la partida de ajedrez comience pronto.

It is probable that the chess game will start soon.

9 Braulia descorcha la botella y sirve unas cañas de manzanilla.

Braulia uncorks the bottle and serves some glasses of manzanilla sherry.

10 Le prohiben hacer tarifas especiales y descuentos para familias.

They don't allow him to make special rates and family discounts.

2 Spanish pronunciation

Vowels in weak-stress syllables

In English, the vowels in weak-stress syllables are reduced to a neutral vowel sound produced with the tongue relaxed in the middle of the mouth. This vowel sound /ə/, named "schwa," has variants, but they are never used to distinguish words from each other. The **boldface** letters in the following words all stand for the schwa sound:

sofa	suspend
separation	philosophic
select	philosophy

Spanish vowels are never reduced to a schwa sound; they maintain the same sound in both strong- and weak-stress syllables. Americans tend to carry their schwa sound into Spanish; the tendency must be resisted, for Spanish does not have such a sound, and the chances for misunderstanding are many if unstressed Spanish vowels are not pronounced clearly.

como	*I eat*
come	*you, he, she eats*
coma	*eat—a command*

If the boldface vowels in these words are reduced to /ə/, the listener will not know if the speaker is saying that he eats, or that someone else is eating, or that he (the listener) should eat. Here is another example:

libro	*book*
libra	*pound*
libre	*free*

If the boldface vowels are reduced to /ə/, the listener may not know if the speaker is talking about a book, a pound, or being free. Sometimes the context will make the meaning apparent; sometimes it will not. Many misunderstandings can be avoided by pronouncing such sounds correctly. (Correct pronunciation is *not* achieved by adding stress.)

1 ◆ PRONUNCIATION EXERCISE

/a/	/e/	/a/	/i/
sacar	secar	pasar	pisar
talar	telar	manar	minar
gasas	gases	calas	cáliz
topa	tope	papa	papi
pasita	pesita	malicia	milicia
tacita	te cita	tarado	tirado

/a/	/o/	/a/	/u/
calar	colar	chapar	chupar
tapar	topar	gastar	gustar
chica	chico	tapir	tupir
mala	malo	barato	burato
matica	motica	carita	curita
balita	bolita	maleta	muleta

/e/	/i/	/e/	/o/
pelar	pilar	velar	volar
merar	mirar	cebar	sobar
cesar	sisar	vive	vivo
melado	mi lado	alabe	alabo
pecado	picado	pedido	podido
besito	visito	verdad	bordad

/e/	/u/	/i/	/o/
terrón	turrón	rizó	rozó
herí	hurí	trizar	trozar
secesión	sucesión	imán	Omán
bellido	bullido	risita	rosita
evita	uvita	tripero	tropero
terqueza	turquesa	pisado	posado

/i/	/u/	/o/	/u/
fingir	fungir	copón	cupón
timbal	tumbal	borlón	burlón
viril	buril	cojear	cujear
si sana	Susana	locero	lucero
nidito	nudito	dorado	durado
birlado	burlado	romano	rumano

3 El presente

Verbos que cambian en la raíz

2 ◆ EJERCICIOS DE SUSTITUCIÓN

e→ie

Cerramos el paquete.　　　　Quieres el paquete.

(Yo) _____.　　　　María _____.

(Ustedes) _____.　　　　_____ tiene _____.

Quieren _____.　　　　María y Juan _____.

(Tú) _____.　　　　(Nosotros) _____.

o→ue

No encuentras el libro.
(Ellos) _____.
(Nosotros) _____.
(Usted) _____.
___ devuelve _____.
(Yo) _____.
(Nosotros) _____.
(Tú) _____.

3 ◆ SINGULAR → PLURAL

e→ie, o→ue

Lo siento mucho.
Duerme en el sofá.
No advierte su presencia.
Me refiero a la agenda de notas.
Me muero de hambre.

4 ◆ EJERCICIO DE SUSTITUCIÓN

e→i

Leopoldina viste el camisón.
_____ mide _____.
(Ellas) _____.
(Yo) _____.
(Nosotros) _____.
_____ pedimos _____.
(Tú) _____.
(Ella) _____.

5 ◆ PREGUNTAS Y RESPUESTAS

Conteste a las siguientes preguntas según indica el ejemplo.

EJEMPLO   ¿Tienen ustedes los sobres?
          Sí, tenemos los sobres.

¿Pueden ustedes comer ahora?
¿Quieren ustedes salir?
¿Entienden ustedes los ejercicios?
¿Prefieren ustedes aquella jugada?
¿Piensan ustedes terminar a tiempo?

Presente de indicativo		
e → ie	o → ue	e → i
pensar	**volver**	**pedir**
pienso	vuelvo	pido
piensas	vuelves	pides
piensa	vuelve	pide
pensamos	volvemos	pedimos
(pensáis)	(volvéis)	(pedís)
piensan	vuelven	piden

1 En los verbos que cambian en la raíz, la última vocal de la raíz cambia cuando está acentuada.

pienso
encuentras
viste

2 La vocal de la raíz no cambia cuando no está acentuada.

pensamos
encontramos
vestimos
(cerráis)

Fíjese que esto ocurre en la primera y segunda persona del plural.

3 Los verbos **tener** y **venir** diptongan la raíz (e → ie) igual que los otros verbos de esta clase, excepto en la primera persona singular donde añaden una **g**.

tengo   vengo
tienes   vienes
tiene   viene
tenemos   venimos
(tenéis)   (venís)
tienen   vienen

4   El subjuntivo

Función, formas; después de *ojalá;* "let's"

El subjuntivo es un modo subjetivo que se usa después de expresiones que denotan emoción, duda, inseguridad o deseo por parte del que habla. Una oración en el modo indicativo expresa acciones de una manera objetiva, o hechos que se consideran definitivos y ciertos. Una oración en el subjuntivo expresa los hechos desde un punto de vista subjetivo o denota la inseguridad del futuro o una situación contraria a la verdad.

El subjuntivo generalmente se usa en oraciones subordinadas. Las oraciones subordinadas realizan la misma función sintáctica de los nombres, adjetivos y adverbios.

nombre
Quiero una **carta**.

oración subordi-
nada sustantiva
Quiero **que él escriba**.

adjetivo
No hay ningún alumno **estudioso**.

oración subordi-
nada adjetiva
No hay ningún alumno **que estudie**.

adverbio
Llamará **después**.

oración subordi-
nada adverbial
Llamará **después que llegue**.

6 ♦ INDICATIVO → SUBJUNTIVO

Añada **ojalá que** a cada una de las siguientes oraciones y haga los cambios necesarios.

EJEMPLO   Ellos estudian mucho.
           Ojalá que ellos estudien mucho.

Don Augusto cierra la puerta.
Ella dice la verdad.
Mi hermano recibe los paquetes.
No hay ensayo esta tarde.
Salimos de la casa.
La fiesta es el sábado.
No encuentran los sobres.

Notas gramaticales

1 El presente de subjuntivo se forma con la raíz de la primera persona singular del presente de indicativo. A esta raíz se le añaden ciertas terminaciones para

los verbos terminados en **-ar** y otras para los verbos terminados en **-er** e **-ir**. Las terminaciones son las siguientes:

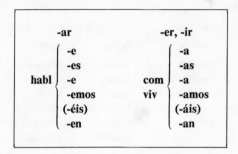

2   Los verbos que son irregulares en la primera persona singular del presente de indicativo mantienen esta irregularidad en todas las personas del presente de subjuntivo. Por ejemplo, la primera persona del presente de indicativo del verbo **hacer** es **hago**. La raíz **hag** se mantiene en todas las personas del presente de subjuntivo.

> haga
> hagas
> haga
> hagamos
> (hagáis)
> hagan

Los siguientes verbos no forman el presente de subjuntivo con la raíz de la primera persona del presente de indicativo:

haber	hay	-a
ir	vay	-as
		-a
saber	sep	-amos
ser	se	(-áis)
		-an

Nótese que las terminaciones son regulares.

3   Los verbos **dar** y **estar** son también irregulares.

dé	esté
des	estés
dé	esté
demos	estemos
(deis)	(estéis)
den	estén

4 Verbos que cambian en la raíz:

-ar, -er		-ir		
e→ie	o→ue	o→ue, u	e→ie, i	e→i
pensar	**volver**	**morir**	**mentir**	**pedir**
piense	vuelva	muera	mienta	pida
pienses	vuelvas	mueras	mientas	pidas
piense	vuelva	muera	mienta	pida
pensemos	volvamos	muramos	mintamos	pidamos
(penséis)	(volváis)	(muráis)	(mintáis)	(pidáis)
piensen	vuelvan	mueran	mientan	pidan

5 Los verbos que siguen a **ojalá** requieren el subjuntivo.

Ojalá que Juan **regrese** a tiempo.

Se puede omitir **que** si el verbo sigue directamente a **ojalá**.

Ojalá que regrese a tiempo.
Ojalá regrese a tiempo.

Ojalá viene del árabe y significa "May Allah grant that." Se traduce como *I (we) hope*. **Ojalá** no es un verbo, es una interjección.

7 ◆ EJERCICIOS DE TRANSFORMACIÓN

Cambie las siguientes oraciones según indican los ejemplos.

I. EJEMPLO   Vamos a comer.
            Comamos.

Vamos a comprar los billetes.
Vamos a estudiar la jugada.
Vamos a entrar.
Vamos a hacerlo.
Vamos a esperar.
Vamos a leer el anónimo.
Vamos a ponerlo en el sofá.

II. EJEMPLO   Vamos a sentarnos.
             Sentémonos.

Vamos a acostarnos ahora.
Vamos a peinarnos.
Vamos a levantarnos ya.
Vamos a defendernos.
Vamos a lavarnos.

Let's + verbo $\begin{cases} \textbf{vamos a} + \text{infinitivo} \\ \\ \text{presente de subjuntivo} \end{cases}$	*Let's eat.* $\begin{cases} \textbf{Vamos a comer.} \\ \\ \textbf{Comamos.} \end{cases}$

1 Cuando en inglés se usa *let's* + verbo, en español se puede escoger entre la primera persona plural del presente de indicativo del verbo **ir** (**vamos**) seguida de **a** + infinitivo o la primera persona plural del presente de subjuntivo.

2 La **s** final en **mos** desaparece cuando **nos** sigue al verbo.

> Sentemos + nos → Sentémonos.
> Peinemos + nos → Peinémonos.

5 El subjuntivo en oraciones subordinadas sustantivas

8 ◆ UN SUJETO → DOS SUJETOS

Repita las siguientes oraciones haciendo los cambios que requiera el apunte.

EJEMPLO Quiero terminar temprano.   (que ella)
Quiero que termine temprano.

Espero llegar a tiempo.   (que ellos)
Prefiero ir al cine.   (que ustedes)
Me alegro de verla.   (que usted)
Deseas viajar en avión.   (que ellos)
Temo llegar tarde.   (que nosotros)
Insiste en salir ahora.   (que nosotros)
Esperan portarse correctamente.   (que yo)
Siento tener que ir al pueblo.   (que tú)

Nota gramatical

un sujeto :				
(sujeto)	verbo	infinitivo		
(Yo)	**quiero**	**estudiar.**		
dos sujetos :				
(sujeto)	verbo	que	(otro sujeto)	subjuntivo
(Yo)	**quiero**	**que**	**(Juan)**	**estudie.**

Se usa el subjuntivo cuando hay un sujeto en la oración principal y otro sujeto en la oración subordinada si el verbo de la oración principal expresa emoción, orden o imposición de la voluntad.

9 ◆ EJERCICIO DE SUSTITUCIÓN

Dudo que Braulia encuentre la carta.
Dudo que ustedes _____.
Dudo que tú _____.
No creo que él _____.
No creo que ellos _____.
No creo que usted _____.
Creo que ella _____.
Creo que Juan _____.
Dudo que Juan _____.

Notas gramaticales

1 Cuando el verbo de la oración principal expresa bastante duda, se usa el subjuntivo en la oración subordinada.

> Duda que ellos puedan terminar a tiempo.
> No creo que puedan terminar a tiempo.

2 Con los verbos que expresan duda, aunque el sujeto sea el mismo, la oración subordinada lleva el verbo en subjuntivo.

> (Yo) Dudo que (yo) pueda terminar a tiempo.
> (Tú) No crees que (tú) puedas terminar a tiempo.

3 Cuando no hay duda o ésta es muy limitada, la oración subordinada lleva el verbo en indicativo.

> Creo que **terminará** a tiempo.
> Creo que **estudian** mucho.
> Creo que no **estudian** mucho.

> No creo que **terminaremos** ese capítulo.
> ¿No crees que **es** una casa preciosa?

El uso del subjuntivo o del indicativo depende de la actitud del que habla.

> No creo que **terminemos** ese capítulo. (El que habla no está seguro si van a terminar el capítulo.)

> No creo que terminaremos ese capítulo. (El que habla está bastante seguro de que **no** van a terminar el capítulo.)

10 ◆ EJERCICIO DE TRANSFORMACIÓN

Cambie las siguientes oraciones según indica el ejemplo.

EJEMPLO   Me ordena que venga.
          Me ordena venir.

Les prohibe que fumen.
Nos impide que entremos.
Me aconseja que estudie.
No le permito que tire eso.
¿Te deja que vengas?

Nota gramatical

Cuando ciertos verbos que expresan mandato, prohibición, permiso o consejo aparecen en la oración principal se puede usar el subjuntivo o el infinitivo en la oración subordinada. Cuando se usa el subjuntivo en la oración subordinada, el sujeto de ésta es el complemento indirecto del verbo de la oración principal.

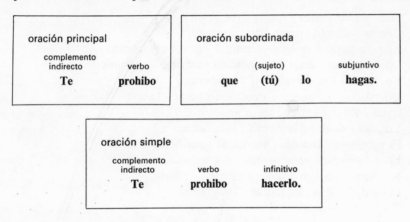

11 ◆ EJERCICIO DE SUSTITUCIÓN

Es posible que regresen esta tarde.
Es probable que _____.
Es difícil que _____.
Es verdad que _____.
Es necesario que _____.
Es cierto que _____.
No es cierto que _____.
Es seguro que _____.

Notas gramaticales

1 Después de expresiones impersonales, la oración sustantiva lleva el verbo en subjuntivo, excepto en los casos en que la expresión impersonal denota certeza o seguridad.

> **Es necesario** que **hable** español.
> **Es cierto** que **habla** español.

2 Si las expresiones impersonales que denotan certeza se usan en preguntas o en el negativo, generalmente se usa el subjuntivo en la oración sustantiva.

> **No es seguro** que **regrese** hoy.

12 ◆ EJERCICIO ESCRITO

Escriba oraciones con las siguientes palabras según indica el ejemplo, usando los tiempos verbales estudiados. Debe usar las palabras en el orden en que aparecen y hacer los cambios gramaticales necesarios.

EJEMPLO Alicia / querer / novio / regresar / tiempo.
Alicia quiere que su novio regrese a tiempo.

1. Ella / dudar / ellos / tomar / ese avión.
2. Gómez / querer / jugar / don Augusto.
3. Juan / esperar / amigos / terminar / partida / pronto.
4. Don Augusto / creer / Leopoldina / escribir / anónimo.
5. Yo / dudar / yo / poder / ir / concierto.
6. Don Augusto / querer / Benjamín / besar / Leopoldina.
7. Ojalá / Rosa / volver / temprano.
8. Yo / no / creer / ella / venir / esta noche.
9. Es necesario / Braulia / encontrar / periódico.
10. Ellos / esperar / ver / padres / dos semanas.
11. Nosotros / preferir / niños / estudiar / cuarto.
12. Es verdad / Rosa / admirar / Leopoldina.

6 Pronombres personales

Complementos directos e indirectos; pronombres reflexivos

13 ◆ NOMBRE → PRONOMBRE

Leo la carta.
Llevamos los paquetes.

Abren las ventanas.
Veo a María.
Escuchamos a Juan.
Conocen a los hombres.
Esperamos a las mujeres.
Él busca el periódico.

14 ◆ PREGUNTAS Y RESPUESTAS

Conteste a las siguientes preguntas según indica el ejemplo.

EJEMPLO ¿Me ves?
Sí, te veo.

¿Me oyes?
¿Te entiendo bien?
¿Me escuchas?
¿Lo conozco a usted?
¿Los acompaña ella a ustedes?

15 ◆ COMPLEMENTO INDIRECTO: NOMBRE → PRONOMBRE

Escribo a mis padres.
Hablo a mi tía.
Da una copa al invitado.
Mandan un paquete a la chica.
Entregan una carta al señor.

16 ◆ NOMBRE → PRONOMBRE

Me entregan el traje.
Nos pagan la renta.
Te explico la situación.
Te pedimos las cartas.
Me sirven la manzanilla.
Nos manda los anónimos.
Le da el dinero.
Les decimos la respuesta.
Les escribes las cartas.
Le lee los anónimos.
Le pedimos a usted el dinero.
Le venden a ella el camisón.
Les mando a ustedes los paquetes.
Les devuelvo a ellos las revistas.

Pronombres			
complemento directo		**complemento indirecto**	
me	*me*	**me**	*me*
te	*you*	**te**	*you*
lo (masculino)	*you* / *him* / *it*	**le**	*you* / *him* / *her* / *it*
la (femenino)	*you* / *her* / *it*		
nos	*us*	**nos**	*us*
(os)	*you*	**(os)**	*you*
los (masculino)	*you* / *them*	**les**	*you* / *them*
las (femenino)	*you* / *them*		

1   Los pronombres que son objeto o complemento del verbo preceden a las formas conjugadas del verbo, excepto los mandatos afirmativos. Si hay un verbo conjugado seguido de un infinitivo o un gerundio, el pronombre puede preceder al verbo conjugado o seguir al gerundio o al infinitivo.

> **Lo** mira.
> Míra**lo**.
> **Lo** va a mirar.
> Va a mirar**lo**.
> **Lo** está mirando.
> Está mirándo**lo**.

2   Las formas de la primera y segunda persona singular y plural (**me, te, nos, os**) son las mismas para los complementos directos e indirectos.

> **Me** ves.   *You see me.*   (complemento directo)
> **Me** hablas.   *You speak to me.*   (complemento indirecto)

3   Los pronombres de tercera persona (complemento directo) son:[1]

---

[1] En algunas áreas del mundo hispánico, especialmente en España, se usa **le(s)** en vez de **lo(s)** cuando se refieren a personas. Las dos formas se consideran correctas, pero en este texto se usará la forma **lo(s)** en los ejercicios porque es la más común en Hispanoamérica.

lo	*it, him, you*
la	*it, her, you*
los	*them, you*
las	*them, you*

Veo el libro.	**Lo** veo.
Veo a la muchacha.	**La** veo.
Veo a los hombres	**Los** veo.
Veo a las señoras.	**Las** veo.

4 Los pronombres de tercera persona (complemento indirecto) son:

le	(*to, for* or *from*) *it, him, her, you*
les	(*to, for* or *from*) *them, you*

5 Para evitar ambigüedad o dar énfasis se puede añadir una frase preposicional.

Les hablo **a ustedes**.
Te hablo **a ti**.

6 Cuando hay dos pronombres como complementos del verbo, el complemento indirecto precede al directo.

Me la mandas.   *You send it to me.*

7 Cuando hay dos pronombres de tercera persona como complementos del verbo se usa la forma **se** en vez de **le** o **les**.

¿La renta? Se la mandas al dueño.

17 ◆ EJERCICIOS DE SUSTITUCIÓN

Leopoldina se pone de pie.
(Yo) _____.
(Ellos) _____.
(Tú y yo) _____.
(Tú) _____.

Gómez se frota las manos.
Juan y él _____.
(Tú) _____.
(Nosotros) _____.
(Yo) _____.

Notas gramaticales

1 Los pronombres reflexivos son:

me	**nos**
te	**(os)**
se	**se**

Estos pronombres, igual que los anteriormente estudiados, preceden al verbo conjugado, excepto los mandatos afirmativos, y siguen las mismas reglas de colocación con respecto a los infinitivos y gerundios.

> **Se** frota las manos.
> Frót**ese** las manos.
> **Se** debe frotar las manos.
> Debe frotar**se** las manos.

2 El pronombre reflexivo siempre precede a los otros pronombres que son complementos del verbo.

> **Se** las frota.

3 El pronombre reflexivo puede ser complemento directo o indirecto.

> complemento directo:
> **Me lavo.**   I wash *myself*.

> complemento indirecto:
> **Me lavo la cara.**   I wash my face.   (Literalmente: I wash the face *to me*.)

7   El negativo

18 ◆ AFIRMACIÓN → NEGACIÓN

Cambie las siguientes oraciones al negativo sin usar el adverbio **no**.

EJEMPLO   Alguien ve al señor Gómez.
     Nadie ve al señor Gómez.

Alguien llama a la puerta.
Algo va a pasar.
Alguno puede venir.
Siempre llegan temprano.
A veces estudian ese libro.
Mis amigos también comen allí.
Juan o Pablo vienen después.

19 ◆ EJERCICIO DE EXPANSIÓN

Añada el adverbio **no** a las siguientes oraciones.

EJEMPLO   Nunca juegan al ajedrez.
     No juegan nunca al ajedrez.

Nadie ve al señor Gómez.
Nunca lee el periódico.

Nadie oye el timbre.
Ellos tampoco lo ven.
Nadie lo llama ahora.
Nada veo allí.
Ni María ni Pilar lo saben.

20 ◆ AFIRMACIÓN → NEGACIÓN

Añada **no** a las siguientes oraciones y haga los cambios necesarios.

EJEMPLOS   Hay una tienda cerca de aquí.
             No hay ninguna tienda cerca de aquí.

             Hay algunas botellas en la sala.
             No hay ninguna botella en la sala.

¿Hay alguna noticia interesante?
Hay una buena película hoy.
Hay algunas muchachas bonitas.
Hay algunas cañas de manzanilla.
Hay algunos libros en la mesa.

21 ◆ PREGUNTAS Y RESPUESTAS

Conteste a las siguientes preguntas según indica el ejemplo.

EJEMPLO   ¿Ves a alguna chica?
           No, no veo a ninguna.

¿Quiere usted algún libro?
¿Hay alguna noticia?
¿Sabe usted algo?
¿Está alguien a la puerta?
¿Ha llegado alguien?
¿Baja alguien por la escalera?

22 ◆ EJERCICIO DE TRANSFORMACIÓN

Escuche cada oración y repítala usando **alguno** o **alguna** en vez de **ningún** o **ninguna** manteniendo la forma negativa.

EJEMPLO   No le das ningún mérito.
         No le das mérito alguno.

No recibe ninguna llamada.
No tienen ningún interés.
No reciben ningún beneficio.

No ha visto a ningún hombre.
No tienes ningún problema.

23 ◆ EJERCICIO DE TRADUCCIÓN

Nobody ever comes.
They never do anything.
He never stops anywhere.
She does not see anybody either.
Neither says anything.

Notas gramaticales

palabras afirmativas	palabras negativas
algo	**nada**
alguien	**nadie**
alguno(s) -a(s)	**ninguno -a**[2]
o, o...o	**ni, ni...ni**
siempre, algún día,	**nunca, jamás**
alguna vez, a veces	
también	**tampoco**

1 Las palabras negativas como **nadie, nunca, nada** preceden al verbo cuando no se usa el adverbio **no**.

> **Nunca llega** a tiempo.
> **Nadie juega** al ajedrez.

2 Si se usa el adverbio **no**, esas palabras negativas se colocan después del verbo.

> **No llega nunca** a tiempo.
> **No juega nadie** al ajedrez.

3 **Alguno** y **ninguno** pierden la **o** final delante de un nombre.

> Vio a **alguno**.   Vio a **algún** hombre.
> No vio a **ninguno**.   No vio a **ningún** hombre.

4 Cuando las palabras **alguno** o **alguna** se colocan después de un nombre tienen valor negativo y la misma significación de **ninguno** o **ninguna**. La palabra **no** tiene que preceder al verbo.

> No tiene **valor alguno**.   No tiene **ningún valor**.

---

[2] El negativo de **algunos, (-as)** es **ninguno, (-a)**. Los plurales **ningunos** y **ningunas** sólo se usan en español con ciertos nombres que no tienen forma singular, como **gafas**.

ningunas gafas

El uso de **alguno** y **alguna** con valor negativo aparece principalmente en la lengua literaria.

5 Cuando **o** y **ni** unen dos palabras en singular, el verbo se usa en plural.

Juan **o** Pedro **tienen** el reloj.   *Either* John *or* Peter *has* the watch.
Ni Juan **ni** Pedro **tienen** el reloj.   *Neither* John *nor* Peter has the watch.

8 Problemas de vocabulario

Pensar en y *pensar de*

pensar en algo o en alguien   *to think about, to think of*

24 ◆ EJERCICIO DE SUSTITUCIÓN

Pienso en el anónimo.
(Nosotros) _____ .
_____ lectura.
(Ellos) _____ .
(Usted) _____ .
_____ noticias.
(Tú) _____ .
Francisco y yo ____ .

pensar de: tener una opinión   *to think about, to think of*
    sobre algo.

Se usa generalmente en preguntas.

25 ◆ EJERCICIO DE REPETICIÓN

Repita las siguientes preguntas y respuestas.

¿Qué piensa usted de la obra?   Es muy buena.
¿Qué piensas de esa jugada?   Es excelente.
¿Qué piensa usted de la lectura?   Es muy fácil.
¿Qué piensas de esta novela?   Es muy aburrida.
¿Qué piensas de esa noticia?   Es terrible.

Escriba las siguientes oraciones usando la preposición correcta.

1. ¿Qué piensas _____ la guerra?
2. Nunca pienso _____ mi niñez.
3. Yo no sé lo que piensa _____ la novela.
4. He pensado mucho _____ esta obra.
5. ¿Piensas _____ María?
6. ¿Qué piensas _____ María?

9 Expresiones idiomáticas

Costar trabajo; tratarse de

---

costar trabajo a alguien   *to be difficult for someone to do something*

---

27 ◆ ser difícil → costar trabajo

Use **costar trabajo** en lugar de **ser difícil** o **resultar difícil** en las siguientes oraciones.

EJEMPLO   Te es difícil estudiar.
          Te cuesta trabajo estudiar.

Le es difícil cerrar la puerta.
Me es difícil hacerlo.
Te es difícil hablar español.
Les resulta difícil aprenderlo.
Nos resulta difícil leerlo.

---

tratarse de una cosa   ser cuestión de una cosa

Se trata del dinero.   *It's a question of money.*
                              (*You're talking about money.*)

---

28 ◆ EJERCICIO DE SUSTITUCIÓN

Se trata de tu novia.   Se trata de las tarifas.
_____ tía.   _____ descuentos.
_____ las tarifas.   _____ demonio.

LECCIÓN 3

1 Oraciones básicas

1 Yo no sé fingir.	I don't know how to pretend.
2 Se aproxima a la ventana y mira a derecha e izquierda.	He approaches the window and looks to the right and the left.
3 En mi mesita de noche hay un sobre azul; tráigamelo, haga el favor.	On my nightstand there's a blue envelope; bring it to me, please.
4 Vigile a su sobrino que aparenta quererlo, pero le importa usted un bledo.	Watch your nephew who pretends to love you but doesn't care a bit about you.
5 Pusiste esa ele en donde no hacía falta.	You put that *l* where it didn't belong.
6 De improviso intuye que la clave de todo reside en Gómez.	Suddenly he senses that the key to everything lies in Gómez.
7 ¿Puedo pedir lo que me parezca?	May I ask for anything I want?
8 ¿A usted qué es lo que le gusta?	What do you like?
9 El bolsillo no le va bien al traje.	The purse doesn't go well with the dress.
10 Últimamente el diablo ha aparecido en muchas comedias.	Lately the devil has appeared in many plays.

2   Spanish pronunciation

Vowels in strong-stress syllables

In strong-stress syllables, the vowels **e, i, o, u** may seem to be pronounced in English as in Spanish, but in fact they are not. The English vowels are lengthened; the tongue, lips, and jaw move; and a resultant gliding speech sound or diphthong is produced. In Spanish, the vowels are not lengthened; the tongue, lips, and jaw maintain a constant position; and a monophthong, or sound of unvarying quality, results.

1 ◆ PRONUNCIATION EXERCISE

English	Spanish		English	Spanish
/ey/	/e/		/iy/	/i/
bay	ve		bee	vi
say	sé		tea	ti
pay	pe		see	sí
Kay	que		pea	pi
hay	ge		knee	ni

English	Spanish		English	Spanish
/ow/	/o/		/uw/	/u/
low	lo		two	tú
no	no		moo	mu
Poe	Po		Sue	su
dough	do		boo	bu
so	so		foo	fu

/p/, /t/, /k/

The /p/, /t/, /k/ sounds in English and Spanish are called stops or occlusives; they are produced when the stream of air is stopped completely by bringing together two speech organs. These sounds are also called voiceless because they are produced without vibration of the vocal cords.

The /p/ sound is produced in both languages by bringing the two lips together (it is bilabial). But English /p/ is usually aspirated, or accompanied by a puff of air, whereas Spanish /p/ is unaspirated. Since English speakers are used to hearing that puff of air in the pronunciation of /p/, the student often hears Spanish /p/ as /b/, a sound that is unaspirated in English.

/p/

peso

pino

polo

pena

piso

pista

pensar

sapo

ropa

vapor

copa

pelar

supuse

English /t/ is aspirated and produced by placing the tongue on the alveolar ridge (the ridge of the gums behind the upper teeth). Spanish /t/ is unaspirated and produced by placing the tongue against the upper teeth.

3 ◆ PRONUNCIATION EXERCISE

/t/

te

tú

tío

tema

tiza

tomo

meten

laten

atina

botella

telar

temor

atún

citaron

mesita

patita

English /k/ and Spanish /k/ are produced with the back of the tongue against the back of the palate. They differ in that English /k/ is aspirated, while Spanish /k/ is not.

/k/

que

kilo

como

casa

cama

quema

quita

saca

acusa

café

chocar

sacar

fakir

/p/ /t/ /k/

paquete

piquete

tú copas

que tapo

capote

Paquito

tú quepas

¡qué pato!

3 Verbos irregulares: el presente de indicativo y de subjuntivo

Verbos terminados en una vocal + *-cer* o *-cir*

5 ◆ EJERCICIO DE SUSTITUCIÓN

Gómez complace al viejo.

(Yo) _____.

Obedezco_____.

Juan y yo _____.

_____ conocemos ___.

(Yo) _____.

Conduzco _____.

(Ustedes) _____.

Pepe y yo _____.

Ponga **dudo que** delante de las siguientes oraciones y haga los cambios necesarios.

EJEMPLO Braulia conoce al señor Gómez.
Dudo que Braulia conozca al señor Gómez.

Braulia aparece por la puerta.
Los muchachos se introducen en la casa.
Merecemos mejor tratamiento.
Conduces el coche.
Los estudiantes traducen la comedia.

Verbos terminados en *-uir*

7 ◆ PLURAL → SINGULAR

Intuimos que la clave reside en Gómez.
Concluyen el trabajo.
Atribuís ese cambio a Gómez.
Huimos del demonio.
Intuyen la verdad.
Lo atribuimos a don Francisco.

Notas gramaticales

1 Los verbos que terminan en vocal + **cer** o **cir** añaden una **z** delante de la **c** cuando ésta va seguida de **a** y **o**.

c	zc	
conocer	conozca	conozco
merecer	merezca	merezco
traducir	traduzca	traduzco

Los verbos **decir**, **hacer** y **mecer** [*to rock*] no siguen esta regla.

decir	diga	digo
hacer	haga	hago
mecer	meza	mezo

2 Los verbos que terminan en **uir** añaden una **y** delante de **a, e** y **o**.

intu**ir**

intu**ya**

intu**ye**

intu**yo**

4 Verbos con cambios ortográficos: el presente de indicativo y de subjuntivo

Verbos terminados en *-ger, -gir, -guir* o en una consonante + *-cer* o *-cir*

8 ◆ EJERCICIO ESCRITO

Escriba las siguientes oraciones usando la forma correcta de los verbos en *bastardilla*.

1. (Nosotros) _*fingir*_ gran amistad.

2. (Yo) _*dirigirse*_ al sofá.

3. No quiero que (tú) _*coger*_ frío.

4. Braulia _*recoger*_ los periódicos.

5. Rosa _*seguir*_ sin entender.

6. No quiero que (tú) lo _*conseguir*_ .

7. (Yo) no _*distinguir*_ entre lo bueno y lo malo.

8. Es imposible que Benjamín _*vencer*_ a su rival.

9. Leopoldina y Benjamín no _*convencer*_ a nadie.

Notas gramaticales

1 Los verbos que terminan en **ger** y **gir** cambian la **g** en **j** delante de la **a** y de la **o** para mantener el sonido de la raíz.

    g → j

coger   coja   cojo
fingir   finja   finjo

2 Los verbos que terminan en **guir** eliminan la **u** delante de la **a** y de la **o** para mantener el sonido de la raíz.

    gu → g

distinguir   distinga   distingo

3 Los verbos que terminan en consonante + **cer** o en consonante + **cir** cambian la **c** en **z** delante de la **a** y de la **o**.

    c → z

vencer   venza   venzo
esparcir   esparza   esparzo

Verbos terminados en *-car, -gar* y *-zar*

9 ◆ EJERCICIO ESCRITO

Escriba de nuevo las siguientes oraciones añadiendo **Es imposible que** y haciendo los cambios necesarios.

EJEMPLO   Empiezan a jugar.
Es imposible que empiecen a jugar.

1. La acción comienza.
2. Llegamos en seguida.
3. La abraza.
4. Dedico mucho tiempo al ajedrez.
5. Pagan la renta hoy.
6. Te acercas a ella.

Notas gramaticales

1   Los verbos que terminan en **car** cambian la **c** en **qu** delante de la **e** para mantener el sonido de la raíz.

        c   →   **qu**
    acer**car**   acer**que**

2   Los verbos que terminan en **gar** cambian la **g** en **gu** delante de la **e** para mantener el sonido de la raíz.

        g   →   **gu**
    lle**gar**   lle**gue**

3   Los verbos que terminan en **zar** cambian la **z** en **c** delante de la **e** para mantener el sonido de la raíz.

        z   →   **c**
    abra**zar**   abra**ce**

5   La *a* personal

10 ◆ EJERCICIO DE SUSTITUCIÓN

Repita las siguientes oraciones cambiando el complemento según indica el ejemplo.

EJEMPLO   No conozco esa ciudad.   (muchacha)
No conozco a esa muchacha.

Quiero escuchar ese programa.   (actor)
No has entendido la explicación.   (profesor)
Llevan los paquetes ahora.   (chicos)
¿Por qué no traes las copas?   (niña)
Él quiere ver la película.   (perro)
¿No has visto la comedia?   (nadie)

Notas gramaticales

La **a** personal se usa:

1   Delante del complemento directo cuando se trata de una persona.

>   Conozco **a** Jacinto.

2   Con los pronombres indefinidos **nadie** y **alguien**, y también con **alguno** y **ninguno** cuando éstos se refieren a personas.

>   No vi **a** nadie.
>   No vi **a** ninguno.   (persona)
>   No vi ningunó.   (cosa)

3   A veces, delante de nombres propios geográficos y de cosas o animales personificados.

>   Quiere visitar **a** Barcelona.
>   María quiere mucho **a** su gato.
>   Ellos llaman **a** la muerte.

4   La **a** personal se omite después del verbo **tener** cuando éste sólo expresa existencia.

>   Tengo un hijo.

Se usa la **a** personal después del verbo **tener** cuando la existencia de la persona ya ha quedado establecida y se dice algo sobre esta persona.

>   Tengo **a** mi hijo enfermo.
>   Tengo **a** María enferma.

6   El subjuntivo: oraciones subordinadas adjetivas

11 ◆ EJERCICIO DE SUSTITUCIÓN

Repita las siguientes oraciones haciendo los cambios que requiera el apunte.

EJEMPLO   Busco al señor que juega ajedrez.   (un señor)
Busco un señor que juegue ajedrez.

Quiero las frutas que están frescas.   (unas frutas)
Vamos al pueblo donde hay fiestas.   (un pueblo)
Prefieren a la secretaria que habla inglés.   (una secretaria)
Buscan a la muchacha que cocina bien.   (una muchacha)
Toma el tren que sale temprano.   (un tren)

12 ◆ AFIRMACIÓN → NEGACIÓN

    Cambie las siguientes oraciones al negativo.

    EJEMPLO   Hay alguien que lo llama.
               No hay nadie que lo llame.

Hay alguien que sabe la dirección.
Hay algo que me gusta.
Hay algunos pescados que están frescos.
Hay alguien que quiere a don Augusto.
Hay algo que él puede hacer.
Hay alguien que va al pueblo.

13 ◆ EJERCICIO DE TRADUCCIÓN

    Repita la primera oración y después traduzca las otras dos según indica el ejemplo.

    EJEMPLO   Van a mandar las que están aquí.
               Van a mandar las que están aquí.
               They are going to send the ones that are here.
               Van a mandar las que están aquí.
               They are going to send whichever ones are here.
               Van a mandar las que estén aquí.

1. Se lo doy por lo que me ofrece.
   I'll give it to you for what you offer me.
   I'll give it to you for whatever you offer me.

2. Ella hace lo que le dicen.
   She does what they tell her.
   She does whatever they tell her.

3. Ella trae los que están en la mesita de noche.
   She brings the ones that are on the nightstand.
   She brings whichever ones are on the nightstand.

4. Vamos a trabajar a pesar de lo que él dice.
   We are going to work in spite of what he says.
   We are going to work in spite of what he may say.

14 ◆ EJERCICIO ESCRITO

Escriba las siguientes oraciones usando la forma correcta de los verbos en *bastardilla.*

1. Busca un traje que *ser* barato.

2. Hay alguien que *llamar* a la puerta.

3. Es imposible que los alumnos *traducir* esos ejercicios en diez minutos.

4. Vas a hablar con ella lo que *tener* que hablar.

5. Busca el bolsillo que le *ir* bien al traje.

6. Queremos ver a un señor que *vivir* en esta calle.

7. Espero que ustedes *recoger* todo antes de marcharse.

8. No hay nadie que *conducir* como mi sobrino.

9. Buscamos a la sirvienta que *trabajar* con el señor Cadaval.

10. Dudo que yo *obedecer* esa orden.

11. No conozco a nadie que *protestar* tanto.

12. Quiero invitar al alumno que siempre *sacar* buenas notas.

13. Quiero invitar un alumno que siempre *sacar* buenas notas.

Notas gramaticales

1 Se usa el modo indicativo en las oraciones subordinadas adjetivas que describen algo determinado y específico.

Busco **al señor** que **habla** español. (El que habla está buscando a una persona determinada.)

2 Se usa el subjuntivo en las oraciones subordinadas adjetivas que describen algo indeterminado.

Busco **un señor** que **hable** español. (El que habla busca a cualquier señor que pueda hablar español.)

Fíjese que se omite la **a** personal, lo que demuestra que el nombre que se describe es indeterminado. Si se incluye la **a**, el que habla está buscando a una persona determinada.

Busco **a un señor** que **habla** español.

3   Se usa el subjuntivo en las oraciones subordinadas adjetivas que modifican
    a un antecedente cuya existencia se niega. Si el antecedente es afirmativo, se
    usa el indicativo.

> No hay **nadie** que **entienda** ese problema.
> Hay **alguien** que **entiende** ese problema.

7   El imperativo

15 ◆ tú → usted

EJEMPLO   Mira el juego.
          Mire el juego.

Abre la puerta.
Lee el anónimo.
Descorcha la botella.
Vigila a tu sobrino.
Vete a tus ocupaciones.   *Vayass asus*
Retírate, haz el favor.   *Retírese, haga*
Aproxímate a la ventana.   *Apoximese*

16 ◆ AFIRMACIÓN → NEGACIÓN

I. EJEMPLO **(usted)**   Cierre la puerta.
                         No cierre la puerta.

No Golpee la ventana.
Traiga las cartas.
Escriba esa nota.
No se Quéjese.
No se Retírese.
No se Aléjese de la puerta.

II. EJEMPLO **(tú)**   Habla en voz baja.
                       No hables en voz baja.

Finge más.   *No fingas*
Ve al cuarto.   *No vayas*
Haz lo que te dice.
Besa a tu tía.
Di la verdad.
Tráeme aquellos sobres.   *No me traigas*
Vete ahora.   *No te vayas*
Retírate ahora.

17 ◆ vosotros → ustedes

EJEMPLO Pasad, por favor.
Pasen, por favor.

Salid ahora mismo.
Id a telefonear al médico.
Traed aquellos sobres.
Calmaos.   *colmaos + os   colmense*
Sentaos allí.   *siéntense*
No mováis esas copas.   *No movan*
No seáis tontos.   *sean*
No interrumpáis al señor.
No os quejéis.   *No se quejen*

18 ◆ EJERCICIO DIRIGIDO

En este ejercicio debe dar la orden que se indica. Use la forma de mandato con **tú** con los nombres y **usted** con señor y señorita.

EJEMPLOS Dígale a Pedro que debe jugar al ajedrez.
Pedro, juega al ajedrez.   *fam*

Dígale al señor Pérez que debe jugar al ajedrez.
Señor Pérez, juegue al ajedrez.   *polite*

Dígale a María que debe traer unas copas de vino.
Dígale a la Srta. Martínez que debe tener paciencia.
Dígale al Sr. Salcedo que debe regresar a las tres.
Dígale a Pepe que debe peinarse.   *peínate*
Dígales a los Sres. Díaz que no deben ir ahora.
Dígale al Sr. Gómez que debe sentarse en aquella silla.

19 ◆ PREGUNTAS DE SELECCIÓN

EJEMPLO ¿Abro la puerta o la ventana?
Abra la puerta.

¿Preparo el pescado o la carne?
¿Traemos los sobres azules o los blancos?
¿Salimos ahora o más tarde?
¿Sirvo la manzanilla o el champaña?
¿Telefoneamos al médico o al notario?
¿Voy al cuarto o a la cocina?

Repita las siguientes oraciones sustituyendo los nombres con los pronombres correspondientes.

EJEMPLO   Traiga la jarra de agua.
          Tráigala.

Lea el anónimo.
Pongan los paquetes dentro.
No llames al Sr. Gómez.
No toquen el timbre.
Cuéntame la historia.
Súbeme el periódico.
Sírvanos la manzanilla.

21 ◆ EJERCICIO ESCRITO

Escriba de nuevo las siguientes oraciones usando pronombres en lugar de las palabras en **negrilla**.

1. Entreguen **el paquete a ese señor**.   *Entréguenselo*
2. Dale **un beso a Leopoldina**.   *Dáselo*
3. Tómese **una caña** con nosotros.
4. No le des **la noticia a tu hermana**.   *No se la des*
5. Manden **las cartas a los clientes**.
6. No le deje **los sobres a la secretaria**.   *no se los deje*

22 ◆ PREGUNTAS Y RESPUESTAS

Conteste a las siguientes preguntas según indican los ejemplos.

I. EJEMPLO   ¿Termino yo o termina ella?
             Que termine ella.

¿Comienzo yo o comienza él?
¿Salgo yo o salen ellas?
¿Llamo yo o llama la criada?
¿Trabajo yo o trabajan ellos?
¿Voy yo o va Juan?
¿Contesto yo o contesta ella?

II. EJEMPLO   ¿Benjamín va a abrir la ventana?
              Sí, que la abra.

¿El señor va a comenzar la partida?
¿La criada va a cerrar la puerta?
¿Ella va a llevar los trajes?
¿Ellos van a comprar el vino?
¿María va a traer el sobre?

Notas gramaticales

1 Se usan las formas del presente de subjuntivo para los mandatos negativos con **tú** y los mandatos afirmativos y negativos con **usted**.

> Hable con María.
> No coma despacio.
> No pidas nada.

2 El mandato afirmativo con **tú** tiene la misma forma verbal de la tercera persona singular del presente de indicativo.[1]

> Habla con María.
> Come despacio.

3 Los siguientes verbos tienen formas irregulares en el mandato afirmativo con **tú**.

hacer	haz	salir	sal
poner	pon	decir	di
tener	ten	ser	sé
venir	ven	ir	ve

4 Para el mandato afirmativo con **vosotros** se cambia la **r** del infinitivo por una **d**.

hablar	hablad
comer	comed
pedir	pedid

Para el mandato negativo con **vosotros** se usa la forma del presente de subjuntivo.

> habléis
> comáis
> pidáis

5 Se puede omitir el pronombre sujeto del verbo en el imperativo. Si no se omite, generalmente sigue al verbo. El uso del pronombre tiende a suavizar el mandato.

> Estudie la lección.
> Estudie usted la lección.
> Estudia tú la lección.

6 En un mandato afirmativo, los pronombres reflexivos y los de complemento siguen al verbo y forman una sola palabra con él.

> Estúdielo.
> Deme la carta.
> Retírese.

---

[1] En España a veces se usa el infinitivo en lugar del imperativo: **Comer vosotros**.

7 En un mandato negativo, los pronombres reflexivos y de complemento preceden al verbo.

> No **lo** estudie.
> No **me la** des.
> No **se** retire.

8 Para el mandato indirecto se usa la tercera persona singular o plural del presente de subjuntivo. **Que** precede al verbo, con la excepción de algunas expresiones como:

> Sea lo que sea.
> Digan lo que digan.
> Hagan lo que hagan.

9 Con el mandato indirecto, los pronombres reflexivos y de complemento siempre preceden al verbo.

> Que **lo** traiga.
> Que **se la** dé.
> Que no **lo** diga.
> Que **se** retire.

10 Para el mandato impersonal, generalmente usado al dar instrucciones, se usa la tercera persona singular o plural del presente de subjuntivo y el pronombre reflexivo **se**.

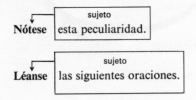

Nótese | sujeto esta peculiaridad.

Léanse | sujeto las siguientes oraciones.

8   La conjunción *e* en lugar de *y*

23 ◆ y → e

Repita las siguientes oraciones cambiando el orden de los nombres o adjetivos.

EJEMPLO   Mira a izquierda y derecha.
Mira a derecha e izquierda.

Viene con Isabel y Juana.
Es inocente y joven.
Habla inglés y español.
Son instrucciones y ejercicios.
Trae invitaciones y cartas.

Notas gramaticales

1 La conjunción **y** cambia en **e** delante de una palabra que empieza con el sonido vocal /i/.

> Juan **e** Ignacio
> Padre **e** hijo

2 La conjunción **y** se mantiene:

> a. cuando la **i** es semiconsonante.
> Cobre y **hi**erro

> b. cuando **y** empieza una pregunta.
> ¿**Y** Inglaterra también?

9 La conjunción *u* en lugar de *o*

24 ♦ o → u

Repita las siguientes oraciones cambiando el orden de los nombres o adjetivos.

EJEMPLO Estudiaremos *Otelo* o *Hamlet*.
Estudiaremos *Hamlet* **u** *Otelo*.

¿Escribió obras de teatro o novelas?
Empiezan las clases en octubre o septiembre.
Habla holandés o alemán.
Las líneas pueden ser horizontales o verticales.
¿Son hombres o muchachos?

Nota gramatical

La conjunción **o** cambia en **u** delante de una palabra que empieza con el sonido vocal /o/.

> siete **u** ocho
> amor **u** honor

10 *Gustar* y otros verbos semejantes

25 ♦ SINGULAR → PLURAL

Repita las siguientes oraciones haciendo los cambios que requiera el apunte.

I. EJEMPLO   A él le gusta esa jugada.   (ellos)
A ellos les gusta esa jugada.

A mí me gusta esa jugada.   (nosotros)
A ella le gusta esa jugada.   (ellas)
A ti te gusta esa jugada.   (ustedes)
A usted le gusta esa jugada.   (ustedes)
A él le gusta esa jugada.   (ellos)

II. EJEMPLO   Nos gusta ese bolsillo.   (bolsillos)
Nos gustan esos bolsillos.

Le gusta mucho el reloj.   (relojes)
Les gusta ese periódico.   (periódicos)
¿Te gusta esa blusa?   (blusas)
Me gusta aquella mesa.   (mesas)
Nos gusta esa comedia.   (comedias)

26 ◆ EJERCICIO DE SUSTITUCIÓN

Me parecen muy caras las tarifas.
_____ renta.
_____ bolsillo.
_____ guantes.
_____ vino.

27 ◆ necesitar → hacer falta

Use la forma correcta de **hacer falta** en lugar del verbo **necesitar.**

EJEMPLO   Necesito más tiempo.
Me hace falta más tiempo.

Necesitamos cincuenta pesetas.
Necesitas las tarifas.
El país necesita más dinero.
La señora necesita su pasaporte.
Ellos necesitan unos sobres.

28 ◆ PREGUNTAS Y RESPUESTAS

Conteste a las siguientes preguntas según indica el ejemplo.

EJEMPLO   ¿Le faltan a usted algunos libros?
Sí, me faltan algunos libros.

¿Les faltan a ellas los boletos?
¿No te parece bien salir ahora?
¿Les queda a ellos suficiente dinero?
¿Les quedan a ustedes diez dólares?
¿No les encanta a ustedes la exposición?
¿Te gusta viajar?
¿Le gustan a ella las películas?
¿Le interesan a usted esas partidas?
¿Te parecen baratos esos guantes?

Notas gramaticales

1   En español, los verbos como **gustar** no llevan complemento directo, sino indirecto. Fíjese en los siguientes ejemplos:

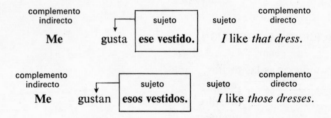

Como es natural, el verbo tiene que concordar con el sujeto.

2   Se añade la preposición **a** y los pronombres o nombres correspondientes para dar énfasis o aclarar el complemento indirecto.

> **A él** le gusta ese libro. (No es **a ella** ni **a usted**.)
> **A María Luisa** le gusta bailar; **a mí**, no.

11   Problemas de vocabulario

Los conceptos y las lenguas

Las lenguas dividen la realidad de diferente manera. Algunas lenguas subdividen conceptos, mientras que otras no lo consideran necesario. Por ejemplo, en inglés se usa *to know* para expresar diferentes clases de conocimiento al referirse a las personas y a los hechos, pero en español se usan dos palabras: **conocer** y **saber**. La persona que habla tiene que seleccionar una de estas dos palabras de acuerdo con la idea que quiere expresar. Esto también ocurre en inglés, donde, por ejemplo, las palabras *watch* y *clock* tienen un solo equivalente en español: **reloj**.

En casos como los anteriormente citados, el estudiante de lenguas extranjeras tiene que clasificar sus conceptos de acuerdo con la nueva lengua y no puede basarse en un solo equivalente de su propia lengua para seleccionar entre dos o tres palabras de la lengua extranjera.

Conocer y *saber*

> **conocer**   *to know (a person or place)*; *to be acquainted with*

29 ◆ PREGUNTAS Y RESPUESTAS

Conteste a las siguientes preguntas según indica el ejemplo.

EJEMPLO   ¿Conoces a don Augusto?
            Sí, conozco a don Augusto.

¿Conocen ellos el pueblo?
¿Conocen ustedes al señor Gómez?
¿Conoce usted la comedia de Calvo-Sotelo?
¿Conoces a la persona que escribió la carta?
¿Conocen ellas el Museo del Prado?
¿Conoce tu sobrino ese teatro?

> **saber**   *to know (e.g., a fact or a field of learning)*; *to know how to*
>
> **Saber** tiene un uso mucho más amplio que **conocer**.

30 ◆ PREGUNTAS Y RESPUESTAS

Conteste a las siguientes preguntas según indican los ejemplos.

I. EJEMPLO   ¿Sabes que Madrid es la capital de España?
               Sí, sé que Madrid es la capital de España.

¿Sabe usted que la botella está fría?
¿Saben ustedes que la criada lleva los paquetes?
¿Sabes que María está casada?
¿Saben ellos que Rosa admira a Leopoldina?
¿Sabe él que ya nadie llama al diablo?

II. EJEMPLO   ¿Dónde está la casa?
No sé dónde está la casa.[2]

¿Quién escribió la carta?
¿Cuándo van a llegar?
¿Quién llama a la puerta?
¿Dónde está Braulia?
¿Qué libro vamos a leer?

31 ◆ EJERCICIO DE TRADUCCIÓN

I know how to speak Spanish.
He knows how to speak Spanish.
They know how to write Spanish.
We know how to write Spanish.
We know how to speak French.

32 ◆ EJERCICIO DE SUSTITUCIÓN

No conocen a Juan.
_____ dónde vive.
_____ cuándo viene.
_____ sus padres.
_____ dónde trabajan.
_____ cómo vienen.

33 ◆ EJERCICIO ESCRITO

Escriba las siguientes oraciones, usando las formas correctas de los verbos **saber** o **conocer**.

1. Ella _____ a mi sobrino.
2. Ella _____ quién es mi sobrino.
3. Nosotros _____ dónde está el teatro.
4. Nosotros _____ el teatro.
5. Ya tú _____ dónde estamos.
6. He estudiado muchísimo y ya _____ toda la lección.
7. Usted _____ que él está casado, ¿verdad?
8. Ella _____ a la señora que _____ cantar.
9. ¿Por qué no _____ ellos las respuestas?
10. Tú _____ de eso más que nadie.

---

[2] Nótese el uso del acento en la palabra interrogativa (**¿dónde? ¿quién?**). Esto sucede también con otras palabras que implican una pregunta: **Explique cómo llega Gómez.**

El oído y la oreja

> **El oído:** sentido que permite percibir los sonidos;
> parte interna del aparato de audición
> **La oreja:** parte externa

34 ◆ EJERCICIO ESCRITO

Escriba las siguientes oraciones usando **oído** u **oreja** según convenga.

1. Toca el piano de _____ .
2. Un músico necesita buen(a) _____ .
3. El niño se lava (los, las) _____ .
4. Hable, soy todo _____(s).
5. El elefante tiene _____ grandes.
6. Al afeitarse se cortó (el, la) _____ .
7. El niño llora porque tiene dolor de _____(s).

LECCIÓN 4

1 Oraciones básicas

1 **Tengo entendido que juega usted de maravilla al ajedrez.**

I am under the impression that you play chess very well.

2 **Yo te llamé a mi despacho para informarte de que tú sobrabas allí.**

I called you to my office to tell you that you were not needed there.

3 **Se están dedicando a desacreditarse mutuamente para que el que venza expulse al otro.**

You are trying to discredit each other so that the one who wins can throw the other out.

4 **Supuse que estaba solo.**

I assumed that you were alone.

5 **Leopoldina sigue buscando infructuosamente la pista del periódico.**

Leopoldina continues to look unsuccessfully for the (trail of the) newspaper.

6 **Mientras estaba dormido escuché cosas que me hicieron mucho bien.**

While I was asleep I heard things that made me feel good.

7 **Lo recogí cuando tenía doce años y no se ha separado de mí ni un solo día desde entonces.**

I took him in when he was twelve and he hasn't left me a single day since then.

8 **Braulia acaba de salir con el cubo de basuras.**

Braulia has just gone out with the garbage can.

9 **La criada retrocede y le pregunta qué sucede.**

The maid comes back and asks him what's happening.

10 **He de ir a encargar una misa en la capilla, pero vuelvo en seguida, ¿quieres?**

I have to have a mass said in the chapel, but I'll come back right away, okay?

2   Spanish pronunciation

/p/, [b], [b̵]

The letters **v** and **b** in Spanish have the same sound /b/. The words **vote** (a sub-junctive form of the verb **votar**) and **bote** (a boat) sound exactly the same; only by context can one know which is meant. Americans must make an effort not to use the labiodental /v/, as this sound does not exist in Spanish.

Lección 3 noted that many English speakers hear the unaspirated Spanish /p/ as /b/. The next exercise is designed to contrast the two sounds.

1 ◆ PRONUNCIATION EXERCISE

/p/	/b/
pelo	velo
Paco	Baco
pola	bola
para	vara
pena	vena
pana	vana

There are two variants of /b/: the stop [b] and the fricative [b̵]. For the fricative, the air is not completely stopped, but is forced through with a certain friction. The stop [b] occurs at the beginning of an utterance or after /m/; [b̵] occurs in all other instances.

2 ◆ PRONUNCIATION EXERCISE

[b]
vela
bandera
vencer
ventana
hombre
cumbre
sombra
un vino[1]
un bastón
un vaso
un bote
un bolsillo

---

[1] An **n** before /p/ or /b/ is pronounced /m/.

[ɞ]

novio
estaba
sobre
notable
obra
servicio
sobraba
la botella
este bolsillo
mi vida
que venza

[b]	[ɞ]
va	iba
villa	maravilla
bola	la bola
bota	una bota
vamos	ya vamos
vaca	la vaca
ventana	la ventana
vuelto	ha vuelto
buscado	ha buscado

3 El pretérito y el imperfecto

El pretérito: verbos regulares

3 ◆ PRESENTE → PRETÉRITO

Llegas a la villa.
Llevan muchos paquetes.
Hablamos del ajedrez.
Manda la carta.
Beso a mi tía.
Comes pescado.
Bebemos manzanilla.
Vivo en España.
Escriben los anónimos.
¿Qué ocurre?

El pretérito: verbos irregulares

4 ◆ PRESENTE → PRETÉRITO

No hace nada.
Voy a misa.
Me dan el libro.
No podemos ir.
Nos dices la verdad.
Traemos los paquetes.
El cuerpo cae al suelo.
Sabes la verdad.
No tenemos mucho tiempo.
Es nuestro profesor.
Ando de un lado para otro.
Pongo el libro en la mesa.
Vienes a mi casa.
Oyen el timbre.
Están en la sala.
No quiero estudiar.

El pretérito: verbos que cambian en la raíz y verbos con cambios ortográficos

5 ◆ PRESENTE → PRETÉRITO

Pide dinero.
No advierten su presencia.
Mi tío se muere.
Me divierto mucho.
Nos sirves café.
Duermen por la tarde.
Intuyo la verdad.
Concluimos la partida.
¿De qué huyes?
¿A qué atribuye ese cambio?
Leen el anónimo.
No creo esa historia.
Conduzco el coche.
Traducen la comedia.

Escriba las siguientes oraciones usando la forma correcta del pretérito.

1. (Yo) _tocar_ el piano.

2. Don Augusto y Gómez _empezar_ a jugar.

3. Francisco y yo _jugar_ al ajedrez.

4. (Yo) _llegar_ a la villa.

5. María _dedicarse_ a trabajar.

6. (Yo) _cruzarse_ de brazos.

Notas gramaticales

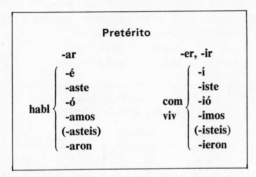

	Pretérito		
	-ar		**-er, -ir**
habl	-é -aste -ó -amos (-asteis) -aron	com viv	-í -iste -ió -imos (-isteis) -ieron

1   En el pretérito, el verbo **dar** usa las terminaciones de los verbos en **-er** e **-ir**.

d { -i
-iste
-io
-imos
(-isteis)
-ieron

2   Los verbos **ir** y **ser** tienen la misma forma en el pretérito.

fui
fuiste
fue
fuimos
(fuisteis)
fueron

3   Cuando la raíz de un verbo termina en **-uir**, la tercera persona singular y plural se escriben con **y** en vez de **i**.

incluir   incluyó   incluyeron

4 Cuando la raíz de un verbo de la segunda conjugación (**-er**) o de la tercera conjugación (**-ir**) termina en una vocal:

    a. la **i** de la segunda persona singular y de la primera y la segunda persona plural lleva un acento escrito.

creer	creíste	creímos	(creísteis)
oír	oíste	oímos	(oísteis)

    b. la tercera persona singular y plural se escriben con **y** en vez de **i**.

creer	creyó	creyeron
oír	oyó	oyeron

5 Los verbos que terminan en **-car**, **-gar** y **-zar** tienen un cambio ortográfico delante de la **e** de la primera persona singular del pretérito.

sacar	saqué
llegar	llegué
empezar	empecé

6 En los verbos de la tercera conjugación que cambian en la raíz, la última vocal de la raíz cambia en la tercera persona singular y plural del pretérito.

e → ie, i:	mentir	mintió	mintieron
o → ue, u:	morir	murió	murieron
e → i:	pedir	pidió	pidieron

**Pretéritos irregulares
con la *e* y la *o* átonas [*unstressed*]**

andar	anduv	
estar	estuv	
tener	tuv	
caber	cup	-e
haber	hub	-iste
poder	pud	-o
poner	pus	-imos
saber	sup	(-isteis)
		-ieron
hacer	hic[2]	
querer	quis	
venir	vin	

conducir[3]	conduj	-e
decir	dij	-iste
traer	traj	-o
		-imos
		(-isteis)
		-eron

---

[2] La **c** de **hic** cambia a **z** delante de la **o** (**hizo**) para mantener el sonido de la raíz.

[3] Todos los verbos que terminan en **-ducir** tienen estas formas irregulares en el pretérito.

El imperfecto: verbos regulares e irregulares

7 ◆ PRESENTE → IMPERFECTO

Rosa siempre golpea la ventana.
Las mujeres toman el sol.
Compramos el periódico.
Llevo un abrigo bonito.
¿Lo esperas en la esquina?
Braulia abre la puerta.
Los hombres suben la escalera.
Recibo muchas cartas.
Vivimos en una villa.
Escribes poesía.
Es un traje blanco.
El bolsillo le va bien.
Vemos a nuestros amigos.
Van al cine.
Somos jóvenes.

Nota gramatical

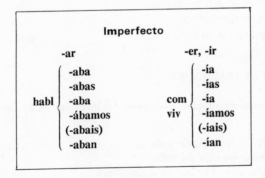

	Imperfecto		
	-ar		**-er, -ir**
habl	-aba	com	-ía
	-abas	viv	-ías
	-aba		-ía
	-ábamos		-íamos
	(-abais)		(-íais)
	-aban		-ían

Los únicos verbos irregulares en el imperfecto son:

ir	**ser**	**ver**
iba	era	veía
ibas	eras	veías
iba	era	veía
íbamos	éramos	veíamos
(ibais)	(erais)	(veíais)
iban	eran	veían

4 El pretérito y el imperfecto: dos aspectos del pasado

En español, hay dos maneras de considerar una acción ya pasada:

    a. como una acción que comenzó o terminó en cierto momento;

    b. como una acción que transcurre sin hacer referencia a su comienzo o terminación.

El que habla tiene que escoger entre estos dos aspectos del pasado de acuerdo con la manera en que él considera la acción. En inglés, no es necesario hacer esta distinción.

8 ◆ EJERCICIOS DE SUSTITUCIÓN

Lo recogí cuando tenía doce años.

_____ era niño.

_____ estaba enfermo.

_____ era pobre.

_____ era viejo.

Llovía cuando salí del teatro.

_____ llegué a casa.

_____ llamaron a la puerta.

_____ nos marchamos.

_____ entraron en la tienda.

9 ◆ EJERCICIO DE TRADUCCIÓN

Repita la primera oración y después traduzca las otras dos según indica el ejemplo.

EJEMPLO   No quiso salir del aula.
No quiso salir del aula.
He refused to leave the classroom.
No quiso salir del aula.
He didn't want to leave the classroom.
No quería salir del aula.

1. Supe que estaba solo.
   I found out he was alone.
   I knew he was alone.
2. ¿Lo conociste cuando era joven?
   Did you meet him when he was young?
   Did you know him when he was young?

3. No quisimos leer la novela.
   We refused to read the novel.
   We didn't want to read the novel.
4. Pudo llegar a la villa.
   He managed to get to the villa.
   He was able to get to the villa.

10 ◆ estar + GERUNDIO → IMPERFECTO

EJEMPLO Ella estaba cocinando cuando llegué.
Ella cocinaba cuando llegué.

Estaba leyendo cuando sonó el timbre.
Estaban hablando cuando ella los interrumpió.
Estabas subiendo la escalera cuando salió la criada.
Estaba lloviendo cuando entré.
Estábamos estudiando cuando nos llamó.

11 ◆ PRESENTE → IMPERFECTO

EJEMPLO Mientras yo estudio, tú hablas.
Mientras yo estudiaba, tú hablabas.

Siempre que salgo, nieva.
Cuando salgo a pasear lo veo.
Cuando estudia saca buenas notas.
Mientras hablas, ella escucha.
Mientras él trabaja, los demás se divierten.
Cuando viajamos necesitamos visado.

12 ◆ EJERCICIO DE TRADUCCIÓN

Repita la primera oración y después traduzca las otras dos según indica el ejemplo.

EJEMPLO Alguien llamaba a la puerta.
Alguien llamaba a la puerta.
Someone was knocking at the door.
Alguien llamaba a la puerta.
Someone knocked at the door.
Alguien llamó a la puerta.

1. Entraste en mi oficina.
   You entered my office.
   You used to enter my office.

2. Se disponía a abrir la puerta.
   She was getting ready to open the door.
   She got ready to open the door.

3. ¿Me decía algo?
   Were you saying something to me?
   Did you say something to me?

4. Se durmió a las diez.
   He fell asleep at ten o'clock.
   He always fell asleep at ten o'clock.

5. Alguien ha llamado tres veces.
   Someone has knocked three times.
   Someone knocked three times.

13 ◆ EJERCICIO ESCRITO—I

Escriba los siguientes párrafos usando la forma correcta (pretérito o imperfecto) de los verbos en *bastardilla*.

Un señor *llegar* a la puerta de la villa y *tocar* el timbre mientras don Augusto *mover* las figuras de su tablero de ajedrez. Nadie le *contestar* y, por lo tanto, *llamar* otra vez. Don Augusto *oír* el timbre y *llamar* a Braulia que *estar* en la cocina. A pesar de que el timbre *sonar* cuatro veces, Braulia no lo *oír* ni una sola vez y sólo *ir* a la puerta porque don Augusto se lo *ordenar* .

Braulia no *ver* a nadie y *decidir* regresar a la cocina. El timbre *sonar* de nuevo y don Augusto *ir* él mismo a abrir la puerta. El señor que *estar* a la puerta *llamarse* don Francisco Gómez y *haber* venido porque *querer* hablar con don Augusto. Le *decir* que él *viajar* a menudo y que siempre *estar* de un lado para otro. Finalmente le *confesar* que *tener* entendido que don Augusto *jugar* muy bien al ajedrez y que *querer* jugar con él.

14 ◆ EJERCICIO ESCRITO—II

Cambie las siguientes oraciones al pasado usando el imperfecto o el pretérito de acuerdo con el sentido que requieren las expresiones en paréntesis.

1. María trabaja y después cose la ropa. (Termina de trabajar y después cose.)

2. Mientras él lee, Juan estudia. (Las dos acciones ocurren simultáneamente durante cierto tiempo.)

3. La criada prepara el desayuno cuando suena el teléfono. (El teléfono comienza a sonar y ella sigue preparando el desayuno.)

4. La criada prepara el desayuno mientras suena el teléfono. (Las dos acciones ocurren simultáneamente durante cierto tiempo.)

5. Cuando hay exámenes yo estudio. (Cada vez que hay exámenes tengo la costumbre de estudiar.)

6. A las cinco cobra la renta y después va al pueblo. (Cuando ya tiene el dinero de la renta va al pueblo.)

Notas gramaticales

1 El pretérito describe una acción que comienza o termina en el pasado. El imperfecto muestra una acción que se desarrolla en el pasado sin hacer referencia a su comienzo o fin. Por lo tanto, el pretérito expresa el comienzo o fin de una acción, mientras que el imperfecto se refiere al centro de la acción:

Pretérito	**Imperfecto**	**Pretérito**
COMIENZO	CENTRO	FIN

Leí a los cinco años. *I read; I began to read.*
Leí el poema. *I read; I finished reading.*
Leía el poema. *I was reading; I was in the process of reading.*

2 El imperfecto se usa también para señalar una acción que se está desarrollando como fondo de otra acción que comienza o termina. El pretérito expresa la acción que comienza o termina:

Pretérito

Imperfecto

Leía el poema cuando me llamaron.
Vivían en la Argentina cuando murió su padre.

3 Se usa el pretérito para expresar una serie de acciones terminadas:

Leí el poema, contesté las preguntas y escribí el ensayo.
Se levantó, se vistió y salió de la casa.

4 El imperfecto se usa para expresar una serie de acciones repetidas en el pasado sin hacer referencia a su terminación. Por lo tanto, es el tiempo que se usa para expresar acciones habituales:

Muchas veces leía poesía.   *I often used to read poetry.*
Leía poesía todos los días.   *I read poetry every day.*

5 Una acción se considera terminada (pretérito) cuando se expresa un límite de tiempo. Este límite de tiempo establece el comienzo, centro y fin de la acción.

Viví en España cinco años.
Trabajó allí seis meses.

6 El pretérito y el imperfecto expresan distintos aspectos del pasado. Aunque el imperfecto no expresa un límite de tiempo, sí expresa una acción ya pasada. Ambos tiempos contrastan con el pretérito perfecto que, igual que el *present perfect* en inglés, expresa una acción que comienza en el pasado y termina en el momento presente:

Lo vio una vez.   *He saw it once.*
Lo veía muchas veces.   *He saw it often.* (No se indica que todavía lo ve.)
Lo ha visto varias veces.   *He has seen it several times.* (Implica que todavía lo puede ver.)

7 Para expresar la diferencia entre el pretérito y el imperfecto de algunos verbos, el inglés usa dos verbos diferentes.

Supe la verdad.	*I found out the truth.*
Sabía la verdad.	*I knew the truth.*
Conocí a la Sra. García.	*I met Mrs. García. (for the first time)*
Conocía a la Sra. García.	*I knew Mrs. García.*
Quiso ir a la fiesta.	*He tried to go to the party.*
Quería ir a la fiesta.	*He wanted to go to the party.*
No quiso ir a la fiesta.	*He refused to go to the party.*
No quería ir a la fiesta.	*He didn't want to go to the party.*
Pudo escapar.	*He managed to escape.*
Podía escapar.	*He was able to escape.*

5   El subjuntivo en oraciones subordinadas adverbiales

15 ◆ PREGUNTAS Y RESPUESTAS

Conteste a las siguientes preguntas según indican los ejemplos.

EJEMPLOS   ¿Vas a la conferencia de esta noche?
Sí, a menos que me sienta mal.

¿Va ella a la conferencia de esta noche?
Sí, a menos que se sienta mal.

¿Van ellas a la conferencia de esta noche?
¿Va tu hermano a la conferencia de esta noche?
¿Van ustedes a la conferencia de esta noche? nos sintamos
¿Van Juan y María a la conferencia de esta noche?
¿Va usted a la conferencia de esta noche?

16 ◆ INFINITIVO → SUBJUNTIVO

Repita las siguientes oraciones. Repítalas de nuevo haciendo los cambios que requiera el apunte.

I. EJEMPLO   Viene para estudiar un rato.
Viene para estudiar un rato.
_____ para que Julio _____.
Viene para que Julio estudie un rato.

No podemos salir sin comer.
_____ sin que tú _____.

Va a trabajar antes de salir.
_____ antes que[4] nosotros _____.

Con tal de venir, ella va a terminar temprano.
Con tal que[4] ellos _vengan,_ _____.

Voy para comprar una chaqueta.
___ para que tu sobrino _____.

Hace cualquier cosa con tal de ganar dinero.
_____ con tal que su hijo _____.

Avísame antes de venir.
_____ antes que Alicia _____.

No podemos irnos sin cantar.
_____ sin que ellas _____.

    II. EJEMPLO Me gustó cuando lo vi.
                Me gustó cuando lo vi.
                Me va a gustar _____.
                Me va a gustar cuando lo vea.

Viajan a Sevilla cuando tienen dinero.
Van a viajar _____.

Lo discutieron hasta que lo resolvieron.
Lo van a discutir _____.

No salió bien aunque estudió.
No va a salir bien _____.

Saludó a Juan tan pronto como lo vio.
Va a saludar _____.

Lo hice según me dijo.
Lo voy a hacer _____.

No lo oyó aunque llegó temprano.
No lo va a oír _____.

Lo compró en cuanto lo vio.
Lo va a comprar _____.

Íbamos a la puerta cuando sonó el timbre.
Vamos a ir a la puerta _____.

_____

[4]También se puede usar **antes de que** y **con tal de que.**

Escriba las siguientes oraciones usando la forma correcta de los verbos en *bastardilla*.

1. Don Mauricio viene para _*cobrar*_ la renta.

2. Don Mauricio viene para que nosotros le _*pagar*_ la renta.

3. El señor Cadaval se muere para _*saber*_ quién lo quiere.

4. El diablo mata al señor Cadaval para que éste _*saber*_ quién lo quiere.

5. El señor Cadaval se cayó al suelo sin _*sentir*_ nada.

6. El tío golpea al sobrino sin que éste lo _*sentir*_ .

7. Benjamín va a la ventana sin _*ver*_ a Rosa.

8. No la puede ver a menos que Rosa _*levantarse*_ .

9. El diablo accede con tal de _*jugar*_ una partida de ajedrez.

10. Ella te tapa a fin de que no _*coger*_ frío.

11. Cruzan los dedos cuando _*ver*_ al diablo.

12. Van a cruzar los dedos cuando _*ver*_ al diablo.

Notas gramaticales

antes (de) que	*before*
con tal (de) que	*provided that*
para que **a fin de que** **de modo que** **de manera que**	*so that, in order that*
sin que	*without*
a menos que **a no ser que**	*unless*
en caso de que	*in case*

1   Las conjunciones en el cuadro van seguidas del subjuntivo si hay cambio de sujeto:

   (Ellos) van a estudiar **antes que** (nosotros) **salgamos**.

2   Si no hay cambio de sujeto se usa una preposición seguida del infinitivo. No se usa **que**:

> (Ellos) van a estudiar **antes de salir**.

3   Las siguientes conjunciones:

cuando	*when*
después que	*after*
hasta que	*until*
tan pronto como } **en cuanto** }	*as soon as*
según	*the way, according to what*
aunque	*even though, even if*
como	*the way, as*
donde	*where*

a. van seguidas del indicativo cuando las oraciones se refieren al pasado, al presente o a acciones que ocurren con regularidad.

> Gasta mucho **cuando tiene** dinero.
> Gastaba mucho **cuando tenía** dinero.

b. van seguidas del subjuntivo cuando las oraciones se refieren al futuro.

> Va a gastar mucho **cuando tenga** dinero.

6   Las formas progresivas

18 ◆ VERBO SIMPLE → FORMA PROGRESIVA

Escuche cada oración y repítala cambiando el verbo a la forma progresiva.

EJEMPLOS   Lee el libro.
           Está leyendo el libro.

           Leía la carta.
           Estaba leyendo la carta.

Leopoldina y Benjamín hablan.
Don Augusto escucha la conversación.
Comes el pescado.
Suben la escalera.
Traemos agua fresca.
Don Augusto buscaba el reloj.
Bajaban las escaleras.

Yo dormía en el sofá.
Pedíamos ayuda.
Leía la revista.

19 ◆ EJERCICIO DE TRANSFORMACIÓN

Escuche cada oración y repítala cambiando la posición del pronombre según indica el ejemplo.

EJEMPLO   Lo estoy leyendo.
Estoy leyéndolo.

Lo están poniendo en el sofá.
La estaba preparando.
Le estábamos hablando.
Me lo está diciendo.
Lo estás viendo.

20 ◆ EJERCICIO DE SUSTITUCIÓN

Sigue buscando la carta.
(Tú) ——————.
Seguías ——————.
—— escribiendo ——.
Continúas ——————.
(Nosotros) ——————.
—— leyendo ——.
Vamos ——————.
(Ustedes) ——————.
Andan ——————.
(Él) ——————.

Notas gramaticales

1 Las formas progresivas consisten generalmente del verbo **estar** y el gerundio:

Estoy estudiando.	*I am studying.*
Estabas escribiendo.	*You were writing.*

2 El gerundio se forma añadiendo **-ando** a la raíz de los verbos de la primera conjugación y **-iendo** a la raíz de los verbos de la segunda y de la tercera conjugación:

hablar	**hablando**
comer	**comiendo**
vivir	**viviendo**

Las excepciones son:

   a. Los verbos de la tercera conjugación que cambian en la raíz y mantienen el cambio **e → i**; **o → u** en el gerundio:
      pedir   pidiendo
      morir   muriendo

   b. Los verbos cuya raíz termina en una vocal:
      leer   **leyendo**
      incluir   **incluyendo**

   c. Los siguientes verbos irregulares:
      ir   yendo
      poder   pudiendo

3 Cuando se usa el presente del verbo **estar** y el gerundio se le da énfasis a la duración de la acción que ocurre en ese momento. También se puede usar el presente de indicativo.
   Está estudiando ahora. (énfasis en que la acción está ocurriendo en ese momento)
   Estudia ahora. (no le da énfasis al hecho de que la acción ocurre en ese momento, sólo la menciona)

   Cuando se usa el pretérito del verbo **estar** y el gerundio se muestra una acción continuada en el pasado y al mismo tiempo se señala su terminación.
   Estuvo estudiando anoche.

   Con el imperfecto del verbo **estar** no se señala la terminación de la acción.
   Estaba estudiando anoche.

4 En inglés, el tiempo progresivo se puede usar para referirse al futuro; en español esto no es posible.
   Van a estudiar esta noche.   *They are studying tonight.*

5 Los pronombres personales que son complementos del verbo y los pronombres reflexivos pueden:

   a. preceder al verbo auxiliar
      Me estoy lavando.   **La están escribiendo.**

   b. seguir al gerundio formando con éste una sola palabra. (En este caso hará falta un acento sobre la penúltima sílaba del gerundio.)
      Estoy lavándome.   **Están escribiéndola.**

6 Otros verbos que se usan con el gerundio son: **seguir, continuar, venir, andar** e **ir.**

7 **Continuar** y **seguir** van seguidos del gerundio, nunca del infinitivo. Compare las estructuras españolas e inglesas:

   Leopoldina sigue buscando el *A B C.*   *Leopoldina continues to look for the A B C.*
                                                   Leopoldina continues looking for the A B C.

   Continúo viviendo tan campante.   *I continue to live contentedly.*
                                            I continue living contentedly.

7 Problemas de vocabulario

Jugar y *tocar*

---

jugar a + el nombre del juego o del deporte

---

21 ◆ EJERCICIO DE SUSTITUCIÓN

Juego al ajedrez.
(Nosotros) ____ .
Don Augusto y Gómez ____ .
____ jugaron ____ .
(Tú) ____ .
____ béisbol.
(Ellos) ____ .
____ fútbol.

---

tocar + el nombre del instrumento musical

---

22 ◆ EJERCICIO DE SUSTITUCIÓN

Toco el piano.
(Tú) ____ .
María ____ .
____ tocó— .
____ flauta.
(Ellos) ____ .
(Yo) ____ .

23 ◆ EJERCICIO DE TRADUCCIÓN

He plays chess very well.
He plays the piano very well.
My brother is playing football.
My brother is playing the trumpet.
I played tennis yesterday.
I played the flute yesterday.

Acabar de

> **acabar de** + infinitivo   *to have just*
>
> Generalmente se usa sólo en el presente y en el imperfecto.

24 ◆ EJERCICIO DE TRADUCCIÓN

EJEMPLOS   I have just opened the door.
Acabo de abrir la puerta.

I had just opened the door.
Acababa de abrir la puerta.

I have just read the book.
We have just read the book.
They have just studied the book.
He has just studied the lesson.
We had just studied the lesson.
They had just studied the lesson.
I had just written the lesson.
We had just written the letter.

8   Misleading cognates

Suceder y *tener éxito*

> **suceder:** pasar, ocurrir   *to happen*

25 ◆ **pasar** u **ocurrir** → **suceder**

Escuche cada oración y repítala usando **suceder**.

EJEMPLO   ¿Qué te pasa?
¿Qué te sucede?

¿Le pasa algo al señor?
¿Qué ocurrió después?
Yo no sé lo que me ocurrió.
¿Qué pasa en aquella esquina?
Quiero saber lo que pasa en la escena siguiente.

> **tener éxito:** salir bien, tener un buen resultado   *to succeed, to be successful*

26 ◆ salir bien → tener éxito

Escuche cada oración y repítala usando **tener éxito**.

EJEMPLO   Salió bien en el examen.
          Tuvo éxito en el examen.

Porque trabaja, sale bien.
Ayer no salimos bien.
Nunca salgo bien.
Siempre salían bien.
Dudo que salga bien.

27 ◆ EJERCICIO DE TRADUCCIÓN

Traduzca las siguientes oraciones usando **suceder** o **tener éxito**.

He always succeeds.
It always happens like that.
What happened?
Who succeeded?
How did he succeed?
How did it happen?

LECCIÓN 5

1 Oraciones básicas

1 Será la hija del catedrático.	It's probably the professor's daughter.
2 Todo es inútil, Braulia; está muerto.	It's all useless, Braulia; he's dead.
3 Estaré en esta casa hasta que le den tierra, y después me marcharé.	I'll be in this house until he is buried, and then I'll leave.
4 Usted se queja de que está en la agonía, pero los que se mueren son los demás.	You're always complaining that you are on the verge of dying, but it's other people who die.
5 Te has vuelto loco, mi amor. Hablando solo.	You've gone crazy, my love. Talking to yourself.
6 Oí hablar de sus triunfos y me decidí a visitarlo.	I heard about your triumphs and I decided to visit you.
7 ¿Vas a tomarme el pelo o es que has bebido mucho jerez?	Are you trying to kid me or have you drunk a lot of sherry?
8 Se pone a probar el timbre para ver si suena.	She begins testing the doorbell to see if it rings.
9 Dijo que otorgaría testamento a favor de nosotros dos.	He said he would make out a will in favor of the two of us.
10 Él no quería que entraran las moscas.	He didn't want to let the flies in.

2 Spanish pronunciation

/t/, [d], [đ]

In Spanish, the /d/, like the /t/, is produced by placing the tongue against the upper teeth. In English, the slightly different counterpart sounds are produced by placing the tongue on the alveolar ridge. Because Spanish /t/ is not aspirated, Americans tend to hear /d/.

1 ◆ PRONUNCIATION EXERCISE

/t/	/d/
toma	doma
tos	dos
tilo	dilo
time	dime
tía	día
Tebas	debas

Spanish /d/ has two variants: [d] and [đ]. The variant [d] is a stop that occurs at the beginning of an utterance or after /n/ and /l/.

2 ◆ PRONUNCIATION EXERCISE

[d]

don
diablo
disco
donde
dime
dialogar
demás
el día
un demonio

The variant [đ] is a fricative that occurs in all other cases. It is pronounced like the *th* in *those*, but in a very relaxed way. Care must be taken not to confuse Spanish [đ] with the variant of English /d/ found in *lady*, *fodder*, etc., which is very similar to Spanish /r/. Americans must pronounce Spanish [đ] and not this English variant in order to avoid misunderstandings.

todo = *all*

If pronounced with the English /d/ variant, this word will come out as **toro**, *bull*.[1]

---

[1] Exercises to contrast these sounds will appear in **Lección 7**.

3 ◆ PRONUNCIATION EXERCISE

[d̪]

alejado
nadie
perdone
tardado
separado
seguida
piden
lado
partida

[d̪]	[d]
jugando	jugado
toldo	todo
demás	además
dama	la dama
den	le den
derecha	la derecha
doy	me doy
despacho	mi despacho
doce	las doce

3 El futuro: verbos regulares e irregulares

4 ◆ EJERCICIO DE SUSTITUCIÓN

Tomaré el pescado.
(Nosotros) _____.
Don Augusto _____.
___ comerá _____.
(Ustedes) _____.
(Tú) _____.
Servirás _____.
Braulia _____.
Ella y yo _____.

5 ◆ PRESENTE → FUTURO

Abro la puerta en seguida.
Nos sirven pronto.

Llega dentro de poco.
No puedo ir mañana.
Vienen esta noche.
Sabes la verdad.
No queremos hacerlo.
Sale con el cubo de basuras.
¿Qué dice Leopoldina?
¿Qué hacen Juana y Pepe?

6 ◆ FUTURO → ir a + INFINITIVO

EJEMPLO   Todo será inútil.
          Todo va a ser inútil.

Encargará dos misas.
Su novio pondrá los paquetes aquí.
Se morirán pronto.
Me marcharé después.   *voy a marcharme*
Saldremos dentro de unos minutos.
¿Qué hará la sirvienta?
¿Podrás ir mañana?

7 ◆ EJERCICIO DE TRANSFORMACIÓN

Escuche cada oración y repítala cambiando el verbo al futuro.

EJEMPLO   Probablemente es Rosa.
          Será Rosa.

Probablemente son las cinco.
Probablemente tiene que salir.
Probablemente el libro no vale nada.   *habrá*
Probablemente hay un examen.
Probablemente estás cansado.   *estarás*

Notas gramaticales

	Futuro
hablar	-é
comer	-ás
vivir	-á
	-emos
	(-éis)
	-án

```
┌─────────────────────────────────────┐
│                                       │
│        Futuros irregulares            │
│                                       │
│     caber      cabr  ⎫                │
│     haber      habr  ⎪                │
│     poder      podr  ⎪                │
│     querer     querr ⎪                │
│     saber      sabr  ⎪ -é             │
│                      ⎪ -ás            │
│     poner      pondr ⎬ -á             │
│     tener      tendr ⎪ -emos          │
│     venir      vendr ⎪ (-éis)         │
│     salir      saldr ⎪ -án            │
│     valer      valdr ⎪                │
│                      ⎪                │
│     decir      dir   ⎪                │
│     hacer      har   ⎭                │
│                                       │
└─────────────────────────────────────┘
```

write the conjugation

1   En general, el futuro se usa en español menos que en inglés. Sin embargo, cuando en inglés se usa el futuro, también se puede usar el futuro en español.

   Estudiaré esta noche.   *I'll study tonight.*

2   Se puede usar el presente en vez del futuro cuando la acción va a tener lugar en el futuro inmediato, especialmente si se incluye un adverbio de tiempo.

   Lo hago inmediatamente. ⎱
   Lo haré inmediatamente. ⎰ *I'll do it immediately.*

3   El futuro se puede usar para expresar probabilidad en el presente.

   Será rico.   *He must be rich. He's probably rich.*

4   Se puede usar la construcción **ir a** + infinitivo en vez del futuro, especialmente en la conversación. El verbo **ir** tiene que concordar con el sujeto. Esta construcción es semejante a *to be going (to)*.

   Ella **va a estudiar** con Juan.   She *is going to study* with John.

5   En inglés se puede usar *will* y el verbo para expresar un deseo o una petición. En español se usa principalmente el verbo **querer** seguido del infinitivo.

   ¿Quieres ayudarme?   *Will you help me?*

4   El potencial: verbos regulares e irregulares

conditional

Probabilidad, futuro del pasado

8 ◆ FUTURO → POTENCIAL

Todo será inútil.
Te diré la verdad.

Sabrás mucho de eso.

to trick → Engañarán al señor.

Me marcharé después del entierro.

No querrás insultarla.

No estaré más en esta casa.

Vivirán muy contentos.

Nos callaremos.

¿Qué harán ustedes?

9 ◆ EJERCICIO DE TRANSFORMACIÓN

Escuche cada oración y repítala usando el potencial.

EJEMPLO Probablemente eran muy ricos.
Serían muy ricos.

Probablemente tenía dinero. *tendría*

Probablemente eran las dos. *serían*

Probablemente estaba enfermo. *estaría*

Probablemente era Rosa. *sería*

Probablemente valía mucho. *valdría*

10 ◆ EJERCICIO DE TRANSFORMACIÓN

Escuche cada oración y repítala usando el pretérito y el potencial en lugar del presente.

EJEMPLO Dice que viene.
Dijo que vendría.

Dicen que es inútil. *sería*

Dices que estudias. *estudiarías*

Dicen que se quejan. *se quejarían*

Digo que es importante.

Dice que sale temprano. *saldría*

Notas gramaticales

futuro – presente

pasado

Potencial –	
hablar comer vivir	-ía -ías -ía -íamos (-íais) -ían

1 Los verbos que tienen una raíz irregular en el futuro la mantienen en el potencial.

    caber   **cabré**   **cabría**

2 El potencial se usa para expresar probabilidad en el pasado.

    Estarías en la cocina cuando llamó   *You were probably in the kitchen when*
    a la puerta.   *he knocked at the door.*

3 El potencial se usa para expresar un hecho futuro con relación a un momento pasado.

    Dijeron que **estudiarían.**
      pasado   futuro

5 El imperfecto de subjuntivo  3rd person plural de preterite

Después de *ojalá,* en oraciones subordinadas, después de *como si*

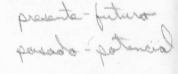 presente—futuro
pasado—potencial

11 ◆ EJERCICIO DE SUSTITUCIÓN

Ojalá que don Augusto hablara.
_____ (tú) _____.
_____ los niños _____.
_____ (nosotros) _____.
_____ respondiéramos.
_____ María _____.
_____ (tú) _____.
_____ decidieras.
_____ Carlos y usted ____.
_____ (yo) _____.

12 ◆ PRESENTE → PASADO

Escuche cada oración y repítala cambiando el primer verbo al imperfecto de indicativo y el segundo al imperfecto de subjuntivo.

    EJEMPLO Es importante que vuelvas pronto.
                Era importante que volvieras pronto.

Quiero que juegues.
Quiero que lo recuerde.

Es necesario que empiecen.
Es necesario que nos sentemos.
Es posible que me mueva.
Es posible que lo pierdas.
Me alegro de que duerman.
No quiero que se muera.
Esperan que yo lo prefiera.
Esperan que lo sintamos.
Es importante que nos sirvan.
Es importante que lo pidamos.

13 ◆ MANDATO DIRECTO → MANDATO INDIRECTO

Escuche cada oración y repítala cambiando el mandato directo al mandato indirecto usando el pretérito y el imperfecto de subjuntivo.

EJEMPLO Esté preparado.
Le mandó que estuviera preparado.

Traiga el sobre.
Lean las cartas.
Ponga la mesa.
Traduzcan el pasaje.
Vaya a la cocina.
Diga la verdad.
Hagan su trabajo.
Vengan a la reunión.
Conduzca el coche.
Tengan cuidado.

14 ◆ DOS ORACIONES → UNA ORACIÓN CON como si

Combine las dos oraciones usando la expresión **como si.**

EJEMPLO Yo lo quiero. Él no es mi hijo.
Yo lo quiero como si fuera mi hijo.

El profesor camina. Él no está enfermo.
Juan habla del asunto. Él no lo entiende.
Ellos hablan. Ellos no son españoles.
Nosotros vivimos. No tenemos dinero.
Él habla de Juan. Él no conoce a Juan.

Notas gramaticales

1 El imperfecto de subjuntivo se forma con la raíz de la tercera persona plural[2] del pretérito de indicativo y las siguientes terminaciones:

-ar		-er, -ir	
-ara	(-ase)	-iera	(-iese)
-aras	(-ases)	-ieras	(-ieses)
-ara	(-ase)	-iera	(-iese)
-áramos	(-ásemos)	-iéramos	(-iésemos)
-arais	(-aseis)	-ierais	(-ieseis)
-aran	(-asen)	-ieran	(-iesen)

He aquí algunos ejemplos:

infinitivo	pretérito	imperfecto de subjuntivo
hablar	hablaron	hablara, hablaras, etc.
comer	comieron	comiera
pedir	pidieron	pidiera
hacer	hicieron	hiciera
tener	tuvieron	tuviera

2 Cuando la raíz de un verbo de la segunda o de la tercera conjugación (-er o -ir) termina en y o j, la terminación del imperfecto de subjuntivo pierde la i.

infinitivo	pretérito	imperfecto de subjuntivo
oír	oyeron	oyera, oyeras, etc.
traer	trajeron	trajera

3 Existen dos formas del imperfecto de subjuntivo. La forma que termina en ra es más frequente en la conversación y es la que se usa en los ejercicios de este texto.

4 En general, cuando se usa el imperfecto de subjuntivo con ojalá se expresa algo contrario a la verdad o cuya posibilidad es remota. Ojalá seguido del presente de subjuntivo expresa algo que puede ocurrir todavía.

Ojalá que Juan traiga suficiente dinero. (Quizás lo pueda traer.)
Ojalá que Juan trajera suficiente dinero. (No es probable que lo pueda traer.)

5 Se usa el imperfecto de subjuntivo después de la expresión como si (*as if*), sin importar cuál es el tiempo de la oración principal.

Habla como si supiera algo.   *He talks as if he knew something.*

6 Se usa el imperfecto de subjuntivo en las oraciones subordinadas nominales,

---

[2] El único verbo en que hay una diferencia ortográfica entre la raíz de la tercera persona singular y la tercera persona plural del pretérito es hacer: hizo, hicieron.

adjetivas y adverbiales siguiendo las mismas reglas que el presente de subjuntivo, pero refiriéndose al pasado.

No **quiero** que los niños **entren**.
No **quería** que los niños **entraran**.

6 Verbos de percepción

15 ◆ NOMBRE → PRONOMBRE

Escuche cada oración y repítala sustituyendo el nombre con el pronombre correspondiente.

EJEMPLO   Vemos salir a la señora.
         La vemos salir.

Vi salir a su sobrino.
Oí hablar al señor.
Veo llegar a su novia.
Escuchaba cantar a las niñas.
Vieron llegar al hombre.
Mirábamos jugar a los niños.
Oigo llorar a la muchacha.

16 ◆ EJERCICIO DE TRANSFORMACIÓN

Escuche cada oración y repítala haciendo los cambios que indican los ejemplos.

EJEMPLOS   Vi al señor leyendo el anónimo.
          Vi que el señor lo leía.

          Vi a la criada sacando la basura.
          Vi que la criada la sacaba.

Oí a tu hermano leyendo el poema.
Vi a la criada preparando la comida.
Veo al sobrino recogiendo el reloj.
Vieron a la señora buscando el periódico.
Oímos al señor llamando a la criada.

Notas gramaticales

1   Tanto en inglés como en español, los verbos de percepción pueden preceder al infinitivo o al gerundio.

    Los vi jugar al ajedrez.   *I saw them play chess.*
    Los vi jugando al ajedrez.   *I saw them playing chess.*

2   Cuando el infinitivo o el gerundio tienen un pronombre como complemento, es preferible usar una oración subordinada.

   Vieron a María trayéndola. = (preferible) **Vieron que María la traía.**

7   *Ser* y *estar*

ser con un nombre o pronombre

17 ◆ EJERCICIO DE SUSTITUCIÓN

Mi padre es médico.
_____ abogado.
__ sobrino _____.
_____ catedrático.
__ hermanos _____.
_____ ingenieros.

ser para mostrar el dueño

18 ◆ PREGUNTAS Y RESPUESTAS

Conteste a las siguientes preguntas de acuerdo con el apunte.

EJEMPLO   (Juan)   ¿De quién es el abrigo?
Es de Juan.

(Rosa)   ¿De quién es el bolsillo?
(don Augusto)   ¿De quién es el reloj?
(María Elena)   ¿De quién son los guantes?
(mi tía)   ¿De quién es ese camisón?
(aquel señor)   ¿De quién es el periódico?

ser para señalar la materia de que está hecha una cosa

19 ◆ EJERCICIO DE SUSTITUCIÓN

La mesa es de hierro.
_____ madera.
__ casa _____.
__ muñeca _____.
_____ papel.
__ vestidos _____.
_____ lana.
_____ nilón.

ser para origen, *estar* para lugar

20 ◆ PREGUNTAS Y RESPUESTAS

Conteste a las siguientes preguntas de acuerdo con el apunte.

EJEMPLOS   (Madrid)   ¿De dónde es el doctor Cruz?
Es de Madrid.

(Madrid)   ¿Dónde está el doctor Cruz?
Está en Madrid.

(Tejas)   ¿De dónde es Juan?
(Tejas)   ¿Dónde está Juan?

(Chile)   ¿De dónde es el profesor Pérez?
(Chile)   ¿Dónde está el profesor Pérez?

(España)   ¿De dónde es tu primo?
(villa)   ¿Dónde está tu primo?

(México)   ¿De dónde son esos discos?
(sala)   ¿Dónde están los discos?

ser para la hora o el lugar de un acontecimiento

21 ◆ EJERCICIO DE SUSTITUCIÓN

La reunión es a las nueve.
_____ esta tarde.
_____ en mi casa.
__ fiesta _____ .
_____ el domingo.
_____ a las ocho.

22 ◆ EJERCICIO DE TRADUCCIÓN

Where is Braulia from?
Where is Braulia?
Where is the villa?
The devil is at the villa.
The meeting takes place at the villa.
The meeting is at four.

estar y las formas progresivas

23 ◆ EJERCICIO DE SUSTITUCIÓN

La criada está sirviendo el vino.
_____ tomando _____.
La señora _____.
_____ estaba _____.
_____ café.
Los señores _____.
Los señores y yo _____.

*con los participios pasivos: **ser** para la acción misma, **estar** para el resultado de la acción*

24 ◆ ACCIÓN → RESULTADO

Las siguientes oraciones describen acciones. Escuche cada oración y diga el resultado de la acción según indica el ejemplo.

EJEMPLO La ventana fue abierta por la criada.
Ahora la ventana está abierta.

El trabajo fue terminado ayer.
Las notas fueron entregadas por el profesor.
El vino fue servido por ella.
La puerta fue cerrada por mi tío.
La renta fue pagada ayer.

*con los adjetivos: **ser** para características esenciales, **estar** para estado o condición*

25 ◆ EJERCICIO DE SUSTITUCIÓN

Mi hermana está nerviosa.
_____ morena.
_____ cansada.
_____ simpática.
_____ equivocada.
_____ contenta.
_____ amable.

26 ◆ PREGUNTAS Y RESPUESTAS

Conteste a las siguientes preguntas usando el verbo **ser** o **estar** según corresponda.

EJEMPLO ¿Julia? ¿En la cocina?
Sí, Julia está en la cocina.

¿Los guantes? ¿De piel?
¿Ella? ¿Bajando la escalera?
¿Tu padre? ¿Catedrático?
¿La conferencia? ¿A las cinco?
¿Alicia? ¿Contenta?
¿El partido? ¿En el patio?
¿Los jugadores? ¿En el patio?
¿Ellos? ¿Equivocados?
¿Juan? ¿Inteligente?
¿Fernando? ¿De los Estados Unidos?
¿El señor? ¿Muerto?
¿Ese bolsillo? ¿De Rosa?

27 ◆ EJERCICIO ESCRITO—I

Conteste a las siguientes preguntas con una oración usando el verbo **estar** y la palabra en paréntesis. La respuesta será afirmativa o negativa, según convenga.

EJEMPLO ¿Trabaja ahora el profesor? (de vacaciones)
No, está de vacaciones.

1. ¿Regresaron los señores? (de vuelta) _Sí, están de vuelta_
2. ¿Está contento su padre? (de mal humor) _No, está de mal humor_
3. ¿Está la chica de pie? (de rodillas) _No, está de rodillas_
4. ¿Ella lo miraba a usted? (de espaldas) _No, estaba de espaldas_
5. ¿Llegaste a la misma conclusión? (de acuerdo) _Sí, estamos d acuerdo_

28 ◆ EJERCICIO ESCRITO—II

Escriba las siguientes oraciones usando la forma correcta de los verbos **ser** o **estar**.

1. El traje descotadísimo ___es___ de Leopoldina.   _low cut_
2. El padre de esa chica ___es___ catedrático.   _(profesor)_
3. La partida de ajedrez ___es___ en la sala.   _where a thing occurs_
4. Los señores ___están___ en la sala.
5. ¿Quién ___está___ leyendo el periódico?
6. Nadie sabe dónde ___está___ el periódico ahora.
7. Tu novia ___es___ muy lista y simpática.
8. Ya Ricardo ___está___ listo para empezar a jugar al ajedrez.

9. Las patas de esa mesa ___son___ de bronce.
10. La clase ___es___ a las ocho y media.
11. Los alumnos del profesor Tovar ___son___ de Nueva Jersey.
12. Tu hermana ___es___ una chica muy inteligente.
13. En la capilla ella siempre ___está___ de rodillas.
14. María Elena ___está___ simpática hoy.
15. La sirvienta ___está___ buscando el periódico porque no sabe que ___está___ debajo del tablero de ajedrez.
16. ¿Por qué ___están___ ustedes tan contentos?
17. Iremos al partido de fútbol porque ___estaremos___ de vacaciones.
18. El nuevo profesor ___es___ él.

Notas gramaticales

ser	estar
Con un nombre o pronombre Mi padre **es abogado**. El catedrático **es él**.	
Posesión El reloj **es de don Felipe**.	
Materia La mesa **es de madera**.	
Lugar de origen **Es de España**.	Lugar, situación **Está en España**.
Hora o lugar de un acontecimiento La reunión **es en la villa**. *event took place* La reunión **es a las cuatro**.	Formas progresivas **Está leyendo** un libro.
Voz pasiva La puerta **fue abierta** por Luis.	Condición como resultado de una acción anterior La puerta **está abierta**.
Adjetivos que denotan características básicas Mi papá **es alto**.	Adjetivos que denotan estado o condición Mi papá **está enfermo**.

feliz = ser

contento = estar

alegre = ser o estar

1 En este cuadro se presentan los usos principales de **ser** y **estar**.

2 Adjetivos que se pueden usar con **ser** y **estar**: La persona que habla, de acuerdo con lo que quiere decir, escoge entre **ser** o **estar**.

María **es** bonita.	*Mary is pretty. Mary is a pretty girl.*
María **está** bonita.	*Mary looks pretty.*
Mi tía **es** vieja.	*My aunt is old. My aunt is an old lady.*
Mi tía **está** vieja.	*My aunt looks old.*

3 Adjetivos que cambian de significado con **ser** y **estar**:

Juan **es** listo.	*Juan is smart.*
Juan **está** listo.	*Juan is ready.*
Las manzanas **son** verdes.	*The apples are green.* (kind of apple)
Las manzanas **están** verdes.	*The apples are green.* (not ripe)

4 Expresiones que se usan sólo con **estar**:

estar
de acuerdo
de buen (mal) humor
de espaldas
de frente
de rodillas
de vacaciones
de viaje
de vuelta

5 El adjetivo **contento**: Con el adjetivo **contento** sólo se puede usar **estar**.

Los chicos **están** muy contentos.

8   Problemas de vocabulario

Ponerse y *disponerse*

ponerse a + infinitivo	empezar, comenzar

29 ◆ empezar → ponerse a

Escuche cada oración y repítala usando **ponerse a** en lugar de **empezar** o **comenzar**.

EJEMPLO   Empiezo a limpiar la casa.
          Me pongo a limpiar la casa.

Empieza a probar el timbre.
Empezaron a trabajar. *Se pusieron*
Empezará a trabajar. *se pondrá*
Ahora comenzamos a estudiar. *nos ponemos*
¿Cuándo comenzarás a leer? *te pusieras*
Quiero que empecemos a trabajar. *nos pongamos*
Quería que empezáramos a trabajar. *nos pusiéramos*
Siempre empezábamos a estudiar temprano. *nos poníamos*

---

disponerse a + infinitivo: prepararse a   *to get ready to*

---

30 ◆ prepararse a → disponerse a

Escuche cada oración y repítala usando **disponerse a** en lugar de **prepararse a**.

    EJEMPLO   Se preparan a comer.
                Se disponen a comer.

Se preparaba a abrir la puerta. *se disponía*
Se prepara a recibir el beso. *se dispone*
Se prepararon a estudiar. *se dispusieron*
Me preparo a escribir la lección. *me dispongo*
Te preparas a contestarle. *te dispones*

To become

---

ponerse: Se usa con adjetivos y especialmente al referirse a cambios físicos o emocionales.

---

31 ◆ EJERCICIO DE SUSTITUCIÓN

Su novio se pone celoso.
_____ nervioso.
La muchacha _____.
_____ pálida.
__ mujeres _____.
_____ enfadadas.
_____ se pondrán _____.
__ hombres _____.

> **hacerse:** Se usa con adjetivos y nombres para expresar un cambio logrado a través de esfuerzos. Se usa al hablar de profesiones u oficios.

32 ◆ EJERCICIO DE SUSTITUCIÓN

Mi hermano se hizo médico.

(Ellos) _____ .

_____ famosos.

(Tú) _____ .

_____ rico.

(Nosotros) _____ .

_____ abogados.

> **volverse:** Se usa para expresar un cambio violento y rápido. Es seguido, generalmente, por adjetivos, aunque a veces se usan nombres.

33 ◆ EJERCICIO DE SUSTITUCIÓN

Te has vuelto loco.

_____ etiquetero.

Elena y Pepe _____ .

_____ locos.

La pobre muchacha ___ .

___ se volvió _____ .

Manuel _____ .

_____ rico.

34 ◆ EJERCICIO ESCRITO

Escriba el siguiente párrafo usando la forma correcta de **ponerse, hacerse o volverse.**

con be'n imperfecto

Juan _se puso_ pálido al oír la noticia. Recordó aquellos años juveniles cuando su amigo Pedro, después de mucho esfuerzo, _se hizo_ médico y comenzó a ejercer su carrera. Trabajaba mucho y como tenía una buena clientela _se hizo_ rico. Parecía ser un hombre feliz, pero, poco a poco, comenzó a cambiar. Casi no comía y _se puso_ muy delgado. Un día no reconoció a nadie y todos se dieron cuenta de que se había _vuelto_ loco. Mientras Juan recordaba esos momentos dolorosos _se puso_ más y más triste.

Notas gramaticales

1 Otras expresiones equivalentes al verbo *to become* son:

   a. **llegar a ser** (generalmente como culminación de un proceso gradual):

   Llegó a ser presidente de su país.
   Llegaron a ser muy poderosos.

   b. **convertirse en** (hay un cambio en la naturaleza básica):

   Se convirtió en un criminal.
   Los gases **se convirtieron** en líquidos.

2 A veces, algunas de las expresiones estudiadas (**ponerse, volverse, hacerse, llegar a ser, convertirse en**) pueden intercambiarse.

   Juan **llegó a ser** médico.
   Juan **se hizo** médico.

   Se convirtió en un criminal.
   Se volvió un criminal.

3 Hay casos en que se puede usar un verbo reflexivo o uno intransitivo en vez de las expresiones equivalentes a *to become*.

   Me puse triste.   **Me entristecí.**
   Se volvió loco.   **Enloqueció.**

LECCIÓN 6

alquiler - renta

1 Oraciones básicas

1 Si su novio no se pone celoso, saldré con usted.

If your fiancé doesn't get jealous, I'll leave with you.

2 Si me permitiera, yo le daría una explicación de la crisis por que está pasando.

If you would let me, I would give you an explanation of the crisis you're going through.

3 Si hubieran tenido más consideración, otro gallo les cantara.

If you had had more consideration, it would be a different story.

4 Yo no puedo soportar esa acusación tan injusta.

I cannot bear such an unjust accusation.

5 Ahora me doy cuenta de que tú fuiste el que dijo que ella tenía un pasado muy turbio.

Now I realize that you were the one who said that she had a very shady past.

6 Usted perdone, señor, que hayamos tardado tanto en abrirle la puerta.

Pardon us, sir, for having been so long in opening the door.

7 Para mirar a Augusto, espera a que éste haya separado sus dedos.

In order to look at Augusto, he waits until he has uncrossed his fingers.

8 Por nadie más del mundo lo hubiera hecho.

I wouldn't have done it for anyone else in the world.

9 Leopoldina, que se había alejado de la puerta mientras dialogaban, se acerca de nuevo a ellos.

Leopoldina, who had gone away from the door while they were talking, approaches them again.

10 Nadie repara en el juego de Rosa hasta que lo repite.

Nobody notices Rosa's trick until she repeats it.

2 Spanish pronunciation

/k/, [g], [g]

Spanish /g/ and its voiceless counterpart are pronounced with the back of the tongue against the back of the palate. Americans are used to hearing English /k/ aspirated (accompanied by a puff of air); since Spanish /k/ is unaspirated, students may sometimes hear it as /g/. In the next exercise, the two Spanish sounds are contrasted.

1 ◆ PRONUNCIATION EXERCISE

/k/	/g/
greyhair cana	gana
callo	gallo
cosa	goza
quiso	guiso
casta	gasta
cala	gala

There are two variants of /g/:

[g] a stop that occurs at the beginning of an utterance and after /n/.
[g] a fricative that occurs in all other cases.

2 ◆ PRONUNCIATION EXERCISE

[g]

gafas
gusto
guerra
gallo
ángulo
tengo
un gato

[g]

soga
deniega
pagado
amigo
dialogar
desgracia

[g]	[g]
gota	la gota
gasa	la gasa
gala	de gala
goma	de goma
gusano	ese gusano
grupo	ese grupo

3   Los tiempos compuestos del indicativo

Pluscuamperfecto, pretérito anterior, futuro perfecto, potencial compuesto

3 ◆ EJERCICIO DE SUSTITUCIÓN

Don Mauricio ya había salido cuando llegó Gómez.

(Yo) _____ .

Rosa y Benjamín _____ .

(Tú) _____ .

María y yo _____ .

_____ almorzado _____ .

(Ustedes) _____ .

(Tú) _____ .

4 ◆ PRETÉRITO ANTERIOR → PRETÉRITO

EJEMPLO   Apenas hube entrado cuando alguien tocó el timbre.
        Apenas entré cuando alguien tocó el timbre.

En cuanto hubieron llegado, Marta sirvió el té.
Luego que Rosa hubo golpeado el cristal, Benjamín la vio.
Cuando hube leído la revista, se la mostré.
Apenas hubo regresado cuando empezó a llover.
En cuanto hubimos escrito los exámenes, el profesor se fue.

5 ◆ EJERCICIOS DE SUSTITUCIÓN

Lo habré acabado para las cinco.

(Tú) _____ .

Rosa _____ .

_____ hecho _____ .

Rosa lo habrá hecho para las cinco.

(Nosotros) _____ .

(Ellos) _____ .

(Yo) _____ .

Inés habría escrito las cartas.

Pablo y Juan _____.

(Tú) _____.

_____ mandado _____.

(Ustedes) _____.

Paula _____.

Notas gramaticales

1 Los tiempos compuestos se forman con los diferentes tiempos de **haber** + el participio pasivo.

    presente de **haber** + participio pasivo = pretérito perfecto
    imperfecto de **haber** + participio pasivo = pluscuamperfecto
    pretérito de **haber** + participio pasivo = pretérito anterior
    futuro de **haber** + participio pasivo = futuro perfecto
    potencial de **haber** + participio pasivo = potencial compuesto

2 El pluscuamperfecto, tanto en inglés como en español, se usa para expresar una acción que ha ocurrido en el pasado con anterioridad a otra, también en el pasado.

pasado	pasado más reciente
Rosa había salido	**cuando llegó Gómez.**
Rosa had left	*when Gómez arrived.*

3 El pretérito anterior no se usa en la lengua hablada; en su lugar se usa el pretérito indefinido. El pretérito anterior aparece relativamente poco en la lengua literaria precedido de expresiones como: **luego que, en cuanto, tan pronto como, así que, apenas, cuando, después que, no bien.**

    Tan pronto como **hubieron empezado**   *As soon as they began the game,*
    (empezaron) la partida, Braulia   *Braulia entered.*
    entró.

[nota manuscrita al margen: simple past]

4 El futuro perfecto, tanto en inglés como en español, se usa para expresar una acción que ocurre en el futuro, pero que terminará cuando ocurra otra acción también en el futuro.

    Habremos acabado la partida antes de   *We shall have finished the game before*
    su llegada.   *his arrival.*

5 El potencial compuesto se usa igual que en inglés.

    María habría ido al cine.   *Mary would have gone to the movies.*

6 El futuro perfecto y el potencial compuesto, igual que el futuro imperfecto y el potencial simple, pueden expresar probabilidad.

Será Rosa.	It's probably Rosa.
Sería Rosa.	It was probably Rosa.
Habrá sido Rosa.	It must have been Rosa.
Habría sido Rosa.	It had probably been Rosa.

4 Los tiempos compuestos del subjuntivo

Formas; concordancia

6 ◆ EJERCICIOS DE SUSTITUCIÓN

Duda que hayan ganado.
_____ (tú) _____.
_____ (tú y yo) _____.
_____ Ana _____.
_____ (yo) _____.

Era probable que Juan no hubiera salido.
_____ (yo) _____.
_____ Pepe y yo _____.
_____ Rosa y Benjamín _____.
_____ (tú) _____.

7 ◆ HOY → AYER → MAÑANA

Escuche cada oración. Repítala dos veces, cambiándola cada vez de acuerdo con los apuntes.

EJEMPLO   Dudo que lea el libro hoy.   (ayer)
Dudo que haya leído el libro ayer.   (mañana)
Dudo que lea el libro mañana.

1. Es posible que escriba la carta hoy.   (ayer)   (mañana)
2. Siento que no vengas a la fiesta hoy.   (ayer)   (mañana)
3. Es probable que juegen al béisbol hoy.   (ayer)   (mañana)
4. Se alegra de que nos divirtamos hoy.   (ayer)   (mañana)

8 ◆ EJERCICIO DE TRADUCCIÓN

Repita la primera oración y después traduzca las otras dos según indica el ejemplo.

EJEMPLO Dudaba que hubieran llegado.
Dudaba **que hubieran llegado.**
I doubted that they had arrived.
Dudaba **que hubieran llegado.**
I doubted that they would arrive.
Dudaba **que llegaran.**

1. Era posible que se fuera.
It was possible that he would go away.
It was possible that he had gone away.

2. Sentían que hubiéramos estado enfermos.
They were sorry that we had been sick.
They were sorry that we were sick. *estuvieramos*

3. Estaba contento de que vinieras.
I was happy that you were coming. *hubiera venido*
I was happy that you had come.

4. Esperábamos que hubiera escrito la carta.
We hoped that you had written the letter.
We hoped that you would write the letter. *Escribiera*

Notas gramaticales

1 El pretérito perfecto de subjuntivo se forma con el presente de subjuntivo del verbo **haber**+el participio pasivo: **haya hablado.** El pretérito pluscuamperfecto de subjuntivo se forma con el imperfecto de **haber**+el participio pasivo: **hubiera hablado.**

2 Los tiempos simples del subjuntivo se usan generalmente para expresar una acción que ocurre al mismo tiempo o después de la acción del verbo de la oración principal.

oración principal	oración subordinada
presente futuro	presente de subjuntivo
pretérito imperfecto potencial	imperfecto de subjuntivo

Me alegro de que usted esté aquí.   *I am happy (now) that you are here (now).*

Me alegro de que usted venga mañana.   *I am happy (now) that you are coming tomorrow (future).*

Me alegraba de que usted estuviera allí.   *I was happy (then) that you were there (then).*

Me alegraba de que usted viniera al día siguiente.   *I was happy (then) that you were coming the next day (later).*

3 Los tiempos compuestos del subjuntivo se usan para expresar una acción
que ha ocurrido con anterioridad al tiempo del verbo de la oración principal.

oración principal	oración subordinada
presente futuro	pretérito perfecto de subjuntivo
pretérito imperfecto potencial	pretérito pluscuamperfecto de subjuntivo

Siento que usted haya estado enfermo.   *I am sorry (now) that you were sick (in the past).*

Sentía que usted hubiera estado en-   *I was sorry (recent past) that you had*
**   fermo.**   *been sick (in the more distant past).*

[handwritten: había + pp   pluscuamperfecto de ind
hubiera + pp   "   " subj]

5   *Si* y la concordancia de los tiempos

9 ◆ EJERCICIO SOBRE EL USO DE LOS TIEMPOS

Escuche cada oración y repítala haciendo los cambios necesarios de acuerdo con
el apunte.   *[handwritten: conclusion o resultado]*

EJEMPLO   Si voy, lo haré.   **Si voy, lo haré.**
          Si fuera, _____.   **Si fuera, lo haría.**
          Si hubiera ido, _____.   **Si hubiera ido, lo habría hecho.**

[handwritten: if   then]
1. Si tengo dinero, iré.
   Si tuviera dinero, _____ *[handwritten: iría o fuera]*
   Si hubiera tenido dinero, _____ *[handwritten: habría ido o había ido]*

2. Si estudian más, aprenderán más.
   Si estudiaran más, _____.
   Si hubieran estudiado más, _____.

3. Estaré contento si vienen a verme.
   Estaría contento _____.
   Habría estado contento _____.

4. Si sé la respuesta, te la diré.
   Si supiera la respuesta, _____ *[handwritten: te la]*
   Si hubiera sabido la respuesta, _____.

5. Veremos la estatua si vamos al museo.
   Veríamos la estatua _____ *[handwritten: si fuéramos]*
   Habríamos visto la estatua _____ *[handwritten: si hubiera ido]*

6. Si me permite, yo le daré una explicación.
   Si me permitiera, _dariera_
   Si me hubiera permitido, _habria permitido_
   hubiera

10 ◆ PREGUNTAS DE SELECCIÓN

EJEMPLO Si terminas esta lección, ¿seguirás estudiando o saldrás a pasear?
Si termino esta lección, seguiré estudiando.

Si Juan tiene éxito, ¿le regalarás el reloj o la chaqueta?
Si llego temprano, ¿iremos a la playa o a casa de María?
Si ellos tuvieran dinero, ¿irían a México o a España?
Si hubiera visto a Isabel, ¿la hubiera invitado a un restorán o al cine?
Si viniera tu primo, ¿lo irías a ver o lo llamarías por teléfono?

11 ◆ PREGUNTAS DE RESPUESTA LIBRE

Conteste a las siguientes preguntas con cualquier respuesta lógica.

¿Qué haría usted si tuviera mil dólares?
¿Qué harían los alumnos si el profesor terminara la clase ahora?
¿Qué países visitaría usted si tuviera tiempo?
¿Qué regalo querría su novia si usted pudiera comprárselo?
¿Adónde iría usted si tuviera vacaciones la semana próxima?
¿Qué automóvil compraría usted si tuviera dinero?

12 ◆ EJERCICIO DE TRANSFORMACIÓN

Escuche cada oración y repítala según indican los ejemplos.

EJEMPLOS A no ser por las moscas, abriría la ventana.
Si no fuera por las moscas, abriría la ventana.

De no haber sido por Gómez, no lo habría sabido.
Si no hubiera sido por Gómez, no lo habría sabido.

De no ser por sus tarifas, lo llamarían más.
De no ser tan tarde, jugaría otra partida.
De no ser por los visados, viajaríamos más.
A no haber sido por ella, no lo habría hecho.
De no haber estudiado, habrías salido mal.
De haberlo sabido, le habría avisado.

Notas gramaticales

1 La oración subordinada con **si** expresa una condición; la oración principal
expresa un resultado.

2 Cuando sólo se quiere expresar una relación entre una condición y su resultado, sin indicar la probabilidad o improbabilidad de que se realice esta condición, se usa el indicativo en la oración con **si** y el indicativo o el imperativo en la oración principal.

Si tienen más consideración, la gente se animará. *If they have more consideration, people will be encouraged.*

Si tienes tiempo, ven conmigo. *If you have time, come with me.*

Si Pablo lo hizo, lo hizo bien. *If Pablo did it, he did it well.*

3 Cuando es poco probable que se realice la condición mencionada, se usa el imperfecto de subjuntivo en la oración con **si** y el potencial simple o el imperfecto de subjuntivo en la oración principal.

Si tuvieran tiempo, vendrían (vinieran) a visitarnos. *If they had time, they would come to visit us.*

4 Cuando al hablar del pasado se expresa una condición que es contraria a la verdad, se usa el pluscuamperfecto de subjuntivo en la oración con **si** y el potencial compuesto o el pluscuamperfecto de subjuntivo en la oración principal.

Si hubieran tenido más consideración, la gente se habría (hubiera) animado. *If they had had more consideration, people would have been encouraged.*

5 En la oración con **si** y en la oración principal no se usa ni el presente de subjuntivo ni el pretérito perfecto de subjuntivo.

6 A veces se usan las preposiciones **a** o **de** seguidas del infinitivo en vez de la conjunción **si** y el imperfecto de subjuntivo.

A no ser }
Si no fuera } por las moscas, abriría la ventana.

6 *Por* y *para*

por: a través de, a lo largo de

13 ◆ EJERCICIO DE SUSTITUCIÓN

Braulia sale por la puerta.

_____ foro.

_____ aparece _____.

_____ escalera.

_____ baja _____.

_____ esa calle.

_____ camina _____.

para: hacia, en dirección a

14 ◆ PREGUNTAS Y RESPUESTAS

Conteste a las siguientes preguntas de acuerdo con el apunte, según indica el ejemplo.

EJEMPLO   (capilla)   ¿Adónde va usted?
Voy para la capilla.

(pueblo)   ¿Adónde van ustedes?
(librería)   ¿Adónde van ellos?
(jardín)   ¿Adónde vas?
(casa de su tía)   ¿Adónde va ella?
(tienda)   ¿Adónde va don Mauricio?

por: alrededor de, durante

15 ◆ EJERCICIO DE SUSTITUCIÓN

Duermo por la mañana.
_____ noche.
Estudio _____.
_____ tarde.
Viene _____.
_____ Navidades.
Se irá _____.

para: antes de (límite de tiempo)

16 ◆ PREGUNTAS Y RESPUESTAS

Conteste a las siguientes preguntas según indica el ejemplo.

EJEMPLO   ¿Leerás la comedia para mañana?
Sí, la leeré para mañana.

¿Acabarás la carta para mañana?
¿Leerás el libro para la semana que viene?
¿Escribirás el ensayo para el jueves?
¿Lo pediste para esta noche?
¿Limpiarás la casa para las dos?

por: a través de, en (medio)

17 ◆ PREGUNTAS Y RESPUESTAS

Conteste a las siguientes preguntas de acuerdo con el apunte, según indica el ejemplo.

EJEMPLO (avión) ¿Cómo viajaste?
Viajé por avión.

(radio) ¿Cómo se enteró usted de eso?
(correo) ¿Cómo llegó el paquete?
(avión) ¿Cómo mandaste la carta?
(tren) ¿Cómo viajó tu tío?
(teléfono) ¿Cómo le dieron las noticias?

por: en lugar de

18 ◆ **en lugar de → por**

Escuche cada oración y repítala sustituyendo **en lugar de** con **por**.

EJEMPLO Trabajé en lugar de mi primo.
Trabajé por mi primo.

Habló en lugar del profesor Jiménez.
Contesto el teléfono en lugar de ella.
La acompaño en lugar de Benjamín.
Terminas el trabajo en lugar de tu jefe.
Hizo esta jugada en lugar de la otra.

para: destinado a

19 ◆ PREGUNTAS Y RESPUESTAS

Conteste a las siguientes preguntas de acuerdo con el apunte, según indica el ejemplo.

EJEMPLO (don Augusto) ¿Para quién es el anónimo?
El anónimo es para don Augusto.

(dueño de la casa) ¿Para quién es el dinero?
(mi hijo) ¿Para quién es el regalo?
(señora) ¿Para quién es el vaso de agua?
(señoritas) ¿Para quién son las flores?
(él) ¿Para quién son los guantes?

por: a cambio de *(objeto de un cambio)*

20 ◆ DOS ORACIONES → UNA ORACIÓN

Combine las dos oraciones en una nueva usando la preposición **por.**

EJEMPLO   Le doy tres pesos. Usted me da el libro.
Le doy tres pesos por el libro.

Le doy cien pesetas. Usted me da el billete.
Le doy el periódico. Usted me da la revista.
Le doy cincuenta dólares. Usted me da la pintura.
Le doy cinco pesos. Usted me da esos pescados.
Le doy tres discos españoles. Usted me da tres discos americanos.

por: a causa de *(motivo, razón)*

21 ◆ PREGUNTAS Y RESPUESTAS

Conteste a las siguientes preguntas de acuerdo con el apunte, según indica el ejemplo.

EJEMPLO   (timidez)   ¿Por qué no habló el chico?
No habló por timidez.

(la lluvia)   ¿Por qué te quedas en casa?
(el examen)   ¿Por qué no va usted a la fiesta?
(miedo)   ¿Por qué no entraron ustedes en la casa?
(mi hijo)   ¿Por qué trabajas tanto?
(su patria)   ¿Por qué se sacrificaron los soldados?

para: a fin de *(objetivo, propósito)*

22 ◆ DOS ORACIONES → UNA ORACIÓN

Combine las dos oraciones en una nueva usando la preposición **para.**

EJEMPLO   Juana salió. Quiere encargar una misa.
Juana salió para encargar una misa.

La señora entró. Quiere leer el periódico.
Necesitamos dinero. Queremos viajar.
Ponen las piezas en el tablero. Quieren jugar.
Espero un momento. Quiero tocar madera.
Abre la puerta. Quiere tirar la basura.

por: en busca de (objeto de una diligencia)

23 ◆ EJERCICIO DE TRANSFORMACIÓN

Use **por** en las siguientes oraciones.

EJEMPLO Van al pueblo a comprar mantequilla.
Van al pueblo por mantequilla.

Vamos a recoger a los jugadores.
Van a buscar al doctor.
Van a traer las sillas.
¿Vas a comprar el bolsillo?
Fue a buscar su chaqueta.

para: comparado con

24 ◆ EJERCICIO DE SUSTITUCIÓN

Es muy alto para su edad.
_____ grande _____ .
_____ esta clase.
_____ inteligente _____ .
_____ ese grupo.
_____ bueno _____ .

para: en la opinión de

25 ◆ **según** → **para**

Escuche cada oración y repítala usando **para** en lugar de **según**.

EJEMPLO Según Gómez, el ajedrez es un juego muy interesante.
Para Gómez, el ajedrez es un juego muy interesante.

Según el profesor, el examen fue fácil.
Según Julia, la acusación es injusta.
Según Elena, el triunfo fue definitivo.
Según la señora, él es un tonto.
Según don Mauricio, es una explicación clara.

26 ◆ EJERCICIO ESCRITO

Escriba el siguiente párrafo usando **por** o **para**, según el caso.

(reason)

Para el señor Gómez, el ajedrez es la cosa más importante del mundo. _Por_ eso decidió visitar a don Augusto. _Para_ llegar al pueblo de don Augusto tuvo que viajar _por_ tren y pasar _por_ gran parte de la provincia. _(a través)_ _Por_ fin llegó a la villa veraniega de don Augusto. Se asomó _por_ la ventana y miró a don Augusto. Al ver que don Augusto estaba solo, tocó el timbre y la puerta fue _(passive voice)_ abierta _por_ don Augusto. Después de conversar _por_ un rato, Gómez le dijo que quería jugar al ajedrez con él. Don Augusto aceptó diciendo que lo haría _por_ un pequeño servicio.

(en cambio)

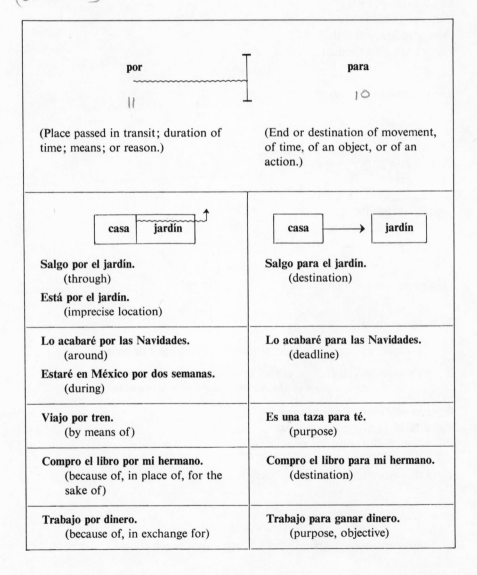

por	**para**
(Place passed in transit; duration of time; means; or reason.)	(End or destination of movement, of time, of an object, or of an action.)
casa | **jardín**	**casa** → **jardín**
Salgo por el jardín. (through) **Está por el jardín.** (imprecise location)	**Salgo para el jardín.** (destination)
Lo acabaré por las Navidades. (around) **Estaré en México por dos semanas.** (during)	**Lo acabaré para las Navidades.** (deadline)
Viajo por tren. (by means of)	**Es una taza para té.** (purpose)
Compro el libro por mi hermano. (because of, in place of, for the sake of)	**Compro el libro para mi hermano.** (destination)
Trabajo por dinero. (because of, in exchange for)	**Trabajo para ganar dinero.** (purpose, objective)

Lo hago por ayudarte. (motivation, reason) **¿Por qué estudias?** **Estudio porque quiero aprender.** **Estudio por aprender.** (reason)	**Lo hago para ayudarte.** (purpose, objective) **¿Para qué estudias?** **Estudio para abogado.** **Estudio para aprender.** (objective)
Va por el médico. (object of an errand)	**Va para médico.** (destination, purpose)
Está por salir. (in favor of)	**Está para salir.** (on the verge of)
La carta fue escrita por Benjamín. (by, agent in passive voice)	**La carta fue escrita para Benjamín.** (destination)
	Para una niña, lo hace bien. (comparatively or relatively speaking) **Para el profesor, la lección fue fácil.** (in the opinion of)
cinco por ciento **sesenta millas por hora** (per)	
por fin, por lo general, por cierto, **por lo tanto** por eso (fixed expressions)	

7 Misleading cognates

Soportar y *sostener*

soportar: aguantar, tolerar, resistir	*to bear, to stand*

27 ◆ EJERCICIO SOBRE EL USO DE soportar

Escuche cada oración y repítala usando **soportar**.

EJEMPLO Yo no puedo tolerar esa acusación.
Yo no puedo soportar esa acusación.

Ha aguantado muchas penas.
No aguantamos más sufrimientos.
Ya no lo resisto más.
No puede aguantar a esa mujer.
No toleramos más esta situación.

> **sostener:** dar a uno lo necesario   *to support*
> para subsistir; mantener

28 ◆ mantener → sostener

Escuche cada oración y repítala usando **sostener** en lugar de **mantener**.

EJEMPLO Sin dinero no puede mantener a su familia.
Sin dinero no puede sostener a su familia.

Mantiene a su madre.
No la mantendremos más.
Durante su enfermedad lo mantuvimos.
Ese hombre mantenía a muchos pobres.
Ellos no pueden mantener a sus hijos.

29 ◆ EJERCICIO DE TRADUCCIÓN

He can't support his mother.
He can't stand his mother.
The rich man supported his nephew.
The rich man couldn't stand his nephew.
I can't bear more suffering.

Realizar y darse cuenta de

> **realizar:** hacer real o efectiva   *to realize, in the sense of to*
> una cosa   *fulfill and accomplish*

30 ◆ EJERCICIO DE SUSTITUCIÓN

Realizó su sueño.
(Nosotros) ————.
———— ambición.
Realizaremos ——.
(Ellos) ————.

> **darse cuenta de:** comprender, *to realize, in the sense of to*
> saber, reparar en *become aware of*

31 ◆ EJERCICIO SOBRE EL USO DE **darse cuenta de**

Escuche cada oración y repítala usando **darse cuenta de**.

EJEMPLO No supo la verdad.
No se dio cuenta de la verdad.

No comprenden nuestra situación.
No comprenderán esta situación.
No quiero que sepan la verdad.
Supimos su verdadera identidad.
No quise que supieran la verdad.

32 ◆ reparar en → darse cuenta de

Nadie repara en el juego de Rosa.
Nadie repara en que hay poca gente.
Nadie repara en las llamadas de Rosa.
Nadie repara en la presencia del señor Gómez.

33 ◆ EJERCICIO DE TRADUCCIÓN

I realized the truth. *me di cuenta de la verdad*
I realized my dream. *realicé mi sueño*
He will never realize his ambition. *Él nunca realizará*
I realize that he will not succeed. *Me doy cuenta de que él no tendrá éxito*

8 Problemas de vocabulario

Tardar en

> **tardar en** + infinitivo emplear mucho tiempo en una cosa

Conteste a las siguientes preguntas según indica el ejemplo.

EJEMPLO ¿Pagan ellos la renta a tiempo?
No, tardan en pagar la renta.

¿Lees el periódico en poco tiempo?
¿Terminaron ustedes la partida en seguida?
¿Llegó el tren a su hora?
¿Entrará la sirvienta ahora?
¿Tuviste éxito inmediatamente?
¿Pasará el desfile ahora?

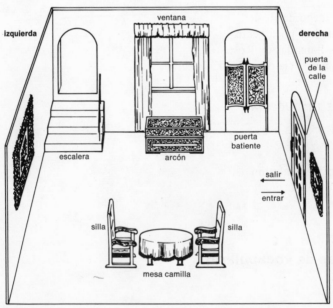

La derecha y la izquierda son las del espectador.

En las obras de teatro, **entrar** quiere decir dejar la escena y **salir** quiere decir llegar a la escena.

LECTURA I

EL AJEDREZ DEL DIABLO

COMEDIA EN UN ACTO Y EN PROSA

apellido – last name

Joaquín Calvo-Sotelo nació el 5 de marzo de 1905 en Galicia, España. Estudió leyes en la Universidad de Madrid, donde se graduó en 1926. Sin embargo, el mayor interés de Calvo-Sotelo ha sido siempre el teatro y durante los últimos cuarenta años su producción ha sido notable. Su obra más conocida, *La muralla*, fue estrenada en Madrid en 1954, donde tuvo un éxito extraordinario. Calvo-Sotelo es miembro de la Real Academia Española y uno de los dramaturgos españoles de más nombre.

PERSONAJES

LEOPOLDINA (treinta y cinco años)

BRAULIA (veinticinco)

ROSA (veinte)

DON AUGUSTO (cincuenta y cinco)

BENJAMÍN (veinticinco)

DON MAURICIO (sesenta y ocho)

GÓMEZ (cincuenta)

La escena transcurre en la planta baja de una villa veraniega situada en un pueblo del Norte no muy determinado. En el lienzo[1] del fondo se abre una escalera que conduce a las habitaciones de la planta superior. Próxima a su arranque[2] hay una puerta batiente[3], frente al público, que conduce a la cocina y a las dependencias del servicio[4]. Entre ambas, una pequeña ventana. En el lienzo de la derecha—se entiende siempre la del espectador, y no la del actor—se abre la puerta de la calle.

---

[1] **lienzo** drop scene   [2] **arranque** comienzo   [3] **puerta batiente** swinging door   [4] **dependencias del servicio** parte de la casa destinada a los sirvientes

furniture *simple*

El mobiliario[5] es muy escueto[6]: una mesa camilla[7], en el centro, con dos sillas, una lámpara de pie, un viejo arcón[8] de madera, bajo la ventana, es casi todo lo que precisa la acción.

hot

Al comenzar la acción, es de día. Son las cinco de la tarde de un caluroso[9] día de verano. DON AUGUSTO CADAVAL—*sandalias, pantalón de franela[10], chaqueta deportiva, lentes[11] y cachimba[12]—estudia en el ajedrez que hay sobre la mesa camilla unas jugadas difíciles.* BENJAMÍN, *su sobrino, vestido también con arreglo al patrón[13] clásico de los veraneantes del Norte, lee un libro. Mientras se levanta el telón, suena el timbre de la puerta.*

I

AUGUSTO. ¿Qué es de Braulia?[1]
BENJAMÍN. No sé, tío.
AUGUSTO. Pues anda, abre tú.
BENJAMÍN. Ya voy, tío.

(*Abre, en efecto, y recoge unos periódicos y unas cartas que alguien le entrega.*)

AUGUSTO. ¿Qué hay?
BENJAMÍN. El *A B C*[2] y unas cartas.
AUGUSTO. A ver...

(ROSA *es la novia de* BENJAMÍN, *y asoma por la ventana del foro[3]. Trae una rama en la mano y con ella golpea el cristal de la ventana. En seguida se encoge[4] para no ser vista.* DON AUGUSTO *ha roto la faja[5] del* A B C *y lo lee tranquilamente. Su rostro queda oculto por sus páginas a los espectadores. Nadie repara en el juego de* ROSA, *hasta que ésta lo repite dos veces. Entonces* DON AUGUSTO *interrumpe su lectura.*)

AUGUSTO. ¿Quién está llamando en la ventana?
BENJAMÍN. No sé... (*Se aproxima a la ventana y mira a derecha e izquierda.*) No hay nadie.
AUGUSTO. Pues alguien llamaba, desde luego.

---

[5] **mobiliario** muebles   [6] **escueto** reducido, sencillo   [7] **mesa camilla** mesa pequeña, cubierta con un mantel, bajo la cual a veces se pone un brasero (brazier)   [8] **arcón** large chest   [9] **caluroso** caliente   [10] **franela** flannel   [11] **lentes** gafas   [12] **cachimba** pipa   [13] **con... patrón** al estilo

[1] **¿Qué... Braulia?** What's become of Braulia?   [2] *A B C* periódico español   [3] **foro** fondo   [4] **se encoge** she crouches   [5] **faja** paper mailing wrapper

BENJAMÍN. No sé... (*Transición.*) ¿Hay alguna noticia interesante?

AUGUSTO. Sí, el Gobierno de hoy es el mismo de ayer. Curioso, ¿no?, ¿qué habrá pasado? (ROSA *insiste en sus llamadas. Las acusan*[6] *simultáneamente tío y sobrino.* AUGUSTO *deja el periódico, con un punto de cólera.* BENJAMÍN, *sin esperar nuevas órdenes, acude otra vez a la altura de la ventana.* ROSA *se agazapa*[7] *de nuevo.*) ¿Has oído?

BENJAMÍN. Sí, sí. (*Hace ademán*[8] *de abrir la ventana.*)

AUGUSTO. No, no. ¡No abras! Que[9] se llena esto de moscas en seguida.

BENJAMÍN (*Perplejo*). Pues... (*Hasta que de pronto,* ROSA *se deja ver.*) ¡Si[10] es Rosa!... (*Aclara a su tío.*)

AUGUSTO. Vaya, hombre, idilio tenemos...

(ROSA *le invita con el ademán a que abra la ventana.*)

BENJAMÍN. ¿Qué dices? (ROSA *repite el gesto. Ahora* BENJAMÍN *la comprende.*) No puedo. (ROSA, *a su vez, tampoco entiende muy bien a* BENJAMÍN.) ¡Que no puedo! (ROSA *le pregunta con el gesto el porqué.*) Porque se llena esto de moscas. (ROSA *no entiende.*) ¡Que se llena esto...! ¡¡Moscas, moscas!! (ROSA *sigue sin entender.*) ¡Moscas, moscas! (*Transición.*) ¡Qué niña! ¡Es tonta de caerse...![11]

AUGUSTO. Muchacho, se trata de tu novia.

BENJAMÍN (*Como un energúmeno*[12]). ¡¡¡Moscas!!!

(AUGUSTO *ha vuelto al ajedrez, debajo de cuyo tablero guardó el* A B C.)

AUGUSTO. ¿Y por qué no sales y hablas con Rosa lo que tengas que hablar?

BENJAMÍN (*A* ROSA). ¡Aguarda!

(*Y abre la puerta y sale a la calle. En ese momento* LEOPOLDINA *desciende la escalera.* LEOPOLDINA *lleva pantalones y una blusa blanca. Es una mujer desenvuelta*[13] *e incitante*[14]. *Se ve que ha tomado el sol en la playa.*)

LEOPOLDINA. ¿Volvió Braulia, vidita[15]?

AUGUSTO. No me llames vidita delante de gente.

LEOPOLDINA. ¿Y dónde hay gente, mi cielo[15]?

AUGUSTO. Ahí, en la puerta, están Benjamín y Rosa.

LEOPOLDINA. Ah, ¡qué graciosilla[16] es Rosa!, ¿verdad?

---

[6] **Las acusan** reparan en ellas, las oyen   [7] **se agazapa** se encoge   [8] **ademán** el gesto
[9] **Que** usado al principio de una oración para dar énfasis a lo que sigue o expresar sorpresa o indignación, no se traduce.   [10] **Si** exclamatory *why*. Why it's Rosa!   [11] **¡Es... caerse...!** es extremadamente tonta   [12] **energúmeno** persona violenta   [13] **desenvuelta** self-assured, forward   [14] **incitante** provocativa   [15] **vidita, mi cielo** son expresiones que denotan afecto o cariño. El diminutivo refuerza el tono afectivo. En inglés sería similar a *honey, dear.*   [16] **graciosilla** cute

AUGUSTO. A Benjamín, al menos, así se lo parece.

LEOPOLDINA (*Se asoma por la puerta, a medio abrir*). ¿Qué hay, Rosa?

ROSA. Buenos días.

LEOPOLDINA. ¿Qué hacéis ahí con tanto calor? Pasad, que voy a daros una cañita de manzanilla muy fresca.

ROSA. Oh, no, Leopoldina.

LEOPOLDINA. Anda, anda...

(ROSA *es muy mona*[17], *pero cursilita*[18] *de maneras y de indumentaria*[19]. *Penetran los dos en la casa. Cuando* BENJAMÍN *va a cerrar la puerta tras sí, llega* BRAULIA. *Entonces él entra sin cerrar la puerta.* BRAULIA *es una chica de servir*[20]. *Viste un trajecito blanco que la hace especialmente seductora. Trae en la mano muchos paquetes, tantos, que le cuesta trabajo cerrar la puerta.*)

ROSA. Qué simpática es Leopoldina, ¿verdad, Benjamín?

BENJAMÍN. Sí, en visita todos somos encantadores...

ROSA (*Inflamada de admiración por* LEOPOLDINA). ¡Oh, es guapísima tu tita[21]...!

BENJAMÍN (*Entre dientes*). A cualquier cosa le llaman tita...

ROSA. ¿Qué quieres decir?

BENJAMÍN. Nada, nada...

(LEOPOLDINA, *que se había alejado de la puerta mientras* ROSA *y* BENJAMÍN *dialogaban, se acerca de nuevo a ellos.*)

LEOPOLDINA. Ah, mira, Braulia. A punto[22] viene... Sírvanos un poco de manzanilla, Braulia.

BRAULIA. En seguida, señorita. Pero déjeme que ponga todos los paquetes dentro.

(*Hace mutis*[23] *por la puertecita del foro derecha, de donde saldrá cuando el diálogo lo marque, con una botella de manzanilla y unas cañas.*)

LEOPOLDINA. ¡Estás preciosa, Rosita! Y qué bonito bolsillo...

(ROSA *lleva un bolsillo que disuena espantosamente con*[24] *su toilette*[25].)

ROSA. ¿De verdad cree que le va bien al traje?

LEOPOLDINA (*Sin que se le trasluzca*[26] *la menor ironía*). Como anillo al dedo[27], Rosita... ¡Ah! La manzanilla...

---

[17] **mona** cute   [18] **cursilita** de mal gusto   [19] **indumentaria** ropa   [20] **chica de servir** sirvienta, criada   [21] **tita** tía (con afecto)   [22] **A punto** oportunamente   [23] **Hace mutis** sale, se va   [24] **disuena espantosamente con** le va mal a ropa   [25] **toilette** galicismo por   [26] **trasluzca** note   [27] **Como... dedo** perfectamente

(BRAULIA *descorcha la botella y sirve manzanilla a diestro y siniestro*[28]. *En el ínterin suena el timbre.* BRAULIA *abre la puerta. Entra* DON MAURICIO. *Es un hombre de pueblo. Viste ruralmente.*)

BRAULIA. Buenos días.

MAURICIO. ¿Entro en mal momento, don Augusto?

AUGUSTO. Al contrario, es usted la oportunidad misma. Tómese una caña con nosotros.

BRAULIA (*Al tiempo que le sirve*). Es pura nieve.[29]

LEOPOLDINA. ¿Y usted, cómo lo sabe?

BRAULIA. Lo digo por lo fría que viene la botella.

   (BRAULIA *sirve la manzanilla.*)

MAURICIO. No debía probar ni una gota.

AUGUSTO. ¿Y eso por qué?

MAURICIO. Porque está uno ya muy cuarteado.[30]

AUGUSTO. Bueno, bueno...

MAURICIO. Ustedes van ahora por la mejor de la vida, pero uno...

AUGUSTO. Tiene usted salud para enterrar hasta a Rosita. Usted nos llorará a todos... si nos llora.

MAURICIO. Siempre tan bromista...[31]

LEOPOLDINA (*En son de brindis*[32]). A la salud de don Mauricio y... por la felicidad de los novios.

   (*Hace un guiño*[33] *malicioso a* ROSA *y a* BENJAMÍN. *Todos apuran*[34] *sus cañas.*)

AUGUSTO. Braulia: en mi mesita de noche hay un sobre azul. Tráigamelo, haga el favor.

BRAULIA. En seguida, señorito[35].

   (*Mutis escaleras arriba.*)

ROSA (*A* BENJAMÍN). Yo me marcho, Benjamín... He de ir a encargar una misa en la capilla, pero vuelvo en seguida, ¿quieres?

BENJAMÍN. Bueno.

LEOPOLDINA. ¿Qué oigo? ¿Te marchas, salada[36]? (*La besa, muy cariñosa, en*

---

[28] **diestro y siniestro** derecha e izquierda   [29] **Es pura nieve** está muy fría   [30] **cuarteado** viejo   [31] **Siempre tan bromista** always kidding   [32] **En... brindis** as a toast   [33] **guiño** wink   [34] **apuran** beben, toman   [35] **señorito** es una expresión que usan los sirvientes en España cuando se dirigen al hijo de la familia o, como en este caso, a un señor soltero sin importar la edad que éste tenga. La expresión se usa solamente en este contexto y no es el equivalente masculino de señorita. La palabra **señorito** no se usa en Hispanoamérica con este sentido.   [36] **salada** honey

ambas mejillas[37].) Ya sabes dónde nos tienes y que te queremos mucho, mucho...

ROSA. Leopoldina, yo a ustedes también. Adiós, don Augusto.

AUGUSTO. Adiós, muchacha.

(BRAULIA *baja de la planta alta con un sobre en la mano.*)

BRAULIA (*A DON AUGUSTO*). ¿Es éste el sobre?

AUGUSTO. Sí. (*Le entrega el sobre a* MAURICIO.) La renta de la casa, señor administrador. Y dígale al dueño que me parece un disparate[38] de cara.

MAURICIO. Vamos, don Augusto, no se queje...

AUGUSTO. Bueno, bueno...

MAURICIO (*A* ROSA). Si su novio no se pone celoso, saldré con usted.

BENJAMÍN. Espero que se porten correctamente.

MAURICIO. Adiós, señores.

LEOPOLDINA. Adiós, don Mauricio. No se olvide. (*Mutis de* ROSA, BENJAMÍN *y* MAURICIO.) Este don Mauricio es el pelmazo[39] número uno. Siempre con sus cosas... "Ustedes, que están en lo mejor de la vida"... "Yo, en cambio..." ¡Jesús[40], qué cargante[41]!

(DON AUGUSTO *lee una carta, mientras habla* LEOPOLDINA *y* BRAULIA *recoge las cañas y la botella y parece dispuesta a retirarse.*)

AUGUSTO. ¡Maldición!

(BRAULIA *retrocede y se le acerca, sinceramente alarmada.*)

BRAULIA. ¿Le sucede algo al señor?

AUGUSTO. ¡Otro anónimo!

BRAULIA. ¿Cómo?

LEOPOLDINA. Braulia: retírese, haga el favor. Esto no le interesa a usted.

BRAULIA (*En la puerta del foro*). Me retiraré, pero interesarme, ¡vaya si me interesa![42]

LEOPOLDINA. ¿Qué pasa, Augusto?

AUGUSTO. Lo dicho; acabo de recibir otro anónimo.

LEOPOLDINA. ¿Contra mí, como el de la semana pasada?

AUGUSTO (*Mientras lee*). Hasta ahora, no.

LEOPOLDINA. Pues ¿contra quién?

AUGUSTO. Contra Benjamín.

---

[37] **mejillas** cheeks   [38] **un disparate de** absurdamente   [39] **pelmazo** persona pesada en sus acciones   [40] **Jesús, Dios,** etc. son palabras que se usan frecuentemente en la conversación y no se consideran de mal gusto.   [41] **cargante** desagradable, pesado   [42] **¡vaya... interesa!** it certainly does interest me!

LEOPOLDINA. ¿Qué dice?

AUGUSTO. "Vigile a su sobrino Benjamín. No tiene otra profesión que la de aparentar quererle, pero le importa usted un bledo. Sólo se preocupa de sí mismo y de su novia Rosa. Cuidado con él, que 'flinge' mucho." (*Pensativo.*) "Que *flinge* mucho..."

LEOPOLDINA. ¡Vamos...!

AUGUSTO. "... que finge, que finge..."

LEOPOLDINA. ¿Qué te sucede?

AUGUSTO. ¡Ay!, ¡ay!, que sé quién ha escrito esta carta...

LEOPOLDINA. ¿Cómo dices...?

AUGUSTO. Que sí, que sí, que sí...

LEOPOLDINA. ¿Y quién ha sido?

AUGUSTO. Que has sido tú, que has sido tú...

LEOPOLDINA. ¡Augusto, mi cielo! Yo no puedo soportar esa acusación tan injusta. ¿En qué te fundas para ofenderme?

AUGUSTO (*Sibilinamente*[43]). "Que flinge mucho..." ¿Quién dice flinge, Leopoldina?

LEOPOLDINA. Pues... todo el mundo cuando habla de *flingimientos*...

AUGUSTO. No se dice "flingimientos", Leopoldina. Se dice fingimientos. Y no se dice que "flinge", se dice que "finge".

LEOPOLDINA. ¿Y qué más da?[44]

AUGUSTO. Tú sí, tú crees que da lo mismo[45], y por eso cuando entraste en mis oficinas pusiste esa ele en donde no hacía falta, y yo te llamé a mi despacho para informarte de que tú y la ele sobrabais en mi casa. Pero resulta que me he quedado con las dos. ¡La ele delatora[46], hijita mía! Gracias a ella, la carta, aunque anónima, es lo mismo que si viniera firmada. (*Con una creciente cólera.*) ¿Y qué significa esto? (BENJAMÍN *regresa ahora de acompañar a su novia y se introduce*[47] *en la casa después de cerrar la puerta, que había dejado abierta.*) Que seguramente el anónimo de la semana pasada, en el que se me decía que tú tenías un pasado muy turbio, era obra tuya, Benjamín sinvergüenza[48], y que os estáis dedicando a desacreditaros mutuamente para que el que venza expulse al otro de mi lado.

BENJAMÍN. ¿Qué es lo que pasa?

AUGUSTO. Lee, sobrino, lee... "que 'flinge' mucho y el día menos pensado[49] le desjarretará un tiro por la espalda[50] y se quedará tan campante[51]..." Eso

---

[43] **Sibilinamente** proféticamente   [44] **¿Y qué más da?** ¿Y qué importa?   [45] **da lo mismo** it's all the same, it makes no difference   [46] **delatora** denunciante   [47] **se introduce** entra   [48] **sinvergüenza** scoundrel   [49] **el... pensado** when you're least expecting it   [50] **le... espalda** he'll shoot you in the back (expresión vulgar; normalmente se diría **disparar un tiro**)   [51] **campante** alegre, satisfecho

dicen de ti... Y ahora me doy cuenta de que tú fuiste el que la semana pasada, en otro anónimo vergonzoso, pusiste a Leopoldina, que te consta[52] que es un ángel, de chupa de dómine[53]. (BENJAMÍN *baja la cabeza*.) ¿Vais a estar siempre como el perro y el gato? ¿Cuál es tu ideal, Benjamín? ¿El que yo coloque a Leopoldina de patitas en la calle? Pues no lo conseguirás, porque Leopoldina me quiere y yo a ella...

LEOPOLDINA. No te excites, mi vida.

AUGUSTO. Y tienes que hacerte a la idea[54] de que le debes respeto y te ordeno que a partir de hoy la llames tía Leopoldina.

BENJAMÍN. ¡Eso no, tío! ¡Leopoldina no es mi tía!

AUGUSTO. Lo es porque lo mando yo. Y a ti te digo, Leopoldina, que no estoy dispuesto a consentirte ni cartas injuriosas[55] ni palabritas irónicas, ¿entendido?

LEOPOLDINA. Es él quien ha empezado.

AUGUSTO. ¡Es él quien ha empezado...! Parecéis niños chicos acusándoos. ¡Benjamín!

BENJAMÍN. Dígame.

AUGUSTO. Da un beso en la frente a tu tía Leopoldina.

BENJAMÍN. ¡¡Tío!!

AUGUSTO. ¡¡Sin rechistar!![56]

LEOPOLDINA. Déjale, no le fuerces, Augusto. ¿Para qué violentarle[57]?

AUGUSTO. ¡¡A callarse!!

LEOPOLDINA. Tú mandas...

(*Se cruza de brazos, desdeñosamente; mira hacia el techo, y se dispone a recibir, sin el menor propósito de enmienda[58] el anunciado beso de paz. BENJAMÍN se acerca a ella malhumorado, y con una frialdad y un aire formulario[59] ofensivos la besa en la frente.*)

AUGUSTO. Si un día falto[60], vosotros dos sois los únicos seres que habrán de llorarme en este mundo. Nada de querellas entre vosotros. Está bien, hijo. Gracias por el placer que me has causado.

BENJAMÍN. Por nadie más del mundo lo hubiera hecho.

(*Abre la puerta de la calle, la cierra con violencia y se va.*)

LEOPOLDINA. ¡Ay, Dios, qué bueno eres, santo mío...!

(*Le coge la barbilla a* DON AUGUSTO *y le palmotea[61] en el carrillo[62].*)

---

[52] **te consta** sabes   [53] **poner a uno de chupa de dómine**   coll. to wipe the floor with someone; to mistreat or insult   [54] **tienes... idea** you have to get used to the idea   [55] **injuriosas** insultantes   [56] **¡¡Sin rechistar!!** ¡¡Sin protestar!!   [57] **violentarle** obligarlo   [58] **enmienda** reforma   [59] **formulario** of formality   [60] **falto** muero   [61] **palmotea** pats   [62] **carrillo** mejilla

AUGUSTO. Calla, calla... Benjamín es un chico excelente.

LEOPOLDINA. Sí, sí, métele un dedo en la boca, ya verás si muerde[63]. (*Se acerca y le rodea con los brazos el cuello.*) En fin, voy arriba a hacer un poco de reposo[64], ¿te parece?

AUGUSTO. Como te apetezca.[65] Yo me quedo aquí, con mi ajedrez.

LEOPOLDINA. Hasta luego, cielo. ¿Me perdonas?

AUGUSTO (*Mientras rompe la carta*). Sí, criatura, sí... (*En este momento, por la ventana asoma* DON FRANCISCO GÓMEZ, *que unos segundos y en silencio, contempla a* AUGUSTO, *que mueve las figuras de su tablero.* DON FRANCISCO GÓMEZ *se frota las manos—con fruición, por cierto—, muy satisfecho, y llama al timbre. Nadie le responde. Entonces, tras una pausa prudencial, llama otra vez.*) ¡Braulia!

BRAULIA (*Desde dentro*). Señorito.

AUGUSTO. ¡Braulia!

(*El timbre suena de nuevo.*)

BRAULIA (*Aparece en la puerta del foro*). ¿Qué desea?

AUGUSTO. ¿Qué he de desear, Braulia? El timbre...

BRAULIA. ¿Qué timbre?

AUGUSTO. Pues ¿cuál ha de ser? (*Cuarta llamada.*) El de la puerta.

BRAULIA. Si no suena.

AUGUSTO. ¿Que no suena?, ¿dónde tienes el oído?

(BRAULIA *se acerca a la puerta y mira por la rejilla*[66].)

BRAULIA. Claro, señorito, como que no hay nadie...

(*Y se marcha camino de su feudo*[67]. *Cerca ya del foro, el timbre se oye otra vez, ahora con insistencia.*)

AUGUSTO. ¡Braulia! (BRAULIA *se detiene, un poco asustada, en el umbral*[68].) ¿Tampoco has oído el timbre ahora?

(BRAULIA, *un poco alarmada, se restriega*[69] *las orejas.*)

BRAULIA. ¡Ay, Virgen! Pues, no...

AUGUSTO. Seré yo el que deba abrir, entonces... (*Se levanta, con positivo mal humor, de su asiento y va hacia la puerta.*) Usted perdone, señor, que hayamos tardado tanto en abrirle. Es que estas chicas no hacen más que pensar en las

---

[63] **métele... muerde** no es tan bueno como parece   [64] **hacer... reposo** to relax a little
[65] **Como te apetezca** como quieras   [66] **rejilla** grating   [67] **feudo** domain (en este caso, la cocina)   [68] **umbral** threshold   [69] **restriega** frota

musarañas[70]... (BRAULIA *pone un gesto de asombro al escuchar a* AUGUSTO *y se va por el foro, sin saber a qué atenerse*[71].) Pase usted. ¿Por quién pregunta?

GÓMEZ. ¿Don Augusto Cadaval?

AUGUSTO. Soy yo. ¿A quién tengo el gusto de hablar?

GÓMEZ. Me llamo Francisco Gómez.

AUGUSTO. Encantado en saludarle.

GÓMEZ. Y desearía conversar con usted unos minutos.

AUGUSTO. Con mucho gusto. Tome asiento.[72] (*Le ofrece una silla, contigua a la suya, en la mesa camilla. Puede vérsele entonces. Viste con pulcritud un traje oscuro. Sigue con los guantes puestos.*) ¿Vive usted aquí?

GÓMEZ. No precisamente... Yo me muevo bastante. Ando siempre de un lado para otro, y, la verdad sea dicha, no paro nunca en ninguno.

AUGUSTO. Ah, es un placer viajar y ver países diferentes. Aunque no me explico por qué ponen tantas dificultades para hacerlo. Los pasaportes, los visados, las divisas[73]... En fin, fruta del tiempo[74]...

GÓMEZ. Así es, sí, señor; así es...

AUGUSTO. Ya vendrán tiempos mejores.

GÓMEZ. Esperémoslo. (*Transición.*) Pues verá usted. El motivo de mi visita es un poco banal. (BRAULIA *sale por el foro, y a la vez que mira, un poco recelosa*[75], *a* DON AUGUSTO, *se dirige a la puerta de la calle.*) Ahora que tengo la certeza de que sabrá excusar mi atrevimiento.

AUGUSTO. Cuénteme, cuénteme...

(*En ese segundo preciso,* BRAULIA *se disponía a abrir la puerta.*)

BRAULIA. ¿Me decía algo el señor...?

AUGUSTO. Nada, ¿qué iba a decirle?

BRAULIA. Dispénseme. Me pareció que...

(BRAULIA *hace medio mutis y se pone a probar el timbre, para ver si suena. El timbre, naturalmente, funciona a la perfección.*)

GÓMEZ. Señor Cadaval: tengo entendido que juega usted de maravilla al ajedrez.

AUGUSTO. Hombre, de maravilla...

GÓMEZ. Debo confesarle que a mí me apasiona[76]. Lo juego y lo estudio siempre, y soy feliz en los ratos que le dedico. Yo supongo que usted conoce la apertura[77] Ruy-López. Y la salida gambito de rey[78], salida curiosa que...

---

[70] **pensar... musarañas** to be absent-minded   [71] **a qué atenerse** qué hacer   [72] **Tome asiento** siéntese   [73] **divisas** papel moneda extranjero (foreign exchange)   [74] **fruta del tiempo** lo normal de nuestra época   [75] **recelosa** suspicious   [76] **me apasiona** me gusta mucho   [77] **apertura** opening   [78] **salida... rey** king's gambit opening

BRAULIA. Pues el timbre me doy cuenta de que suena estupendamente y que se oye muy bien, señorito.

AUGUSTO. Braulia: es de mala educación[79] interrumpir cuando alguien está hablando.

BRAULIA (*Con estupor*). ¿Y quién está hablando, señorito?

(GÓMEZ, *con la cabeza comprensivamente ladeada*[80], *se sonríe.*)

AUGUSTO. ¿Cómo que quién está hablando?

BRAULIA. Sí...

AUGUSTO. Está hablando el señor...

(*Señala a* GÓMEZ *con la mirada.*)

BRAULIA (*Un poco asustada*). ¿Qué señor?

AUGUSTO (*A* GÓMEZ). Perdón. (*Se levanta, coge a* BRAULIA *del brazo y la pone en la puerta del foro.*) Ande, Braulia, váyase a sus ocupaciones, que hoy no está usted en sus cabales[81]. (BRAULIA, *estupefacta, hace mutis por el foro.* DON AUGUSTO *vuelve a la mesa camilla.*) Le presento mis excusas, señor Gómez. Esta chica, a veces, tiene la cabeza a pájaros[82].

GÓMEZ. No se preocupe, señor Cadaval.

II

AUGUSTO (*Cortesano*). Me estaba usted hablando del gambito de rey, que, por cierto, el llorado Capablanca[1]...

GÓMEZ. Oh, no, de nada en concreto. Le estaba hablando del ajedrez en términos generales.

AUGUSTO. Ya...

GÓMEZ. Y me había permitido el venir a visitarle a usted por si me concedía el honor de jugar algunas partidas conmigo.

AUGUSTO. Pues ya lo creo. Me encantará que midamos nuestras fuerzas.

GÓMEZ. He de salir muy malparado[2], tengo la seguridad.

AUGUSTO. No me importará nada darle algunas ventajas.

GÓMEZ. Reconocidísimo[3], señor Cadaval. A ser sincero, yo sólo desearía una pequeñez: que me autorizara a jugar con guantes.

---

[79] **de mala educación** bad manners   [80] **ladeada** inclinada   [81] **no... cabales** you are not in your right mind   [82] **tiene... pájaros** is scatterbrained

[1] **José R. Capablanca** cubano que fue campeón mundial de ajedrez, (1921–27)   [2] **malparado** mal   [3] **Reconocidísimo** muy agradecido

(LEOPOLDINA *desciende las escaleras en este momento. Viste un descotadísimo*[4] *camisón y se dirige a la mesa camilla, en donde busca algo que no encuentra.* AUGUSTO *no advierte su presencia hasta que está junto a los dos.*)

AUGUSTO. ¿Con guantes? (*Transición.*) ¡Leopoldina! ¿Cómo bajas así?

LEOPOLDINA. Ay, hijo, es que estoy haciendo reposo.

AUGUSTO. Eso no tiene nada que ver para que te eches una bata[5] encima del camisón.

LEOPOLDINA. Bueno, Augustito, bueno... (GÓMEZ *reincide en*[6] *la misma postura inocente que adoptó cuando llegó* BRAULIA.) Qué etiquetero te has vuelto. (*Transición.*) ¿Sabes dónde está el *A B C* de hoy?

(*Lo busca casi echándose encima de* GÓMEZ, *que ni pestañea*[7].)

AUGUSTO. ¡¡Leopoldina!!

LEOPOLDINA. ¡Caramba!, ¿qué tripa se te ha roto?[8]

AUGUSTO. Arréglate como es debido y baja para que te presente al señor Gómez.

(LEOPOLDINA *sigue buscando infructuosamente la pista del* A B C.)

LEOPOLDINA. ¿A qué señor Gómez?

AUGUSTO. A don Francisco Gómez.

(LEOPOLDINA *inspecciona ahora el sofá.*)

LEOPOLDINA. ¿Y qué se me ha perdido a mí[9] con el señor Gómez?

AUGUSTO. El señor Gómez es este señor, y merece que le tratemos con más cortesía.

(LEOPOLDINA *se había agachado*[10] *para buscar el periódico debajo del sofá. Ahora se vuelve hacia* AUGUSTO *de rodillas.*)

LEOPOLDINA. ¿Qué señor...?

AUGUSTO. Este... (*Como si presentara.*) Don Francisco Gómez... Mi mujer, Leopoldina...

(LEOPOLDINA *se pone de pie y va hacia él un si es no es agresiva*[11].)

LEOPOLDINA. Oye, Augustito, ¿vas a tomarme el pelo, o es que te has bebido entera la botella de manzanilla...?

AUGUSTO (*A* GÓMEZ, *que sigue sentado*). Y usted podía ponerse de pie, señor mío. Sería lo correcto. Que le estoy presentando a mi esposa.

(GÓMEZ, *con una sonrisa un poco zumbona*[12], *se pone de pie lentamente, siempre en la vecindad de la mesa camilla.*)

---

[4] **descotadísimo** low-cut [5] **bata** housecoat [6] **reincide en** vuelve a [7] **pestañea** blinks [8] **¿qué... roto?** ¿qué te pasa? (expresión vulgar) [9] **se... mí** tengo yo que ver [10] **agachado** encogido [11] **un... agresiva** half agressively [12] **zumbona** burlona

LEOPOLDINA. Huy, huy, huy... Te has vuelto loco, mi amor... Hablando solo... (*Se acerca a la puerta del foro.*) ¡Braulia!

BRAULIA (*Con un poco de nerviosidad*). Señorita...

LEOPOLDINA. Hazme el favor de buscar el *A B C* y súbemelo.

(*Hace mutis, mirando un poco achulapada*[13] *y provocativamente a* AUGUSTO. *Entonces se sucede un largo silencio.* AUGUSTO *y* GÓMEZ *se hallan de pie, un poco distantes el uno del otro.* GÓMEZ *tiene las manos en las sisas*[14] *del chaleco*[15] *y las piernas entreabiertas en compás*[16]. *Sonríe, con su eterna sonrisa enigmática.* BRAULIA, *con la conciencia de que hay algo extraño en la atmósfera, se pone a buscar el* A B C *por la estancia*[17]. *Abre el arcón, lo cierra. Va al sofá, lo separa del tabique*[18], *todo ello sin quitarle ojo*[19] *a* DON AUGUSTO. *En uno de sus viajes por cierto, ras con ras de*[20] GÓMEZ.)

AUGUSTO (*Sin demasiada firmeza*). No molestes al señor... (BRAULIA *piensa, un segundo, en replicarle, pero renuncia a hacerlo. Ahora se dirige a la mesa camilla y, para mejor ver si está allí, se arrodilla y pasa entre las piernas de* GÓMEZ, *que no se inmuta*[21].) ¡¡Braulia!!

(BRAULIA *es sorprendida en ese crítico tramo de su pesquisición*[22] *y levanta la cabeza con los ojos muy abiertos y muy inocentes puestos en* DON AUGUSTO.)

BRAULIA. ¿Qué le sucede al señorito?

AUGUSTO. ¿Crees que ésa es una posición decorosa?

BRAULIA (*A dos pasos de las lágrimas*). Estoy buscando el *A B C*, don Augusto.

(AUGUSTO *siente un primer escalofrío*[23]. *Tal es que ni se atreve a replicarle. De improviso intuye que la clave de todo reside, no en* LEOPOLDINA *ni en* BRAULIA, *sino en* GÓMEZ, *y le mira casi retadoramente*[24]. BRAULIA *bucea*[25] *debajo de la mesa camilla. Al salir de ella se dispone a deshacer su trayecto anterior bajo el mismo puente de ida.* AUGUSTO, *como un energúmeno, se lo impide.*)

AUGUSTO. ¡¡Basta!! ¡¡Póngase de pie!!... (BRAULIA *le obedece, ya temblorosa.*) ¡¡A la cocina!! Y no se mueva de allí hasta que yo la llame. (*La expulsa casi por el foro y cierra la puerta con el pasador*[26] *cuando ha hecho mutis. Sube por la escalera a toda velocidad y baja guardándose otra llave en el bolsillo. Se dirige a la puerta de la calle y la cierra también con el cerrojo*[27]. GÓMEZ *se ha sentado,*

---

[13] **achulapada** desenvuelta   [14] **sisas** armholes   [15] **chaleco** vest   [16] **piernas... compás** legs spread apart   [17] **estancia** habitación   [18] **tabique** pared   [19] **quitarle ojo** dejar de mirar   [20] **ras con ras de** almost brushes against   [21] **inmuta** altera   [22] **pesquisición** investigación   [23] **escalofrío** shiver   [24] **retadoramente** con desafío   [25] **bucea** dives   [26] **pasador** bolt   [27] **cerrojo** lock

sin perder su comprensiva sonrisa, en su asiento de antes. Cuando ha concluido de tomar todas estas precauciones vertiginosamente, se dirige a GÓMEZ, *y, pálido, le coge de las solapas[28], con violencia, y le espeta esta pregunta[29].*) ¿Se puede saber qué clase de ajedrecista es usted?

GÓMEZ (*Correctísimo*). Oh, señor Cadaval...

AUGUSTO. ¡Nada de señor Cadaval ni de historias! ¿Qué Gómez es usted? ¿O ese nombre es falso? ¿Qué es usted? ¿Un mago? ¿Un fakir? ¿Es usted el demonio?

GÓMEZ. Eso último, señor.

AUGUSTO. ¿Cómo?

GÓMEZ. Soy el Demonio provincial. (AUGUSTO *cae aniquilado[30] en la silla de la izquierda.*) Vamos, vamos, serénese, señor Cadaval...

AUGUSTO. Sí, sí...

GÓMEZ. Voy a abrir la ventana para que entre un poco de aire. Se ha puesto usted como la cera[31]...

(*Se dirige a la ventana del foro.* AUGUSTO *se aprovecha de que le da la espalda y le hace la cruz con los dedos.*)

AUGUSTO. Sí, sí...

GÓMEZ (*Patriarcalmente, sin volver la cara*). No, don Augusto, no. No cometa usted incorrecciones conmigo, que yo no vengo con mala intención...

AUGUSTO. Si yo...

GÓMEZ. Ande, ande, separe esos deditos y no sea chiquillo... (*Abre la ventana. Para mirar a* AUGUSTO, *espera a que éste haya separado sus dedos. Entonces se dirige a él con un elegante desenfado[32].*) Del río viene una brisecita muy agradable que le conviene respirar. Vamos, cálmese, señor Cadaval, cálmese. Yo comprendo que doy un susto al más pintado[33], pero le aseguro que no tiene por qué sentir miedo.

AUGUSTO. ¿Y es usted... realmente...?

GÓMEZ. Sí, claro, ya le dije: el Demonio provincial. Tenemos la cosa dividida en demarcaciones. Yo trabajo esta zona, hasta Galicia y Asturias. Vamos, Castilla Centro[34], fundamentalmente.

(AUGUSTO *le señala, en su propio rostro, la ausencia de perilla[35], de las cejas circunflejas[36].*)

AUGUSTO. ¿Pero... y cómo no lleva..., eh?

---

[28] **solapas** lapels   [29] **le... pregunta** le pregunta con violencia   [30] **aniquilado** anihilated, defeated   [31] **como la cera** as wax, pale   [32] **desenfado** self-confidence   [33] **pintado** valiente   [34] **Galicia, Asturias, Castilla Centro** regiones de España   [35] **perilla** barba en punta   [36] **cejas circunflejas** pointed eyebrows

GÓMEZ. Porque ése es el uniforme de ceremonia. ¡Qué chiquillada! Siempre la misma objeción. No va a andar uno a toda hora con su perilla, sus cejas y su rabito[37]. Eso, sólo los días de gala. El uniforme corriente es éste.

(*Se desabotona un poco el guante izquierdo.* DON AUGUSTO *da un salto, alarmado, y se parapeta*[38] *en la silla.*)

AUGUSTO (*Entre dientes*). ¡La garra[39]!

GÓMEZ. No se alarme, hombre. Dicho sea de paso[40], supuse que estaba solo. Vi salir a su sobrino y a su novia... Yo no sabía que era casado.

AUGUSTO. Si no lo soy...

GÓMEZ. ¡Ah!, entonces, ¿esa señora...? Oh, le ruego que me disculpe...

AUGUSTO (*Próximo a la confidencia, con el deseo de agradarle*). No es mi mujer... ¿entiende usted?

GÓMEZ. Ya, ya... ¡Qué picaroncito[41], don Augusto...! ¿Y por qué no se casa? ¡Hace tan feo una situación así...!

AUGUSTO (*Un poco desconcertado*). Psas... ¡qué quiere usted...!

GÓMEZ. Piénselo, piénselo...

AUGUSTO (*Tímido*). ¿Pero es para decirme que legalice mi situación para lo que ha venido?

GÓMEZ. Oh, no..., ciertamente que no.

AUGUSTO. Porque... yo no lo he llamado...

GÓMEZ. Señor Cadaval, sea delicado conmigo y no haga que me sienta incómodo...

AUGUSTO. No, no, si yo...

GÓMEZ. De sobra sé que usted no me ha llamado. ¿Y quién me llama desde hace tres siglos? Nadie. ¡Ay, aquella Edad Media en la que uno no daba abasto[42]...! Mañana, tarde y noche había que andar de un lado para otro. Era una delicia. Cualquier niñita de dieciséis años sabía ya sus conjuros, sus sortilegios, sus números de cábala[43]. Había profesionales de ese arte... Brujas, hechiceros[44], magos... ¡O témpora, o mores...![45]

AUGUSTO. ¿Y a qué atribuye ese cambio?

GÓMEZ. Mire, don Augusto, a que la gente no vive más que para el cine.

AUGUSTO. ¿Cree usted?

GÓMEZ. Y no le queda tiempo de pensar en otra cosa. Por lo que a mí se refiere (*Saca una agenda de notas.*), el último servicio que hice fue en 1887, el 12 de

---

[37] **rabito** cola (diminutivo) [38] **se parapeta** takes refuge [39] **garra** claw [40] **Dicho... paso** by the way [41] **picaroncito** diminutivo de pícaro (rogue) [42] **no daba abasto** couldn't keep up with the requests [43] **cábala** cálculo supersticioso [44] **hechiceros** personas en relación con el diablo [45] **¡O témpora, o mores...!** ¡Oh tiempos! ¡Oh costumbres! Exclamación de Cicerón contra las malas costumbres de la sociedad de su época.

marzo. Me llamaron a base de azufre[46], hígados de pato[47] y sangre de ternera[48] lechal, que es una fórmula (*Ponderativo.*) a la que no me puedo negar. Desde entonces, hasta hoy...

AUGUSTO. Si me permitiera, yo le daría una explicación de la crisis por que está pasando.

GÓMEZ. Hable con toda confianza.

AUGUSTO. Sus tarifas.

GÓMEZ. No diga, don Augusto.

AUGUSTO. Sí, sí. Por cualquier servicio, ¡paf!, el alma.

GÓMEZ. No es verdad, don Augusto.

AUGUSTO. Sí, hombre, sí, que me consta. Yo he leído bastante, y no se lo digo a humo de pajas[49]. Si hubieran tenido más consideración, si hubieran hecho tarifas especiales, descuentos para familias, ¡quién sabe! Otro gallo les cantara... La gente se habría animado a pedirles algunas cositas: un poquito más de juventud, el amor de la reina, el cólico[50] del rival... Pequeñeces, en suma. Pero ustedes andaban desatados[51]: "¿Cuánto vale eso?" "¡El alma!" No, hombre, no... Tenía que venir lo que ha venido. Que ahora no los llama nadie. (*Transición.*) Sin embargo, yo les he visto últimamente en muchas comedias.

GÓMEZ. ¡Uf! He salido en muchísimas... Ya he perdido la cuenta. Pero ¿qué quiere usted? Eso no me divierte nada.

AUGUSTO. ¿A usted qué es lo que le gusta?

GÓMEZ. Mire, señor Cadaval. Sólo una cosa: el ajedrez. Oí hablar de sus triunfos, y como yo me perezco[52] por ese juego, me decidí a visitarle.

AUGUSTO. Pero hombre...

GÓMEZ. Ande, don Augusto, sea complaciente y echemos una partidita...

AUGUSTO. Con guantes, claro, ya me dijo...

GÓMEZ. A mí me daría lo mismo sin ellos, pero es por el buen efecto, nada más...

AUGUSTO. Comprendo, comprendo... Escuche: y si yo juego esa partidita, ¿usted qué me da a cambio?

GÓMEZ. Pida usted, y veremos...

AUGUSTO. ¿Puedo pedir lo que me parezca?

GÓMEZ. Hombre... No se olvide que un Demonio provincial no tiene atribuciones excesivas. Por ejemplo... ya ha visto usted lo que ha pasado antes con Braulia, la chica, y con su señora.

AUGUSTO. Sí, que no le veían a usted.

---

[46] **azufre** sulpher   [47] **hígados de pato** duck livers   [48] **ternera** calf   [49] **a... pajas** lightly   [50] **cólico** dolor fuerte en el abdomen   [51] **andaban desatados** went wild   [52] **me perezco** me muero

GÓMEZ. Es porque los Demonios provinciales no estamos autorizados a presentarnos a más de una persona a la vez, ¿me entiende? Así, claro, nos movemos dentro de estrechos límites. Por ejemplo, podemos conceder dinero del país, pero divisas no... Esas sólo el Gran Diablo... Y el Instituto de Moneda[53]. Prórrogas[54] de vida, tan sólo por un máximo de tres años y un día, en virtud de la Ordenanza de 9 de abril de 1802.

AUGUSTO. Ya, ya...

LEOPOLDINA (*Desde dentro*). Augustito, mi amor, ¿estás ahí?

AUGUSTO. Un momento. (*Va al arranque de la escalera.*) ¿Qué quieres, Leopoldina?

LEOPOLDINA. Dentro de un rato bajaré...

AUGUSTO. ¡No tengas prisa! (*Se queda pensativo.*) Conque... ni divisas..., ni prórrogas de vida... Vaya, vaya... (*Sibilino.*) ¿Y si le pidiera justamente lo contrario?

GÓMEZ. Lo contrario ¿de qué?

AUGUSTO. ¿... de una prórroga de vida?

GÓMEZ. ¿Cómo? ¿Morirse? ¿Tan mal le va?

AUGUSTO. No morirme definitivamente, entiéndame, sino sólo un ratito, una media horita... ¿eh?

GÓMEZ. ¿Y después?

AUGUSTO. Nada. Otra vez a las andadas.[55] A continuar viviendo tan campante.

GÓMEZ. ¿Y con qué objeto?

AUGUSTO. Es que tengo una curiosidad enorme, casi una obsesión de saber... si voy a ser llorado en esta casa cuando cierre los ojos. ¿Qué quiere usted...? Me gustaría ser llorado.

GÓMEZ. No, no, si comprendo...

AUGUSTO. Y dígame, ¿puede usted? ¿Eh?

GÓMEZ. Hombre, debería consultar—no olvide que soy un pobre Demonio de provincias—, porque esta petición de usted no tiene precedentes..., pero me ha caído usted simpático[56].

AUGUSTO. ¿Entonces?

GÓMEZ. Bien. De acuerdo. ¿Cuándo ha de ser eso?

AUGUSTO. Ahora mismo.

GÓMEZ. Una cosa repentina, ¿no?

AUGUSTO. Y desde luego, sin sufrimientos.

GÓMEZ. Cuente conmigo.

AUGUSTO. Y como es natural, sin que yo pierda un solo detalle.

---

[53] **El Instituto de Moneda Extranjera** es una institución estatal que controla las divisas.
[54] **Prórrogas** continuación por un tiempo determinado   [55] **Otra... andadas** back to the same old tricks   [56] **me... simpático** I like you

GÓMEZ. Hombre, ça va sans dire[57].

AUGUSTO. ¿Cómo?

GÓMEZ. Que naturalmente, amigo.

AUGUSTO. Media horita como máximo. ¡Ah! Y nada de bromas a la vuelta.

GÓMEZ. Si rabio ya de ganas de[58] jugar la partidita, ¿cómo se imagina que...?

AUGUSTO. Claro, así pienso. (*Transición. Decidido.*) Pues hale, manos a la obra.[59]

GÓMEZ. Perfectamente. ¿Dónde le apetece?

AUGUSTO. Aquí, donde estoy. ¿Para qué cambiar?

GÓMEZ. A ver, póngase como pensando una jugada difícil.

AUGUSTO. Aguarde.

(*Sube rapidísimo la escalera y baja después de simular que ha abierto la puerta. Descorre el pasador[60] de la del foro y abre la de la calle.*)

GÓMEZ (*Amable*). Un mate en tres golpes[61], por ejemplo...

(AUGUSTO *se acoda[62] en la mesa camilla y finge abstraerse.*)

AUGUSTO. Eso es: la jugada que Arturito Pomar[63]...

GÓMEZ (*Con la técnica de un fotógrafo*). A ver... la cabecita, normal... Los brazos cruzados... El mechoncito de pelo[64], un poco caído... Mire, mire... Pío, pío, pío[65]... ¡El pajarito! Perfecto.

AUGUSTO (*Se levanta*). Escuche, don Francisco, y yo, ¿desde dónde voy a verlo todo?

GÓMEZ. Desde donde quiera.

AUGUSTO. Entonces, cuando pase, usted me avisa y...

GÓMEZ. ¿Cómo cuando pase? Si ya pasó.

AUGUSTO. ¡¡Demonio!!

GÓMEZ. Para servirle...

AUGUSTO. ¿Que ya pasó?

GÓMEZ. Hace justamente seis segundos, señor Cadaval.

AUGUSTO. ¿Tan fácil es... morir...?

GÓMEZ. No olvide usted que hasta los más tontos lo hacen una vez.

(AUGUSTO *da un grito al tiempo que señala la mesa camilla.[66]*)

---

[57] **ça... dire** francés: it goes without saying   [58] **rabio... de ganas de** estoy loco por   [59] **Pues... obra** OK, let's get to work   [60] **Descorre el pasador** unbolts   [61] **Un... golpes** a checkmate in three moves   [62] **se acoda** puts his elbows   [63] **Arturito Pomar** famoso ajedrecista español   [64] **mechoncito de pelo** lock of hair   [65] **Pío, pío, pío** sonido para imitar a los pájaros   [66] **Augusto da... camilla** Puesto que el actor no puede estar en dos lugares al mismo tiempo, el público tendrá que imaginarse que el cuerpo de don Augusto se queda al lado de la mesa camilla. Se supone que los actores no pueden ver ni oír al demonio y al espíritu de don Augusto que presencian la acción desde el arcón.

AUGUSTO. Ajjj... Ése soy yo.

GÓMEZ. El mismo, señor.

AUGUSTO. Tate, tate[67]...

GÓMEZ (*Gentilísimo*). ¿Desde dónde le apetece a usted que presenciemos el espectáculo? (*Como el duque de Mantua[68], en actitud de enseñar su palacio.*) ¿Desde el arranque de la escalera, desde el sofá... Desde el arcón...?

AUGUSTO. Personalmente, me inclino por este último. La perspectiva es mejor.

GÓMEZ. Muy bien.

AUGUSTO. Usted primero.

GÓMEZ. No faltaba más[69]...

AUGUSTO. A sus órdenes.

(*Se sientan los dos, en cuclillas[70], sobre el arcón. El jarrón[71] queda en medio.*)

AUGUSTO (*Con la mirada en la mesa camilla*). Don Francisco, me encuentro viejo.

GÓMEZ. Bah, no diga eso... Está en lo mejor de su vida...

AUGUSTO. ¿Usted cree?

GÓMEZ. Claro que sí, don Augusto. Bueno, y ahora, ¿qué vamos a hacer?

AUGUSTO. Esperar a que bajen y se den cuenta... y todo eso...

GÓMEZ. Hombre, mientras vienen, explíqueme en un momento... Si le aceptan el gambito de rey, ¿cómo resuelve la cosa?

AUGUSTO. Es muy sencillo. Caballo tres alfil, peón cuatro dama, alfil cuatro alfil; y después el enroque[72].

GÓMEZ. Claro, claro...

AUGUSTO. Óigame (*Siempre referido a la mesa camilla.*), ¿no cogeré frío? Que

---

[67] **Tate, tate** so it is   [68] **duque de Mantua** Federico II (1500–1540), miembro de la familia de los Gonzaga, elevado a duque por Carlos V en 1530. Su palacio de Te (abreviatura por Teieto) es famoso por sus obras de arte.   [69] **No faltaba más** expresión de cortesía   [70] **en cuclillas** squatting   [71] **jarrón** large vase   [72] **enroque** castling. Gómez entiende la explicación de don Augusto pero la mayor parte de los lectores no la podrán comprender porque don Augusto cuenta solamente las jugadas de un ajedrecista. (Por supuesto que el público en el teatro no tendrá tiempo de pensar y seguir estas jugadas.) Para los interesados ofrecemos esta interpretación de la explicación de don Augusto, siendo las jugadas 3, 4, 5 y 6 de las piezas blancas las que se mencionan en la obra. (Las jugadas se presentan en español y las abreviaturas inglesas aparecen en paréntesis.)

BLANCAS	NEGRAS
1. peón 4 rey (P-K4)	peón 4 rey (P-K4)
2. peón 4 alfil del rey (P-KB4)	peón toma peón (PXP)
3. caballo 3 alfil del rey (N-KB3)	alfil 2 rey (B-K2)
4. alfil 4 alfil (B-B4)	caballo 3 alfil del rey (N-KB3!)
5. peón 4 dama (P-Q4)	caballo 5 caballo (N-N5!)
6. enroque (O-O)	

he dejado la puerta abierta y... si tardan en venir... ¿Por qué no cierra usted si no le es molesto?

GÓMEZ. Claro que sí. ¿Se quedará así tranquilito?

AUGUSTO. Sí, sí... (*Se sonríe como si se supiera mimado*[73]. GÓMEZ *va a complacer a* CADAVAL, *pero éste le interrumpe*.) ¡Cuidado! Alguien viene...

(BRAULIA, *en efecto, aparece por la puerta del foro. Lleva un cubo de basuras con el que se dispone a salir para arrojarlas fuera. Cercana a la puerta de la calle, se detiene*.)

BRAULIA. Cuidado, señorito, que entra un poco de fresquito y hoy le he oído toser[74]...

AUGUSTO (*A* GÓMEZ). ¡Hombre! Simpática, ¿eh?

GÓMEZ. Ya lo creo, es un detalle.

AUGUSTO. ¡Buena chica! Huérfana de un catedrático, que tuvo que ponerse a servir, la pobre.

GÓMEZ. ¡Qué tragedias tiene la vida...!

BRAULIA. Se atrancó[75] la otra puerta y voy a tirar esto al río, señorito. No cierro, porque tardo sólo un minuto.

(*Se detiene en el umbral de la puerta de la calle y mira a su amo un segundo. Entonces le sonríe con verdadero arrobo*[76].)

AUGUSTO (*Como si se atusara el bigote*[77], *un tanto presumido*). ¡Caray...![78]

(LEOPOLDINA *baja por la escalera. Ha vuelto a ponerse el traje del comienzo del acto. Va en derechura de*[79] *la puerta del foro*.)

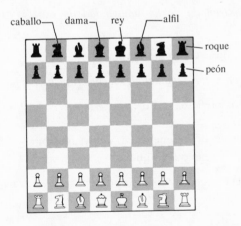

caballo — dama — rey — alfil — roque — peón

---

[73] **mimado** pampered   [74] **toser** to cough   [75] **atrancó** cerró   [76] **arrobo** ecstasy
[77] **se... bigote** were twirling his moustache   [78] **¡Caray!** ¡Caramba!   [79] **en derechura de** straight to

LEOPOLDINA (*De pasada*). ¿Qué tal, hombre? (*Mirando a la mesa camilla y justamente a la altura donde se encuentran* GÓMEZ *y* AUGUSTO.) ¿Se te pasó ya la borrachera?

(*Hace mutis por la puerta del foro.*)

AUGUSTO (*A* GÓMEZ). Hay que disculparla. Me creía borracho... Como no le veía...

GÓMEZ. Claro, claro...

(LEOPOLDINA *sale de nuevo por la puerta del foro.*)

LEOPOLDINA. Esta Braulia ha vuelto a marcharse. No para en casa un momento. (*Al tiempo de subir por la escalera.*) Dichoso[80] ajedrez...

(*Y hace mutis.*)

III

BRAULIA (*Regresa por la puerta de la calle*). Listo.
AUGUSTO. La chica es la que se va a dar cuenta.
GÓMEZ. Es probable.
BRAULIA. Le encargué para esta noche unos lenguados[1] fresquísimos.
AUGUSTO (*A* GÓMEZ). Resucíteme, por lo que más quiera, que me chiflan[2].
GÓMEZ. No se preocupe, hombre, que los tomará.
BRAULIA. Se los voy a poner con mantequilla...

(*Un poco extrañada de la inmovilidad de* DON AUGUSTO, *se queda contemplándole.*)

AUGUSTO. Fíjese, fíjese cómo me mira...

(BRAULIA, *con notoria inquietud[3], espacia mucho las palabras.*)

BRAULIA. ¿O... los prefiere... fritos...? (*Se le acerca.*) ¡Pobre! Se durmió... Voy a echarle algo...
GÓMEZ. Qué buen servicio tiene usted, don Augusto.
AUGUSTO. Sí, sí... No me puedo quejar.

(*Pero* BRAULIA *no quedó tranquila. Ahora se acerca de nuevo a* DON AUGUSTO.)

---

[80] **Dichoso** maldito

[1] **lenguados** una clase de pescado   [2] **me chiflan** me gustan muchísimo   [3] **inquietud** falta de tranquilidad

BRAULIA (*Al principio, en voz muy baja*). Señorito, señorito... ¡Don Augusto! (*Se oye el golpe de un cuerpo que rueda*[4] *por tierra.*) ¡¡Se ha caído!!

AUGUSTO. Oiga usted, no me habré roto nada, ¿verdad?

BRAULIA (*Arrodillada en el suelo*). ¡Don Augusto, don Augusto...! ¡Ayyy! ¡Ayyy! (*Enloquecida, abre la puerta de la calle. Va a la escalera. Y a la ventana. No sabe lo que hace. Grita siempre.*) ¡Ayyy!... ¡Socorro![5]... ¡¡Señorita!! ¡¡Señorita!!

AUGUSTO. ¡Caramba! Ésta me llora seguro. (*Conmovido.*) ¡Pobre! ¡Qué rato le estoy dando...![6]

LEOPOLDINA (*Desciende la escalera*). ¿Qué pasa?

BRAULIA (*Señalando a la mesa camilla*). Don Augusto, señorita... ¡Muerto...!

AUGUSTO. Pues va usted a ver Leopoldina ahora.

LEOPOLDINA (*Con excesivo dominio de sus nervios*). ¿Qué dice usted?

BRAULIA. ¡Mire, mire...!

(LEOPOLDINA *acude precipitadamente a la mesa camilla.*)

LEOPOLDINA (*Con zozobra*[7], *exenta de todo dramatismo*). Augusto, Augusto... ¿Qué te sucede? Recóbrate, hombre... (*A* BRAULIA, *que la escucha con los ojos desorbitados*[8].) Traiga agua fresca.

BRAULIA. Sí...

(*Sale como un rayo*[9] *por la puerta del foro y regresa casi en el mismo momento con una jarra de agua.* LEOPOLDINA *le asperja*[10] *con los dedos en el rostro.* BRAULIA, *menos pausada*[11], *se la vacía.*)

AUGUSTO. Tendré que mudarme[12].

BRAULIA (*Por la ventana del foro*). ¡Socorro!

LEOPOLDINA. No dé esos gritos, Braulia.

AUGUSTO (*Exculpatorio*[13]). Pues si no grita en un caso de éstos, ¿cuándo va a gritar...?

(BENJAMÍN *aparece por la izquierda.*)

BENJAMÍN. ¿Qué sucede?

BRAULIA. ¡El señor ha muerto...!

BENJAMÍN. ¿Cómo?

AUGUSTO (*A* GÓMEZ). Afectadillo[14], ¿no? Imagínese que lo recogí cuando tenía doce años y que no se ha separado de mí ni un solo día desde entonces...

BENJAMÍN (*A* LEOPOLDINA). ¡Ayúdame! Vamos a ponerle en el sofá.

---

[4] **rueda** se cae [5] **¡Socorro!** Help! [6] **¡Qué... dando!** What a time I'm giving her! [7] **zozobra** preocupación [8] **desorbitados** muy abiertos [9] **como un rayo** rápidamente [10] **asperja** sprinkles [11] **menos pausada** less calm, less controlled [12] **mudarme** cambiarme de ropa [13] **Exculpatorio** disculpándola [14] **Afectadillo** bastante afectado

(*Remedan su conducción[15], desde la mesa camilla al sofá.*)

MAURICIO (*Por la derecha*). ¿Qué le pasa a don Augusto?

BRAULIA. ¡Que se ha muerto! (*Con enorme violencia.*) ¡Usted quejándose siempre de que está en la agonía, pero los que se mueren son los demás! ¡Si siempre que le oigo decir esas bobadas[16] toco madera!

GÓMEZ (*Confidencial*). Es una tontería, no sirve de nada.

BRAULIA. No se quede ahí como un pasmarón[17]. Vaya a telefonear al médico.

MAURICIO. Sí, sí... ¡Pobre don Augusto!

(*Mutis presuroso[18] por la derecha.*)

BRAULIA. ¿Qué hay, señorito?

BENJAMÍN. Todo es inútil, Braulia. Está muerto.

BRAULIA. ¡Pobre señorito!

(*Estalla en sollozos, desolada. Se apoya contra la jamba de la puerta del foro y llora hecha una Magdalena[19].*)

AUGUSTO. ¿Ha visto la chiquilla? ¡Qué entrañable[20]...!

(*Se dispone a abandonar el arcón y a ir a consolarla.*)

GÓMEZ (*Le detiene*). Psss... Atención a Leopoldina.

LEOPOLDINA (*A BENJAMÍN*). ¿Qué vamos a hacer, mi vida?

BENJAMÍN. Pues, no sé... La cosa ha venido así, tan de sopetón[21]...

LEOPOLDINA. Ya te decía yo que no me gustaba nada estos últimos meses. Hoy estuvo delirando. Quería presentarme a un tal Gómez.

BENJAMÍN. De todas maneras, era un hombre joven aún.

LEOPOLDINA. Pero muy gastado[22].

BENJAMÍN (*La mira con frialdad*). Tú sabes de eso más que nadie.

(ROSA *llega por la derecha.*)

ROSA. ¿Es verdad lo de don Augusto?

LEOPOLDINA (*Con rencor*). ¡Tu novia! Me va a oír. Niña bitonga[23], como[24] te vuelva a ver a menos de diez leguas de Benjamín, te tiro al río, ¿comprendes?

ROSA. Pero, Leopoldina...

LEOPOLDINA. Ni Leopoldina ni demonios coronados[25]... (GÓMEZ *abre los brazos en un ademán de sometimiento a la fatalidad.*) A largarse, con viento fresco.[26]

---

[15] **Remedan su conducción** hacen como si lo condujeran   [16] **bobadas** tonterías   [17] **pasmarón** atontado   [18] **presuroso** rápido   [19] **Magdalena** pecadora convertida por Jesucristo. En español, se usa la expresión **llorar como una Magdalena** o **estar hecha una Magdalena** cuando alguien está llorando mucho.   [20] **entrañable** afectuosa   [21] **de sopetón** rápidamente   [22] **gastado** worn out   [23] **bitonga** que finge ser tonta   [24] **como** if   [25] **ni demonios coronados** ni nada   [26] **A... fresco** get out

ROSA. ¿Tú oyes esto, Benjamín?

BENJAMÍN (*Con expresivo chasquido*[27] *de dedos*). Hale, hale, Rosita...

LEOPOLDINA. ¡Y el bolsillo de hoy era una facha[28]...!

(ROSA *se echa a llorar e inicia el mutis por la derecha.* DON MAURICIO *en el umbral de la puerta.*)

MAURICIO. No llores, Rosita, todos le queríamos mucho. (*A* LEOPOLDINA, *que ni contesta.*) El teléfono está estropeado[29]. Bajo al pueblo en el carro...

(*Y hace mutis, rápido.*)

BENJAMÍN. Hemos sido implacables con la pobre Rosita.

LEOPOLDINA. Llevaba mucho tiempo quemándome la sangre...[30]

BENJAMÍN (*La pellizca*[31] *el carrillo*). Siempre tan celosota[32], tigresa...

LEOPOLDINA. ¡Mal te saben mis celos, Benja...![33]

BENJAMÍN. ¡Ay, Poldi, Poldi...!

(BRAULIA *ha cesado en sus sollozos. Ahora se vuelve hacia* LEOPOLDINA *y* BENJAMÍN.)

BRAULIA. Son ustedes un par de sucios.

(BENJAMÍN *y* LEOPOLDINA *la encaran*[34] *sorprendidos de su presencia, a la que eran ajenos*[35]. *Están, sin embargo, cogidos del brazo, y la actitud de* BRAULIA *no les empuja*[36] *a separarse.*)

LEOPOLDINA. ¿Qué le sucede?

AUGUSTO. Gómez, doy por pasada la media hora. Vuélvame a la vida.

GÓMEZ. Aguarde, hombre, aguarde un momento, déjeme ver esta escena.

BRAULIA. Si ya me temía yo algo de esto... Si les había sorprendido miraditas más de una vez... Y palabritas en voz baja... ¡Qué par de canallas[37]! Engañando al señor, que era bueno como el pan y mandándole cartitas para despistarle[38], en lugar de besar por donde él pisaba[39]. ¡Sucios!, ¡más que sucios! (*Se quita el delantal*[40] *con una dignidad inmensa.*) Estaré en esta casa hasta que le den tierra, y después me marcharé, escupiéndoles[41]...

(AUGUSTO *salta irreprimiblemente*[42] *del arcón, se acerca a* BENJAMÍN *y le da*

---

[27] **chasquido** snapping [28] **una facha** muy feo [29] **estropeado** no funciona [30] **Llevaba...sangre** I've been burned up about her for a long time [31] **pellizca** pinches [32] **tan celosota** tan celosa [33] **¡Mal... celos...!** You don't like my jealousy...! [34] **encaran** face [35] **a...ajenos** en la que no reparaban [36] **no les empuja** doesn't move them [37] **canallas** personas muy malas [38] **despistarle** put him off the track [39] **pisaba** walked [40] **delantal** apron [41] **escupiéndoles** spitting on you [42] **irreprimiblemente** sin controlarse

una patada[43] con todas sus fuerzas que BENJAMÍN *no acusa ni por asomo[44]. En vista de su impasibilidad, le larga[45] otra. Y otra más.*)

GÓMEZ. Venga acá, hombre. Si ni lo nota...

BENJAMÍN. Qué heroica le ha dado, Braulia...

BRAULIA. Yo tengo mi vergüenza, no como ustedes, que ni la han conocido en su vida.

LEOPOLDINA. Retírese, si no quiere que le tire algo.

(AUGUSTO *va a* BRAULIA *y la abraza apasionadamente.*)

AUGUSTO. ¡Estupendo!

BRAULIA. En eso de tirarme algo, ya mirará bien lo que hace, porque le advierto a usted que no soy manca[46].

BENJAMÍN (*Seco*). Bueno, cállese, ¿le parece? Y ayúdenos.

(*Se dirige al sofá.*)

BRAULIA. Lo haré por respeto al señor, pero ustedes me dan asco[47].

(LEOPOLDINA *en actitud de agredirle[48].*)

BENJAMÍN (*La refrena*). Cálmate.

(*Entre los tres simulan coger a* DON AUGUSTO *y llevárselo escaleras arriba. Cuando están a la mitad del camino se oye el ruido de un objeto metálico que se cae al suelo.* BENJAMÍN *mira hacia él.*)

AUGUSTO (*A* GÓMEZ). Me han fastidiado[49] el reloj.

GÓMEZ. Creo que no. Sólo el cristal, si acaso[50].

(*La fúnebre y fantasmal comitiva desaparece escaleras arriba.*)

AUGUSTO. Bueno, ¿qué hacemos?

GÓMEZ. Yo siento haber sido causante involuntario de... su disgusto.

AUGUSTO. No, hombre, no se preocupe. Preferible es que me haya enterado de todo que no seguir ignorante. (BENJAMÍN *baja de dos en dos las escaleras.*) Mire, mire, póngale la zancadilla[51] a ese cerdo.

GÓMEZ. No, hombre, no sea malo. Déjele...

(BENJAMÍN *se tira al reloj, lo examina con delectación, lo limpia y se lo guarda en el bolsillo: se le ve que cumple, al hacerlo, un viejo anhelo[52].*)

---

[43] **le... patada** kicks him   [44] **ni por asomo** con ningún gesto   [45] **larga** da   [46] **no soy manca** no me falta un brazo   [47] **ustedes... asco** you make me sick   [48] **agredirle** atacarla   [49] **fastidiado** estropeado   [50] **si acaso** if even that   [51] **póngale la zancadilla** trip   [52] **anhelo** deseo

AUGUSTO (*Se le acerca*). Si quieres saber la hora que es, vete buscando otro reloj, sinvergüenza.

BENJAMÍN. ¡Leopoldina!

(*Se sienta en la mesa camilla.*)

LEOPOLDINA (*Desciende por la escalera*). Sí...

AUGUSTO. Bien, ¿subimos para arreglar las cosas...?

GÓMEZ. ¿Quiere usted... despertar... a la vida?

AUGUSTO. ¿No es lo convenido?

GÓMEZ (*Correctísimo*). Por mi parte, sí.

AUGUSTO. Apenas haya resuelto algunos pequeños detalles, jugaremos.

GÓMEZ. Magnífico.

AUGUSTO. Óigame... (*Ya iniciada la ascensión por la escalera.*) Desearía evitarle un susto a Braulia.

GÓMEZ. Su alegría se lo aminorará[53].

AUGUSTO. De todas formas, la impresión va a ser tan grande...

GÓMEZ. No se preocupe. Yo se lo garanto[54].

AUGUSTO. Garantizo, amigo, garantizo.

GÓMEZ. Excúseme. Serví una temporada en Mar del Plata[55].

(*Hacen los dos mutis escaleras arriba.*)

LEOPOLDINA. Él otorgó testamento en marzo a favor de los dos en la Notaría de Pallarés.

BENJAMÍN. Yo voy a telefonear desde el pueblo para darle la noticia y no perder tiempo.

(LEOPOLDINA *se ha sentado de espaldas a la escalera. Se oye un grito de* BRAULIA.)

LEOPOLDINA. Esa mujer está como loca. Yo creo que se había enamorado de él. ¿Te fijaste cómo se puso?

BENJAMÍN. Déjala. No le hagas caso.

LEOPOLDINA. Benjamín. (*Le coge la mano.*) Quisiera que nos fuéramos de aquí lo antes posible. Me gustaría pasar unas semanas en Biarritz[56].

BENJAMÍN. Es una idea magnífica.

---

[53] **aminorará** disminuirá en primera persona singular. [54] **Garantir** es un verbo defectivo que no se puede usar en la primera persona singular. [55] **Mar del Plata** cuidad argentina situada en la costa del Atlántico. Conocido lugar de veraneo. [56] **Biarritz** ciudad del sur de Francia. Famoso lugar de veraneo.

(DON AUGUSTO *aparece—segunda época—en lo alto de la escalera.* BENJAMÍN *lo ve, y en el estado presumible se pone de pie.*)

LEOPOLDINA (*Ajena a todo*). De Biarritz, a París. De París, a la Costa Azul[57]. ¡Figúrate que otoño...! (*Asustada.*) ¿Qué te pasa? (*Vuelve la cabeza y ve a* DON AUGUSTO, *que baja las escaleras parsimoniosamente[58]. Se ha cambiado de americana[59]. Tras él, triunfadora, llega* BRAULIA. *Y a continuación* DON FRANCISCO GÓMEZ.) ¡¡Ayyy...!!

(*Es un grito aterrador.*)

BENJAMÍN. ¡¡Tío!!

AUGUSTO (*Muy sereno. Va hacia* BENJAMÍN). El reloj, ¿me haces el favor...? (BENJAMÍN, *tembloroso, se lo entrega.*) Muy bien, muy bien... Las doce menos diez. Si a las doce menos nueve (*Habla mordiendo las palabras.*) no están ustedes a quinientos metros de esta casa, dense por muertos, pero de verdad. (*Hay un cruce de miradas instantáneo entre* LEOPOLDINA *y* BENJAMÍN. *Como un trueno[60].*) ¡¡Vamos...!! (*Les abre la puerta, imperativamente.* BENJAMÍN *y* LEOPOLDINA, *tras un segundo de angustioso asombro, salen, sin palabras, por la derecha. A pleno pulmón.[61]*) ¡Felicidades, Benja y Poldi! (*Se vuelve ahora hacia* BRAULIA *y* GÓMEZ *y se ríe a grandes carcajadas[62], que ambos corean, divertidísimos. Cuando ya la fatiga de reír le puede[63], se aproxima a* BRAULIA.) Braulia... Mientras estaba... dormido... escuché cosas que me hicieron mucho bien...

BRAULIA. ¿A qué se refiere usted, señorito...?

AUGUSTO. Ya se lo iré contando... Por de pronto..., voy a jugar...; bueno, mejor, voy a estudiar unos pequeños problemas de ajedrez que..., lo que son las manías, me asaltaron[64] en esta última media hora...

(GÓMEZ, *al oírle, se frota las manos muy contento y se sienta en la silla opuesta a la de* DON AUGUSTO.)

GÓMEZ. ¡Al fin...!

AUGUSTO (*Mientras ordena las figuras en el tablero de ajedrez*). Es menester morirse..., provisionalmente, para poder distinguir el oro puro del mal dorado[65]... ¿Usted sabe, Braulia, que su corazón es de oro puro...?

BRAULIA. ¡Qué cosas dice el señorito...!

AUGUSTO. No me llame señorito.

BRAULIA. Si es que es verdad, don Augusto...

---

[57] **la Costa Azul** la Riviera francesa   [58] **parsimoniosamente** ceremoniosamente, lentamente   [59] **americana** chaqueta   [60] **trueno** clap of thunder   [61] **A pleno pulmón** at the top of his lungs   [62] **carcajadas** risa fuerte   [63] **le puede** se lo permite   [64] **me asaltaron** struck me   [65] **dorado** gilt

AUGUSTO. Ni don Augusto tampoco.

BRAULIA. ¿Cómo le voy a llamar?

AUGUSTO. ¡Ay, Braulia, Braulia...! Ya le diré yo cómo me gustaría ser llamado... Es usted tan buena...

BRAULIA. No, nada de eso. Lo que me pasa es que no sé fingir.

AUGUSTO. ¿Cómo dice...?

BRAULIA. Eso..., que no sé... fingir...

AUGUSTO. Fingir..., fingir... ¿Y cómo escribiría usted esa palabra?

BRAULIA. ¡Huy! Pues bien[66] fácil...

(GÓMEZ *asiste a esta conversación en silencio, deseoso de comenzar la partida, pero complacido de cuanto escucha.*)

AUGUSTO. Veamos... Primero...

BRAULIA. Una f.

AUGUSTO. Bien, ¿después?

BRAULIA. Una i.

AUGUSTO. Ajajá.

BRAULIA. Después, una n, y una g...

AUGUSTO. Claro, claro... ¡Sin ele!

BRAULIA. ¡Hombre, claro! Fingir... no flingir...

(GÓMEZ *le hace señas a* AUGUSTO *de que comience la partida, y* DON AUGUSTO *mueve una pieza mientras el telón cae lentamente.*)

AUGUSTO. ¡Ay, Braulia, Braulia adorable...! ¡Si supiera lo que conviene quitar una ele mal puesta...!

TELÓN

---

[66] **bien** muy

CUESTIONARIO

I

1. ¿Qué está haciendo don Augusto cuando empieza la acción?
2. ¿Qué situación cómica se presenta cuando Rosa llega?
3. ¿Qué otra situación cómica hay cuando Benjamín ve al fin a Rosa?
4. ¿Qué vemos del carácter de Leopoldina desde su llegada?
5. ¿Qué opinión tiene Rosa de Leopoldina?
6. ¿Cómo se puede explicar lo que dice Benjamín de Leopoldina?
7. ¿Qué dice Leopoldina del bolsillo de Rosa? ¿Es verdad? Entonces, ¿por qué lo dice?
8. ¿Quién es Braulia?
9. ¿Quién es don Mauricio?
10. ¿Por qué dice Leopoldina que don Mauricio es cargante?
11. ¿Qué dice el anónimo que recibe don Augusto?
12. ¿Cómo sabe quién lo escribió?
13. ¿Qué otro anónimo ya ha recibido don Augusto? ¿De quién?
14. ¿Por qué quiere don Augusto que Benjamín bese a Leopoldina?
15. ¿Cómo lo hace Benjamín?
16. ¿Qué hace Leopoldina después de la salida de Benjamín?
17. ¿Qué hace don Augusto?
18. ¿Qué situación cómica se presenta cuando don Francisco Gómez toca el timbre? (Se repite la escena de la llegada de Rosa. Tal repetición es una técnica cómica muy común.)
19. ¿Qué carácter parece tener Gómez?
20. ¿Por qué ha venido Gómez?
21. ¿Por qué piensa don Augusto que Braulia no está en sus cabales?
22. ¿Cómo puede usted explicar las acciones de Braulia? ¿Por qué se sonríe Gómez "con la cabeza comprensivamente ladeada"?
23. Por el anónimo y su manera de hablar, ¿qué podemos decir de la educación y personalidad de Leopoldina?

II

1. ¿Qué "pequeñez" le pide Gómez a don Augusto?
2. ¿Cómo está vestida Leopoldina cuando baja?
3. ¿Por qué está enfadado don Augusto?
4. ¿Qué situación cómica se presenta aquí? (Fíjese en la repetición de la escena precedente con Braulia.)
5. ¿Cómo explica Leopoldina las acciones de don Augusto?
6. ¿Cuál es la actitud de Gómez durante esta escena?
7. ¿Qué quiere Leopoldina que Braulia haga?
8. Cuando Braulia está buscando el A B C, ¿qué situación cómica se presenta entre ella y Gómez? ¿Cómo reacciona don Augusto?
9. ¿Qué hace don Augusto después de la salida de Braulia?
10. ¿Qué le pregunta a Gómez?
11. ¿Cuál es la respuesta?
12. ¿Cuál es la primera reacción de don Augusto ante la identidad de Gómez?

13. ¿Por qué no se parece Gómez al demonio tradicional? ¿Por qué lleva guantes?
14. ¿Cuál es la reacción de Gómez cuando sabe que Leopoldina y don Augusto no están casados? ¿Por qué es cómica esa reacción?
15. ¿Cuánto tiempo hace que la última persona llamó a Gómez? ¿Cómo lo explica Gómez? ¿Cómo lo explica don Augusto?
16. ¿Qué límites tiene el poder de Gómez? (Fíjese cómo Gómez parece un empleado del gobierno en su manera de hablar.)
17. ¿Qué favor le pide don Augusto al demonio? ¿Por qué?
18. ¿Cómo lo arregla Gómez?
19. ¿Desde qué lugar va a mirar la acción don Augusto?
20. ¿Por qué quiere don Augusto que Gómez cierre la puerta?
21. ¿Cuál es la actitud de Braulia cuando le habla a don Augusto?
22. ¿Cuál es la actitud de Leopoldina?

III

1. ¿Por qué quiere don Augusto que Gómez lo resucite?
2. ¿Cómo lo tranquiliza Gómez?
3. ¿Qué piensa Braulia al ver que don Augusto no le contesta?
4. ¿Por qué se acerca de nuevo a don Augusto? ¿Qué pasa entonces?
5. ¿Por qué se preocupa un poco don Augusto?
6. ¿Cómo reacciona Braulia cuando cree que don Augusto está muerto?
7. Compare la reacción de Braulia con la de Leopoldina ante "la muerte" de don Augusto.
8. ¿Qué episodio cómico sucede con la jarra de agua?
9. ¿Qué piensan Leopoldina y don Augusto de los gritos de Braulia?
10. ¿Qué cree don Augusto de la reacción de Benjamín cuando éste se entera de "su muerte"?
11. ¿Qué piensa Braulia de las quejas continuas de don Mauricio y la muerte imprevista de don Augusto?
12. Con el propósito de evitar desgracias la gente suele tocar madera. ¿Qué nos dice Gómez de esto?
13. ¿Adónde va don Mauricio?
14. Después que Braulia se echa a llorar, ¿qué podemos deducir de la conversación entre Leopoldina y Benjamín? ¿Qué palabras nos dan la clave de todo?
15. ¿Cómo trata Leopoldina a Rosa? Compare la actitud de Leopoldina en esta escena con la que mostró al comienzo de la obra.
16. ¿Cómo reacciona Braulia cuando se da cuenta de los verdaderos sentimientos de Leopoldina y Benjamín?
17. Según Braulia, ¿por qué le mandaron los anónimos a don Augusto?
18. ¿Qué le hace don Augusto a Benjamín? ¿Qué hace Benjamín?
19. ¿Adónde van los tres con el "cadáver" de don Augusto?
20. Describa el incidente del reloj.
21. ¿Por qué suben don Augusto y el Sr. Gómez?
22. ¿Qué quiere evitar don Augusto?
23. ¿De qué hablan Leopoldina y Benjamín cuando aparece don Augusto?
24. ¿Qué orden les da don Augusto?
25. ¿Qué van a hacer don Augusto y Gómez?
26. ¿Qué escena cómica se presenta cuando Braulia usa la palabra "fingir"?

COMPOSICIONES DIRIGIDAS

Conteste a las siguientes preguntas de tal manera que sus respuestas formen un pequeño párrafo.

I

El anónimo   ¿Qué acaba de recibir don Augusto? ¿Cuándo recibió otro anónimo? ¿Contra quién es el nuevo anónimo? ¿Qué palabra está mal escrita en el anónimo? Según don Augusto, ¿quién dice "flinge" siempre? Entonces, ¿quién escribió el nuevo anónimo? ¿Quién escribió el otro contra Leopoldina? Según don Augusto, ¿quiénes están siempre como el perro y el gato? ¿Quiere don Augusto que Leopoldina y Benjamín sean amigos? Sin embargo, ¿parecen ser Leopoldina y Benjamín buenos amigos?

La llegada de Gómez   ¿Dónde está sentado don Augusto? ¿Quién se asoma por la ventana y lo mira? ¿Qué hace Gómez entonces? ¿Quién le responde? ¿Qué hace Gómez otra vez? ¿Qué quiere don Augusto que Braulia haga? ¿Por qué no ha respondido Braulia al timbre? ¿Qué ve Braulia cuando mira por la rejilla? ¿Qué se oye otra vez? ¿Quién abre la puerta? ¿A quién habla don Augusto? ¿Ve Braulia a Gómez?

II

El demonio provincial   ¿En qué época trabajaba el demonio noche y día? ¿Qué sabía todo el mundo en aquella época? ¿Hoy en día llaman muchas personas al demonio? ¿A qué atribuye el demonio ese cambio? ¿Cuál es la tarifa del demonio? ¿Quiere Gómez el alma de don Augusto? ¿Qué quiere? ¿Puede Gómez darle a don Augusto cualquier cosa que éste quiera? ¿Qué límites tiene el poder de un demonio provincial?

Morir por media hora   ¿Qué favor quiere don Augusto? ¿Por qué quiere morir? ¿Qué podrá averiguar de las personas en su casa? ¿Sabemos de veras lo que otras personas piensan de nosotros? ¿Por qué no? (Considere estas dos posibilidades: alguien que finge un amor o afecto y alguien que oculta su afecto. ¿Qué explicación se puede dar a estas actitudes? ¿Qué piensan ganar así? ¿O de qué tienen miedo?)

III

La muerte de don Augusto   ¿Quién descubrió que don Augusto estaba muerto? ¿Cuál fue su reacción? ¿Cómo recibió Leopoldina las malas noticias? ¿Cómo le habló Leopoldina a Rosa? ¿Por qué la trató de esta forma? ¿Cuál fue la reacción de Braulia al amor de Benja y Poldi? ¿Qué averiguó don Augusto sobre quién iba a llorarlo después de su muerte?

Don Augusto resucita   ¿Quién descubrió que don Augusto no estaba muerto? ¿Qué hizo? ¿De qué estaban hablando Leopoldina y Benjamín cuando don Augusto apareció por la escalera? ¿Qué les dijo don Augusto? ¿Qué averiguó don Augusto de Braulia mientras él estaba "dormido"? Al final de la obra, ¿qué situación parece existir entre don Augusto y Braulia?

TEMAS

1. En el siglo XIX el dramaturgo español Manuel Bretón de los Herreros (1796–1873) escribió una comedia que se llama *Muérete y verás*. ¿Cómo expresa ese título el tema principal de *El ajedrez del diablo*?
2. El tema clásico de Fausto, en que el hombre vende su alma al diablo por sabiduría, placer, o juventud—vea las obras de Marlowe o Goethe—es un tema trágico. ¿Cómo cambia Calvo-Sotelo este tema para hacerlo cómico?
3. ¿Qué otras técnicas cómicas emplea el autor?

LECCIÓN 7

1 Oraciones básicas

1	**Todavía me duele la espalda.**	My back still hurts.
2	**Suena el tic-tac de un reloj inmenso pero invisible.**	The tick-tock of an immense but invisible clock is heard.
3	**¿Por qué no se deja el escritorio permanentemente aquí y se evita así el estar trayéndolo y llevándolo?**	Why not leave the desk here permanently and thus avoid carrying it back and forth?
4	**Sonríe y deniega con la cabeza.**	He smiles and shakes his head.
5	**Es usted quien debe exponer lo que es, para entonces nosotros darle el puesto que le corresponde.**	It's you who should show what you are so that we can give you the place you deserve.
6	**Al ver al juez y al conserje que lo esperan, se sobresalta.**	On seeing the judge and the janitor who are waiting for him, he is startled.
7	**¿No se ha detenido usted nunca en la mitad de la noche a contemplar los astros?**	Have you never stopped in the middle of the night to look at the stars?
8	**Es una de las situaciones en la que suele manifestarse.**	It's one of the situations in which it usually shows up.
9	**No se trata de juzgar sus obras, sino a usted.**	It's not a matter of judging your works but of judging you.
10	**Le da a entender que tienen todo el tiempo por delante.**	He lets him know that they have all the time in the world.

2 Spanish pronunciation

/r/, [d], /R/

When Spanish /r/ is between two vowels and the first vowel is more stressed than the second, the sound is called a "flap" or "tap." This is because the tongue, in producing the /r/, springs up and lightly touches or taps the alveolar ridge. The American student can produce the sound quite well by carrying over a pronunciation habit he already has, flapping the *d* in words like *lady* and *fodder* or the *t* in words like *Betty* and *water*.

1 ◆ PRONUNCIATION EXERCISE

/r/

paro
cura
toro
puro
hora
mero
viro
espera
manera
parece
actores

When the /r/ is between two vowels and the stress is on the *second* one, it is more difficult for Americans to pronounce correctly. English *t* or *d* at the beginning of a stressed syllable is not pronounced like Spanish /r/, so the student must learn to produce this sound. The next exercise drills /r/ preceded by a stressed syllable and /r/ followed by a stressed syllable; the sound is the same in the two columns.

2 ◆ PRONUNCIATION EXERCISE

V́/r/V	V/r/V́
curo	curó
tiro	tiró
miro	miró
espero	esperó
sonara	sonará
callara	callará

The following exercise contrasts [r] and [đ].

3 ◆ PRONUNCIATION EXERCISE

[r]	[đ]
toro	todo
cara	cada
cera	ceda
ora	oda
serosa	sedosa
torito	todito

In the production of the trill /R/, the tip of the tongue vibrates and touches the alveolar ridge several times. For the flap /r/ it touches the alveolar ridge only once.

4 ◆ PRONUNCIATION EXERCISE

/r/	/R/
pero	perro
caro	carro
cero	cerro
coro	corro
varo	barro
amara	amarra
sería	se ría[1]
harás	al ras
hora	honra

3 El infinitivo: su uso como sustantivo

5 ◆ EJERCICIOS DE SUSTITUCIÓN

Odiar es pecado.
Robar _____ .
Matar _____ .
Mentir _____ .
Envidiar _____ .

---

[1] The single letter r has the sound /R/ when it is the first letter of a word or when it follows n, l or s.

Es importante el morir con los sacramentos.
_____ el hacer bien.
_____ el tocar bien la flauta.
_____ el sacrificarse por los hijos.
_____ el haber sido un buen padre.
_____ el haber cumplido con las obligaciones.

Al ver al juez se sobresalta.
— oír _____.
— escuchar _____.
— mirar _____.
— encontrar _____.

Se queda allí sin comprender lo que pasa.
_____ ver _____.
_____ oír _____.
_____ pensar en _____.
_____ fijarse en _____.

Me sacrifiqué por hacer esta obra.
_____ darles una buena educación.
_____ mandarlos al extranjero.
_____ cumplir con mis obligaciones.
_____ salvar a mi hijo.

Además de terminar sus estudios, viajó mucho.
Antes de _____.
Después de _____.
En vez de _____.
En lugar de _____.

Notas gramaticales

1 En español, el infinitivo se usa como nombre verbal y es, en este caso, el
   equivalente de la forma *-ing* en inglés.

> **Robar es pecado.**   *Stealing is a sin.*

2 El artículo definido **el** puede acompañar al infinitivo. Se tiende a omitir el
   artículo si el infinitivo precede al verbo y a usar el artículo si el infinitivo va
   después del verbo, especialmente si es el complemento del verbo, pero no hay
   regla fija.

> **Juzgar a uno por otro es contrario a la justicia.**
> **Se evita así el llevarlo de nuevo.**

3   **Al**+infinitivo es equivalente a la expresión inglesa *on*+*-ing*. En la conversación diaria se usan más las expresiones **cuando** y **tan pronto como** seguidas de un verbo conjugado.

Al entrar		*On entering*	
Cuando entró	**en la sala,**	*When he entered*	*the room,*
Tan pronto como	**vio al juez.**	*As soon as he*	*he saw the judge.*
entró		*entered*	

4   Se usa el infinitivo después de una preposición. En inglés se usa la forma *-ing*.

El funcionario es alto pero sin dar   *The clerk is tall but without giving the*
   la impresión de arrogancia.   *impression of arrogance.*
Gastaba el dinero en comprarle joyas.   *He spent the money in buying her*
                                                  jewelry.

A veces, se encuentra el gerundio después de la preposición **en** con el mismo significado de **al**+infinitivo. Su uso es bastante limitado en la lengua hablada.

En quitando   *On removing all that, something will*
Al quitar } **todo eso, quedará algo.**   *remain.*

5   El infinitivo compuesto se forma con el verbo **haber** y el participio pasivo.

Está orgulloso de **haber hecho** buenas obras.

4   El género de los nombres y de los adjetivos

6 ◆ EJERCICIO DE SUSTITUCIÓN

El libro es muy largo.
__ lección _____.
__ problema _____.
__ mesa _____.
__ día _____.
__ obra _____.
__ serie _____.
__ programa _____.

7 ◆ MASCULINO → FEMENINO

Mi tío vive allí.
Trajeron los toros por tren.
Ayer vino un señor inglés.
Es un comunista muy activo.
El espía americano escapó esta mañana.
El joven que trabaja allí es mi primo.

Notas gramaticales

1 En español, los nombres pertenecen al género masculino o al género femenino.

el muchacho	la muchacha
el reloj	la silla

2 Son masculinos:

a. los nombres que terminan en **o**, con muy pocas excepciones.
   el puesto
   el tiempo
   Excepciones:
   la mano, la foto (forma corta de fotografía)

b. los nombres que se refieren a hombres o a animales machos.
   el hombre
   el juez
   el toro

c. los infinitivos cuando se usan como nombres.
   el robar
   el matar

d. los nombres de las lenguas.
   el inglés
   el español

e. Las palabras **ángel** y **miembro** son siempre masculinas aunque se refieran a una mujer.
   Juan es un ángel.
   María es un ángel.

3 Son femeninos:

a. los nombres que terminan en **a**, con muy pocas excepciones.
   la espalda
   la cabeza
   Excepciones:
   el día, el mapa, el planeta, el poeta y algunas palabras que terminan en **ma**:

el clima	el problema
el drama	el programa
el idioma	el sistema
el lema	el tema
el poema	el telegrama

b. los nombres que se refieren a mujeres o a animales hembras.
   la madre
   la vaca

c. los nombres de las letras del alfabeto.
   la **a**   la **d**

d. los nombres, que terminan en **-ad, -ud, -ión, -ie** y **-umbre**.

> la mitad
> la virtud
> la canción
> la serie
> la costumbre

Excepciones:

> **el camión, el avión**

e. La palabra **persona** es siempre femenina aunque se refiera a un hombre.

> **Juan es una persona excelente.**
> **María es una persona excelente.**

4 Hay algunos nombres que tienen la misma forma para el masculino y el femenino. Sólo se puede distinguir el género por los artículos y los adjetivos que los modifican.

a. los nombres que terminan en **-ista**

> el pianista   la pianista

b. ciertos nombres que terminan en **a**

> el espía   la espía

c. otros nombres de distintas terminaciones

> el joven   la joven
> el testigo   la testigo [*witness*]

5 Los nombres masculinos que se refieren a personas o animales forman los femeninos de distinta manera.

a. Muchos nombres que terminan en **o** cambian la **o** en **a**.

> el abuelo   la abuela
> el gato   la gata

b. Muchos nombres que terminan en **d, l, n, r, s** y **z** añaden una **a**.

> el francés   la francesa
> el doctor   la doctora
> el león   la leona

c. Muchos nombres que terminan en **e** cambian la **e** en **a**.

> el monje   la monja
> el pariente   la parienta

6 En español, igual que en inglés, hay nombres que tienen palabras diferentes para la forma femenina.

> el padre   la madre
> el hombre   la mujer
> el toro   la vaca

7 Los adjetivos masculinos que terminan en **o** cambian la **o** en **a** para formar el femenino.

> un niño lindo   una niña linda

8   Si el adjetivo no termina en **o**, la forma del masculino y del femenino es la misma, pero los adjetivos que terminan en **-án, -ón, -or** e **-ín** y los de nacionalidad que terminan en consonante añaden una **a**.

un libro difícil   una lección difícil
el señor inglés   la señora inglesa
un niño encantador   una niña encantadora

Los adjetivos **exterior, inferior, interior, mayor, menor, mejor, peor** y **posterior** son invariables en género.

el color exterior   la pared exterior

5   El plural de los nombres y de los adjetivos

8 ◆ SINGULAR → PLURAL

Cambie las siguientes palabras al plural según indican los ejemplos.

I. EJEMPLO   la casa
             las casas

             el café
             los cafés

el tiempo
la puerta
la silla
el pie   *pies*
la blusa
el sofá   *sofás*
el papá

II. EJEMPLO   la mujer
              las mujeres

              el maniquí
              los maniquíes

el cristal
la verdad
el juez
el rubí
la virtud
el comedor
el reloj

III. EJEMPLO   la crisis
              las crisis

              el señor García
              los señores García

el paréntesis
el lunes
la dosis
el señor Moreno
el éxtasis
la familia Díaz

9 ◆ SINGULAR → PLURAL

Escuche cada oración y repítala cambiándola al plural.

EJEMPLO   Compraron un escritorio grande.
              Compraron unos escritorios grandes.

El reloj suena mucho.
La mamá llegó temprano.
Necesitan el análisis ahora.
El señor Ramírez trabaja con nosotros.
Trajeron un rubí muy lindo.
El juez espera que lleguen temprano.

10 ◆ PLURAL → SINGULAR

Escuche cada oración y repítala cambiándola al singular.

EJEMPLO   Las águilas son muy fuertes.
              El águila es muy fuerte. El agua

Las aguas bajaron pronto.
Van a juzgar a las almas.
¿Por qué trajeron las arcas nuevas?
Las aulas no están limpias.

Notas gramaticales

1   El plural de los nombres que terminan en vocal átona o en **e** tónica [*stressed*]
    se forma añadiendo una **s**.

        cabeza   cabezas
        café   cafés
        pie   pies

2   El plural de los nombres que terminan en consonante o en **a, i, o** y **u** tónicas se forma añadiendo **es**. Si la consonante final es una **z**, ésta se cambia en **c**.

    reloj   relojes
    juez   jueces
    rubí   rubíes

Excepciones:

    mamá   **mamás**
    papá   **papás**
    sofá   **sofás**

3   Son invariables los nombres que terminan en **s** y la sílaba tónica no es la última.

    el análisis   los análisis
    la crisis   las crisis

4   En general, los apellidos no varían al formar el plural. Sin embargo, se puede cambiar los apellidos al plural siguiendo las reglas generales de la formación del plural, excepto los que terminan en **-az, -anz, -ez, -enz, -iz** e **-inz** que son siempre invariables.

    los Pinzón   los Pinzones
    los Montalvo   los Montalvos
    los Pérez
    los Díaz

Los apellidos precedidos por palabras como **señores** y **hermanos** son invariables.

    los señores Colón
    las hermanas Fajardo

5   El plural masculino puede referirse al género masculino o al masculino y al femenino.

    los padres $\begin{cases} \text{the parents} \\ \text{the fathers} \end{cases}$

    los hermanos $\begin{cases} \text{the brothers} \\ \text{the brothers and sisters} \end{cases}$

6   Los nombres femeninos singulares que comienzan con **a** o **ha** tónicas llevan el artículo masculino cuando éste los precede directamente. En plural, el artículo es femenino.

    el agua fría   las aguas frías
    la fría agua   las frías aguas

7   El plural de los adjetivos se forma de la misma manera que el de los nombres. Se añade una **s** si terminan en vocal y **es** si terminan en consonante.

    el libro grande   los libros grandes
    la lección fácil   las lecciones fáciles

6 El artículo definido—I

Su uso con las partes del cuerpo y con los artículos de vestir

11 ◆ EJERCICIOS DE SUSTITUCIÓN

El hombre levanta la cabeza.
_____ mano.
_____ pie.
_____ ojos.
_____ cara.
_____ brazos.

Me lavo la cabeza.
_____ cara.
_____ orejas.
_____ manos.
_____ pies.
_____ espalda.
_____ piernas.

La madre le lava las orejas al niño.
_____ cara _____.
_____ cabeza _____.
_____ uñas _____.
_____ corta _____.
_____ pelo _____.

La mujer se quita el sombrero.
_____ chaqueta.
_____ abrigo.
_____ zapatos.
_____ guantes.

El niño se manchó los pantalones.
_____ camisa.
_____ corbata.
_____ suéter.
_____ chaleco.

Conteste a las siguientes preguntas de acuerdo con el apunte.

EJEMPLO   (el hombre)   ¿Quién siente un dolor repentino en la espalda?
El hombre siente un dolor repentino en la espalda.

(el conserje)   ¿Quién manifiesta mucha piedad en el rostro?
(el juez)   ¿Quién deniega con la cabeza?
(el hombre)   ¿Quién levanta la cabeza?
(el juez)   ¿Quién afirma con la cabeza?
(el hombre)   ¿Quién saluda con la mano?

13 ◆ EJERCICIO DE SUSTITUCIÓN

El niño tenía los ojos grandes.
_____ pelo rubio.
_____ cara sensible.
_____ ojos azules.
_____ manos delicadas.
_____ pies enormes.
_____ nariz pequeña.
_____ dientes blancos.
_____ sonrisa fácil.
_____ maneras suaves.

14 ◆ EJERCICIO DE TRANSFORMACIÓN

Cambie las siguientes oraciones según indica el ejemplo.

EJEMPLO   El hombre tiene la barba crecida.
Es el hombre de la barba crecida.

El niño tiene los ojos grandes.   *Es el niño de los ojos grandes*
La muchacha tiene las maneras elegantes.   *Es la mu... de las maneras eleg...*
El hombre tiene la sonrisa fácil.
La mujer lleva un suéter azul.
La muchacha lleva un traje blanco.

Notas gramaticales

1   En español, se usa el artículo definido en vez del adjetivo posesivo al referirse a las partes del cuerpo y a los artículos de vestir cuando se sabe a quién pertenecen.

El hombre levanta **la** cabeza.   *The man raises his head.*
El juez niega con **la** cabeza.   *The judge shakes his head.*

2   Si la parte del cuerpo de la que se habla recibe la acción, el verbo es reflexivo. (El pronombre reflexivo es, en este caso, el complemento indirecto.)

Se tapa los ojos.   *He covers his eyes.* (Usa las manos para taparse los ojos.)

3   Si una persona realiza la acción y otra la recibe, ésta última es el complemento indirecto.

El barbero **me** corta el pelo.   *The barber cuts my hair.*
La madre **le** lava la cabeza **al niño**.   *The mother washes the child's hair.*

4   También se usa el artículo definido con el verbo **tener** al describir características permanentes o temporales.[2]

Tiene los ojos cerrados.   *He has his eyes closed.*
Tiene la nariz grande.   *He has a big nose.*

5   Se usa la preposición **de** cuando se identifica a una persona por una característica física o por su ropa. En inglés, se usan las preposiciones *in* o *with*.

Mi tío es aquel señor **del** pelo rubio.   My uncle is that gentleman *with* blond hair.

Mi tía es la señora **del** vestido azul.   My aunt is the lady *in* the blue dress.

7   Pronombres relativos

15 ◆ DOS ORACIONES → UNA ORACIÓN

Combine las dos oraciones en una nueva usando un pronombre relativo según indican los ejemplos.

I. EJEMPLO   Conozco al doctor. El doctor vive allí.
Conozco al doctor que vive allí.

Veo al juez. El juez lo espera.
El conserje es el hombre. El hombre trae las sillas.
Acaba de llegar el juez. El juez hará las preguntas.
¿Dónde están los chicos? Los chicos fueron al extranjero.
Hay una fuerza invisible. La fuerza se lo impide.
Dale el puesto. El puesto le corresponde.
Traiga la silla. La silla es cómoda.

---

[2] A veces, el artículo definido se omite, sobre todo en el plural y cuando las características son permanentes: **Tiene ojos azules.**

II. EJEMPLO   La casa es bonita. El arquitecto construyó esa casa.
La casa que el arquitecto construyó es bonita.

Ese hombre es el juez. Veo a ese hombre.   *Ese hombre que veo es el juez*
El hombre llega. Esperan a ese hombre.   *El hombre que esperan llega.*
El doctor va al club. Conozco a ese doctor.
Los actores traen las sillas. Escuchamos a esos actores.
La comedia es muy difícil. Él escribió esa comedia.
Esa religión es la única verdadera. He defendido esa religión.

III. EJEMPLO   María es la muchacha. Juan va a casarse con esa muchacha.
María es la muchacha con quien Juan va a casarse.

Teresa es la mujer. José está enamorado de esa mujer.   *Teresa es la mujer con quien*
Acaba de llegar el hombre. El conserje trajo la silla para ese hombre.
Ana es la criada. Entregaron el periódico a esa criada.
María y Juana son las muchachas. Vamos al cine con esas muchachas.
Aquel es el doctor. Trabajaba con él.

IV. EJEMPLO   Es la flauta. Estaba hablando de esa flauta.
Es la flauta de que estaba hablando.

Ésta es la situación de que el alma se manifiesta.
Ésta es la situación. El alma se manifiesta en esta situación.
Hablan de la fiesta. El hombre fue a esa fiesta.   *Hablan de la fiesta de que el fu...*
Ésa es la casa. En esa casa vivió mi madre.
¿Entendiste el problema? El profesor nos habló del problema.
¿Copió el poema? Mi padre habló de ese poema.

16 ◆ PREGUNTAS Y RESPUESTAS

Conteste a las siguientes preguntas según indican los ejemplos.

EJEMPLOS   ¿Qué va a comprar María?
Yo no sé lo que va a comprar.

¿Qué le da él al jefe?
Yo no sé lo que le da al jefe.

¿Qué le pasa a usted?
¿Qué le va a decir el hombre al juez?
¿Qué piensan los empleados del jefe?
¿Qué van a escribir ustedes?
¿Qué le dirá el juez al hombre?

17 ◆ DOS ORACIONES → UNA ORACIÓN

Combine las dos oraciones en una nueva usando la forma correcta de **cuyo.**

EJEMPLO   La profesora vino. Su hijo estudia aquí.
La profesora cuyo hijo estudia aquí vino.

Compró un reloj cuyo tic-tac es muy fuerte. (handwritten)

Compró un reloj. El tic-tac de ese reloj es muy fuerte.
Es la casa. La puerta de esa casa está abierta. *Es la casa cuyo puerta está abierta* (handwritten)
La mujer va por el médico. Los hijos de esa mujer están enfermos.
Llega el hombre. Van a hablar de la vida de ese hombre.
Es un autor. Las obras de ese autor son cómicas.

Notas gramaticales

1   El pronombre relativo más común es **que**. **Que** se puede usar como sujeto o como complemento del verbo, y puede referirse a una persona o a una cosa.

> Veo al juez **que** los espera. (**que** se refiere a una persona y es sujeto del verbo **espera**)
>
> Hay una fuerza **que** se lo impide. (**que** se refiere a una cosa y es sujeto del verbo **impide**)
>
> Ese hombre **que** veo es el juez.[3] (**que** se refiere a una persona y es el complemento del verbo **veo**)
>
> La casa **que** construyó el arquitecto es bonita. (**que** se refiere a una cosa y es complemento del verbo **construyó**)

Es importante recordar que en español no se omite el pronombre relativo como sucede algunas veces en inglés.

> Ese hombre **que** veo es el juez.   That man *whom* I see is the judge.
>
> That man I see is the judge.

2   Después de una preposición se usa:

>   a. **que** cuando se refiere a una cosa:[4]
>
>   > Es la comedia de **que** te hablé ayer. (**que** se refiere a una cosa y es complemento con preposición)
>
>   b. **quien** o **quienes** cuando se refiere a una o más personas:
>
>   > Es el hombre de **quien** te hablé ayer. (**quien** se refiere a una persona y es complemento con preposición)

En los dos casos es importante notar que la preposición no puede estar separada del pronombre relativo como en inglés.

---

[3] En este caso, también se puede decir: **Ese hombre a quien veo es el juez.** Sin embargo, es preferible el uso de **que**.

[4] Se encuentra, algunas veces, el uso del artículo definido + **que**:

> Es la flauta de **la que** estaba hablando.

Esta forma se usa también para evitar ambigüedad:

> Es la puerta de este edificio de **la que** le hablé.
> Es la madre de Juan **la que** viene ahora.

En tal caso, las formas del artículo definido + **cual** se pueden usar también, pero **cual** tiene un tono más formal o literario.

> Ésta es la obra de Cervantes, **la cual** estudiaremos.

Es el perro **de que** hablaba.   It's the dog *about which* I was speaking.
                                     It's the dog I was speaking *about*.

3 **Quien** también tiene otro uso en ciertas oraciones en las que es su propio antecedente.

> **Quien** estudia, aprende.   *He who* studies, learns. (**quien** es sujeto de los dos verbos)

4 **Lo que** se usa como sujeto o complemento del verbo o como complemento con preposición cuando se refiere a una idea expresada en una oración y no a un nombre determinado.

> **Yo no sé lo que pasará.** (sujeto del verbo)
> **No me dijo lo que compró.** (complemento del verbo)
> **Vamos a ver de lo que hablaron.** (complemento con preposición)

5 **Cuyo** es un adjetivo posesivo que concuerda con el nombre que modifica. Se usa más en el lenguaje literario que en el hablado:

> Es la casa **cuya** puerta está abierta.
> Es la chica **cuyos** amigos conocemos.

8 *Pero, sino, sino que*

18 ◆ PREGUNTAS Y RESPUESTAS

I. Conteste a las siguientes preguntas usando la expresión indicada.

EJEMPLOS (Sí...pero no estaba.) ¿Llamaste a María?
Sí, llamé a María pero no estaba.

(No...pero todavía me duele la espalda.) ¿Te duelen las piernas?
No me duelen las piernas pero todavía me duele la espalda.

(Sí...pero muy feo.) ¿Es bueno el reloj?
(Sí...pero no a la madre.) ¿Condenaron al hijo?
(Sí...pero llegué tarde.) ¿Fue usted a la conferencia?
(Sí...pero deniega con la cabeza.) ¿Sonríe el juez?
(Sí...pero no es imposible.) ¿Es difícil?
(No...pero entró.) ¿Quería entrar?
(No...pero contestó bien.) ¿Estudió mucho?

II. Conteste a las siguientes preguntas usando la expresión indicada y **sino**.

EJEMPLO (...no...en Gómez.) ¿Reside la clave en Leopoldina?
La clave no reside en Leopoldina sino en Gómez.

(...no...el suelo.) ¿Está el libro en la mesa?
(...no...española.) ¿Es francesa aquella mujer?
(No...geografía.) ¿Estudia usted química?
(No...conserje.) ¿Vio él al juez?
(No...un drama.) ¿Lees una novela?
(No...al hombre.) ¿Se trata de juzgar al mundo?

III. Conteste a las siguientes preguntas usando la expresión indicada y **sino que**.

EJEMPLO (No...fue al cine.) ¿Preparó José sus lecciones?
No preparó sus lecciones sino que fue al cine.

(No...escribe.) ¿Lee Juan?
(No...la odia.) ¿Ama Pedro a Juana?
(No...duerme.) ¿Juega la niña?
(No...se calmó.) ¿Se sobresaltó el hombre?
(No...siguió caminando.) ¿Se detuvo el hombre a contemplar los astros?

19 ◆ EJERCICIO ESCRITO

Escriba el siguiente párrafo usando **pero, sino** o **sino que**, según convenga.

El hijo de la señora no era bueno _____ malo. La madre sabía que su hijo era malo _____ lo amaba a pesar de todo. El hijo no le decía nunca la verdad _____ le mentía siempre. La madre sabía que el joven era un criminal _____ ella misma mentía para ayudarlo. La madre mentía _____ sólo para salvar al hijo. Al final, el hijo no se salvó _____ se condenó.

Notas gramaticales

1 **Pero** es una conjunción que une oraciones afirmativas o negativas y tiene el sentido de "sin embargo."

El juez niega con la cabeza, **pero** dice "gracias."

The judge shakes his head but (nevertheless) says "Thank you."

El hombre no es rico, **pero** tiene bastante que comer.

The man is not rich but (nevertheless) has enough to eat.

2 **Sino** y **sino que** se usan para unir dos oraciones, la primera en la forma negativa y la segunda en la forma afirmativa, y tiene el sentido de "al contrario." Se usa **sino** cuando no hay verbo conjugado y **sino que** cuando hay verbo conjugado en la segunda oración.

El autor no es Lope de Vega **sino** Calderón.

The author is not Lope de Vega but (on the contrary) Calderón.

No compró el coche **sino que** lo robó.

He did not buy the car but (on the contrary) stole it.

9   Problemas de vocabulario

Half

> **la mitad**: sustantivo

---

20 ◆ EJERCICIO SOBRE EL USO DE **la mitad de**

Escuche cada oración y repítala añadiendo **la mitad de** según indica el ejemplo.

EJEMPLO   Ellos eran mi vida.
          Ellos eran la mitad de mi vida.

Ellos eran mi alma.   *Ellos eran la mitad de*
Le dio su dinero.
Acabo de heredar su fortuna.
Conozco a sus amigos.
Pagaré la cuenta.

> **medio**: adjetivo[5]

---

21 ◆ EJERCICIO SOBRE EL USO DE **medio** COMO ADJETIVO

Escuche cada oración y repítala añadiendo **medio** según indica el ejemplo.

EJEMPLO   Compraron una libra de jamón.
          Compraron media libra de jamón.

Esperé una hora.
Quiero una docena de huevos.   *Quiero media docena*
Vale un peso.
Caminamos un kilómetro.
El pescado pesa un kilo.

> **medio**: adverbio

---

22 ◆ EJERCICIO SOBRE EL USO DE **medio** COMO ADVERBIO

Escuche cada oración y repítala añadiendo **medio** según indica el ejemplo.

EJEMPLO   La mujer está loca.
          La mujer está medio loca.

---
[5] **Medio** se usa como nombre cuando expresa la fracción $\frac{1}{2}$: **un medio**.

La casa está construida.
La carta está escrita.
Los niños están dormidos.
El pobre está muerto de hambre.
Las casas están terminadas.

23 ◆ medio → a medio

Escuche cada oración y repítala añadiendo la expresión **a medio** + infinitivo según indica el ejemplo.

EJEMPLO La lección está medio aprendida.
La lección está a medio aprender.

La comida está medio preparada. *La comida está a medio preparar*
La casa está medio arreglada. *La casa está a medio arreglar.*
El edificio está medio terminado.
La puerta está medio abierta.
El trabajo está medio hecho.

Time

> **Tiempo** tiene un sentido general o histórico.
> **Vez** indica repetición u ocasión. (Las expresiones **a la vez** y **al mismo tiempo** son sinónimas.)

24 ◆ EJERCICIO DE SUSTITUCIÓN

Durante ese tiempo lo hiciste tres veces.
_____ seis ____.
_____ vi _____.
_____ dos ____.
_____ dijimos _____.
_____ varias __.
_____ dudaron _____.
_____ muchas _.

25 ◆ EJERCICIO ESCRITO

Escriba las siguientes oraciones usando **tiempo**, **vez** o **veces** y las formas correctas de las palabras en paréntesis.

1. Hace (mucho, -a) _____ que lo conozco.
2. Es (el, la) (primer, -a) _____ que me pide eso.

3. Dice la misma cosa (otro, -a) _____ .
4. Está leyendo para pasar (el, la) _____ .
5. Dudé (algún, -a) _____ de su sinceridad.
6. Lo hacía (repetidos, -as) _____ .

Tener dolor de, dolerle a uno

> **tener dolor de** y **dolerle a uno** son sinónimos   *to ache*

26 ◆ tener dolor de → dolerle

Escuche cada oración y repítala usando **dolerle** según indica el ejemplo.

EJEMPLO   Tengo dolor de cabeza.
          Me duele la cabeza.

El hombre tiene dolor de espalda.
Tenemos dolor de muelas.
El niño tenía dolor de oídos.
Tienes dolor de estómago.
¿Tiene usted dolor de cabeza?

Soler

> **soler**   tener la costumbre de

27 ◆ EJERCICIO SOBRE EL USO DE soler

Escuche cada oración y repítala usando **soler** según indican los ejemplos.

EJEMPLOS   Usualmente estudia por la tarde.
           Suele estudiar por la tarde.

           Estudiaba por la tarde.
           Solía estudiar por la tarde.

El alma usualmente se manifiesta así.
Usualmente me acuesto muy temprano.
Usualmente asustan a los niños.
Pensabas mucho en tus negocios.

Trabajábamos todo el tiempo.
Cumplía sus deberes religiosos.

Sonar, soñar

sonar: la acción de hacer ruido	*to sound, to ring*
el sonido: lo que se oye	*sound*
soñar: representarse en la fantasía	*to dream*
soñar con	*to dream about*
el sueño: acto de dormir; representación en la fantasía	*sleep; dream*
Suena la campana.	*The bell rings.*
Suena raro.	*It sounds odd.*
Es un sonido extraño.	*It's a strange sound.*
El niño está soñando.	*The child is dreaming.*
El niño sueña con los juguetes.	*The child dreams about the toys.*
La vida es sueño.	*Life is a dream.*

28 ◆ EJERCICIO ESCRITO

Escriba las siguientes oraciones usando las formas correctas de **sonar, sonido, soñar, soñar con** y **sueño**.

1. Anoche yo _____ mi madre.
2. ¡Qué rara _____ mi voz!
3. No quiero interrumpir el _____ del niño.
4. La flauta tiene un _____ triste.
5. Los fantasmas rondan de noche los caminos y los _____ .
6. Mi hermano y yo _____ ser músicos.

Volver a + infinitivo

volver a + infinitivo	hacer algo de nuevo

29 ◆ EJERCICIO SOBRE EL USO DE **volver a** + INFINITIVO

Escuche cada oración y repítala usando **volver a** + infinitivo según indican los ejemplos.

Lee la comedia de nuevo.
Vuelve a leer la comedia.

Leyó el capítulo otra vez.
Volvió a leer el capítulo.

Mira de nuevo hacia la derecha.
Me duele la espalda otra vez.
No me pasó de nuevo después.
El hombre se sienta de nuevo.
Al oír la noticia, lloró de nuevo.
Llevarán los muebles otra vez.

1 Oraciones básicas

1	Es un amigo que tengo muy dado de científico.	He's a friend I have who thinks of himself as a scientist.
2	Corre a cargo del actor ponerla de manifiesto en pequeños gestos y movimientos.	It's the responsibility of the actor to make it apparent in little gestures and motions.
3	A mí es la primera vez que se me pide hacer esto.	It's the first time they've asked me to do this.
4	Hay que olvidar todos los diferentes tipos de negocios.	It is necessary to forget all the various kinds of business.
5	El alma no se puede mostrar con el dedo de la mano, pero sí de alguna manera.	The soul can't be pointed at with the finger, but it can be shown in some way.
6	Cuando la desgracia sopla, cuando la muerte los amenaza, van corriendo a buscar ayuda.	When misfortune comes, when death threatens them, they run looking for help.
7	Hace una hora ese llanto te habría podido salvar.	An hour ago that crying would have been able to save you.
8	Me dieron ganas de caminar por las calles.	I wanted to walk through the streets.
9	Él se empeña en traer el archivo y el funcionario lo deja.	He insists on bringing the filing cabinet and the employee lets him.
10	Yo les tenía pánico a los perros cuando los oía ladrar de noche.	I was very frightened of dogs when I heard them barking at night.

2 Spanish pronunciation

C/r/, /r/C, final /r/

After a consonant, Spanish /r/ is pronounced very much as between vowels. In order to produce this sound combination, it might be helpful to say a word like **cara** two or three times and then eliminate the vowel between the consonant and the /r/.

Example: cara cara cara cra

Before a consonant, the /r/ can be pronounced as a single flap or a full trill.

1 ◆ PRONUNCIATION EXERCISE

C/r/	/r/C
troco	corto
trapo	parto
brava	barba
droga	gorda
crema	merca
grasa	sarga

A final /r/ is pronounced like the /r/ between vowels if the following word begins with a vowel.

ir ante /irante/

If the next word begins with a consonant, the final /r/ is pronounced like the /r/ before a consonant.

ir contra /irkontra/

If a word that ends in /r/ is the last one in an utterance, the vocal cords stop vibrating while the tongue is trilling, and a sort of hissing sound is produced.

2 ◆ PRONUNCIATION EXERCISE

V/r/V	final /r/
comerá	comer
olvidará	olvidar
mostrará	mostrar
amenazará	amenazar
salvaron	salvar
cargaron	cargar
hablaron	hablar

/l/

Both English and Spanish speakers place the tip of the tongue against the alveolar ridge in order to produce the /l/. The difference between the Spanish and the English sounds is that the back of the tongue is high for Spanish /l/ and low for English /l/.

3 ◆ PRONUNCIATION EXERCISE

English /l/	Spanish /l/
el	el
mall	mal
Bill	vil
coal	col
tool	tul
Saul	sal

Spanish /l/ V	Spanish V/l/ V
loma	mola
luna	nula
liso	silo
lave	vale
leva	vela
lobo	bolo

3   El infinitivo: su uso después de otros verbos

4 ◆ EJERCICIOS DE SUSTITUCIÓN

El hombre decide confesarlo todo.
_____ quiere _____.
_____ puede _____.
_____ desea _____.
_____ teme _____.
_____ promete _____.
_____ piensa _____.
_____ espera _____.
_____ debe _____.
_____ necesita _____.

El niño comienza a tocar la flauta.

_____ empieza _____.
_____ llega _____.
_____ se pone _____.
_____ se decide _____.
_____ aprende _____.
_____ va _____.
_____ vuelve _____.
_____ viene _____.
_____ se atreve _____.

El funcionario deja de contar la historia.

_____ trata _____.
_____ se alegra _____.
_____ se acuerda _____.
_____ no deja _____.

El conserje consiente en llevar el escritorio.

_____ insiste _____.
_____ se empeña _____.
_____ tarda _____.
_____ queda _____.

5 ◆ EJERCICIO ESCRITO

Escriba las siguientes oraciones usando la preposición correcta. Algunas de estas oraciones no llevan preposición.

1. ¿Es él quien va _a_ venir?
2. Quería _____ estar con su hijo.
3. Ya esto no puede _____ tardar.
4. Es usted quien debe _____ exponer lo que es.
5. Su nombre ha dejado _de_ existir.
6. La señora insistía _en_ decir que era mala.
7. Hemos decidido _____ empezar por esta parte de mi vida.
8. El hombre nunca aprendió _a_ tocar la flauta.
9. Me parece que comienzo _a_ entender.
10. La señora se alegra _de_ estar con su hijo.

Notas gramaticales

1 En español, algunos verbos van seguidos directamente por un infinitivo: **Puede hacerlo**. Entre ellos se encuentran:

conseguir	lograr	querer
creer	necesitar	recordar
deber	olvidar	saber
decidir	pensar	sentir
desear	poder	temer
esperar	procurar	
impedir	prometer	

2   Otros verbos llevan **a** delante del infinitivo: **Nos invita a ir**. Entre ellos se encuentran:

aprender	decidirse	persuadir
apresurarse	empezar	ponerse
atreverse	enseñar	principiar
ayudar	invitar	salir
comenzar	ir	venir
correr	llegar	volver

3   Hay verbos que llevan **de** delante del infinitivo: **Trata de llevarlo**. Entre ellos se encuentran:

acabar	cesar	olvidarse
acordarse	concluir	tratar
alegrarse	dejar	

4   También hay verbos que llevan **en** delante del infinitivo: **Insiste en salir ahora**. Entre ellos se encuentran:

consentir	quedar
empeñarse	tardar
insistir	

5   Nótese que muchos de los verbos que llevan **a** delante del infinitivo se pueden agrupar en verbos de movimiento (correr, ir, llegar, salir, venir) y verbos que encierran la idea de comienzo o principio (comenzar, empezar, ponerse, principiar).

6   Algunos verbos necesitan una preposición cuando se usan como reflexivos.

Decidí estudiar.   **Me** decidí **a** estudiar.
Olvidé estudiar.   **Me** olvidé **de** estudiar.

7   Algunos verbos cambian de significado

a. según la preposición que se usa:
   Acaba de hacerlo.   *He has just done it.*
   Acaba por hacerlo.   *He ends up by doing it.*

b. según precedan a un infinitivo o a una oración subordinada:
   Piensa hacerlo.   *He intends to do it.*
   Piensa que lo hará.   *He thinks he will do it.*

4 El artículo definido—II

6 ◆ todos los→ los

Escuche cada oración y repítala usando **los** o **las** según indica el ejemplo.

EJEMPLO   Todos los hombres de negocios hablan con seriedad.
Los hombres de negocios hablan con seriedad.

Todos los curas dicen eso.
Todos los negocios le interesan.
La ciencia médica estudia todas las enfermedades.
Esos seres asustan a todos los niños.
Todos los perros les ladran.

7 ◆ EJERCICIOS DE SUSTITUCIÓN

El tiempo nos lleva como hojas.
— muerte _____ .
— vida _____ .
— desgracia _____ .
— pesimismo _____ .

Los hombres hablan de la inmortalidad.
_____ realidad.
_____ infancia.
_____ odio.
_____ amor.

8 ◆ EJERCICIO DE TRADUCCIÓN

I have money.   *tengo dinero*
I have the money you gave me.   *tengo el dinero que me dio*
Money is necessary.   *El dinero es necesario*
He's eating bread.   *El está comiendo pan*
He ate the bread that was on the table.   *Comió el pan que estaba en la mesa*
Bread is good.   *El pan es bueno*
He sells dogs.   *Vende perros*
The dogs are barking.   *Los perros están ladrando.*
Dogs bark.   *Los perros ladran*
There's something after death.   *Hay algo después de la muerte*
Death is inevitable.   *La muerte es inevitable*

9 ◆ FORMACIÓN DE ORACIONES

Forme una oración con cada grupo de dos palabras según indica el ejemplo.

EJEMPLO hombre, negocios
Es un hombre de negocios.

hombres, acción
mesa, madera
reloj, oro
vestidos, lana
traje, seda
silla, comedor
juego, fútbol
partida, ajedrez
reunión, estudiantes
archivos, oficina

10 ◆ EJERCICIO ESCRITO

Escriba oraciones con las siguientes palabras según indican los ejemplos. Debe usar las palabras en el orden en que aparecen y hacer los cambios gramaticales necesarios.

EJEMPLOS *Hamlet* / ser / obra / teatro.
Hamlet es una obra de teatro.

Edipo / ser / obra / teatro / griego.
Edipo es una obra del teatro griego.

1. Don Francisco / ser / empleado / banco. *Don F. es un empleado de banco*
2. Ser / llave / coche / mi tía. *Es la llave del coche de mi tía.*
3. (Nosotros) / tener / dos libros / historia. *Tenemos dos libros de historia*
4. Don José / ser / presidente / Banco Nacional. *D.J. es el presidente del Banco*
5. (Yo) / querer / vestido / lana. *Quiero un vestido de lana.*
6. (Tú) / deber / limpiar / lámparas / sala. *Debes limpiar las lámparas de la sala*
7. ¿Preferir / ellos / candelabros / plata? *¿Prefieren los candelabros de plata?*

11 ◆ ORACIONES DIRIGIDAS

Diga las siguientes oraciones según indica el ejemplo.

EJEMPLO Diga buenos días al señor juez.
Buenos días, señor juez.

Diga buenas tardes al señor Gómez.
Pregunte a la señorita González cómo está.
Pregunte al coronel Pérez si está lloviendo.
Pregunte a don Mauricio si acaba de llegar.
Diga hasta luego a José.

12 ◆ EJERCICIO DE TRADUCCIÓN

How are you, Mr. Jiménez? *Señor Jiménez, Cómo está?*
How is Mrs. Jiménez? *Cómo está la señora Jiménez*
How are you, doña Margarita? *doña Margarita, cómo está?*
How is don Carlos? *Cómo está don Carlos*
How is Prof. Anglada? *Cómo está el profesor Anglada*
Good morning, Mrs. Campa. *buenas mañanas, señora Campa*
How is Dr. Campa? *Cómo está el doctor Campa.*

13 ◆ EJERCICIO DE SUSTITUCIÓN

Leo un libro sobre Santa Teresa.
_____ San Pablo.
_____ famoso Lope de Vega.
_____ reina Isabel.
_____ don Juan.
_____ Fray Luis de León.
_____ cardenal Cisneros.
_____ Cristóbal Colón.
_____ padre Hidalgo.
_____ Santo Tomás.

Notas gramaticales

1 El artículo definido se usa, tanto en inglés como en español, para indicar algo específico.

El libro está en **la** mesa.   *The* book is on *the* table.

2 El artículo definido se omite, como en inglés, para indicar una parte del todo.

Tiene dinero.   *He has money.* (*some money*)
Necesito papel.   *I need paper.* (*some paper*)
Compro libros.   *I buy books.* (*some books*)

3 Al contrario del inglés, en español se necesita el artículo definido delante de un nombre que se refiere a algo en general (todos los miembros de cierto grupo) o a un concepto abstracto.

Los niños deben respetar a sus   *Children should respect their parents.* (todos
padres.   los niños, los niños en general)
La vida no es más que eso.   *Life is no more than that.* (la vida como un
                                              concepto abstracto)

4 En inglés, un nombre puede modificar directamente a otro nombre:

a law student
a silk shirt

En español, el nombre que modifica a otro es el complemento de la preposición **de**:

un estudiante de leyes
una camisa de seda

Se omite el artículo definido después de la preposición **de** cuando el complemento sólo se considera como una característica. Se incluye el artículo
cuando el complemento se considera como algo específico:

Es una antología de poesía.   *It's a poetry anthology.* (poesía en vez de
                                                        cuentos, comedias, etc.)
Es una antología de la poesía de   *It's an anthology of the poetry of Rubén*
Rubén Darío.   *Darío.* (una poesía específica)

5   Con los nombres de personas se omite el artículo definido

    a. cuando uno habla directamente a la persona:
        Buenos días, don José.
        Buenos días, señor Cadaval.

    b. cuando uno habla de la persona y se usa el nombre sin título:
        Veo a Juan.
        Allí está Gómez.

    c. delante de **don, doña, San, Santo,**[1] **Santa, Fray**[2] y **Sor**:[2]
        ¿Conoce usted a don Francisco?
        ¿Ha leído la poesía de Sor Juana?

6   Hablando de una persona se usa el artículo definido

    a. delante de todos los títulos menos los incluídos en 5.c.:
        Veo a **la** señora Ortiz.
        No conozco **al** coronel Ruiz.

    b. delante de nombres modificados:
        El pobre Ramón se mató.

5   Adjetivos y pronombres demostrativos

14 ◆ EJERCICIO DE SUSTITUCIÓN

Tenemos que hablar de esta noche.
_____ personas.
_____ caso.
_____ escritorios.

---

[1] Se usa **Santo** delante de los nombres que comienzan con **To** o **Do**: **San Juan, Santo Domingo.**

[2] **Fray** (*brother*) y **Sor** (*sister*) se refieren a miembros de órdenes religiosas.

Tenemos que hablar de estos escritorios.

_____ esos _____.

_____ época.

_____ niño.

_____ papeles.

_____ aquellos _____.

_____ juicio.

_____ muchacha.

15 ◆ EJERCICIO ESCRITO

Escriba tres respuestas a cada pregunta usando la forma correcta de **este, ese** o **aquel** según indican los ejemplos.

EJEMPLOS ¿En qué casa vive usted?

A. Vivo en la casa que está cerca de mí.
   Vivo en esta casa.

B. Vivo en la casa que está cerca de usted.
   Vivo en esa casa.

C. Vivo en la casa que está lejos de nosotros.
   Vivo en aquella casa.

1. ¿Qué papeles lo certifican?
   Estos A. Los papeles que yo tengo lo certifican.
   Esos B. Los papeles que usted tiene lo certifican.
   Aquellos C. Los papeles que el juez tiene lo certifican.

2. ¿Qué silla debo limpiar?
   A. Limpia la que está cerca de mí. *esta*
   B. Limpia la que está cerca de ti. *esa*
   C. Limpia la que está cerca del juez. *aquella*

3. ¿Cuándo existía tal situación?
   A. Existía en el siglo veinte. *este*
   B. Existía en el siglo pasado. *ese*
   C. Existía en los siglos de la Edad Media. *aquel*

16 ◆ DIÁLOGO DIRIGIDO

Responda a las siguientes preguntas y respuestas según indican los ejemplos.

EJEMPLOS ¿Quieres este archivo?
          ¿Cuál? ¿Ése?
          Sí, éste.
          No, no lo quiero.

¿Te gustan esos libros?
¿Cuáles? ¿Éstos?
Sí, ésos.
No, no me gustan.

1. ¿Quieres esas sillas?
   Sí, ésas.
2. ¿Te interesan esos papeles?
   Sí, ésos.
3. ¿Te gusta este reloj?
   Sí, éste.
4. ¿Necesitas estos documentos?
   Sí, éstos.
5. ¿Lees esa obra?
   Sí, ésa.
6. ¿Te gusta ese perro?
   Sí, ése.

17 ◆ EJERCICIO DE SUSTITUCIÓN

Espero que ésta no sea la respuesta.
_____ caso.
_____ ése _____ .
_____ mujer.
_____ archivos.
_____ aquéllos _____ .
_____ casa.

18 ◆ DEMOSTRATIVO → ARTÍCULO DEFINIDO

EJEMPLO   Me refiero a esos que son egoístas.
Me refiero a los que son egoístas.

No me gustan esos que hablan de sí mismos.
Hablo de esa que conoce al actor.
Prefiero estas que tengo aquí.
Compraré aquel que vi ayer.
Es esa del vestido negro.

19 ◆ ORACIÓN SUBORDINADA → eso

Usando el pronombre neutro **eso**, conteste a las siguientes preguntas según indica el ejemplo.

EJEMPLO   ¿Es bueno que haga ejercicio?
Sí, eso es bueno.

¿Es natural que pierda el control?
¿Se puede mostrar lo que es una persona?
¿Quiere usted decir que era alguien en contacto con el mundo?
¿Es contrario a la justicia juzgar a uno por otro?
¿Es difícil lo que va a hacer?

Notas gramaticales

1 Los adjetivos demostrativos[3] son:

este	ese	aquel
esta	esa	aquella
estos	esos	aquellos
estas	esas	aquellas

En general, **este** se refiere a lo que está cerca del que habla, **ese** a lo que está cerca de la persona con quien se habla, y **aquel** a lo que está a cierta distancia de los dos.

¿Te gusta este vestido?	*Do you like this dress?* (el traje que está cerca de la persona que hace la pregunta)
¿Te gusta ese vestido?	*Do you like that dress?* (el traje que está cerca de la persona con quien se habla)
¿Te gusta aquel vestido?	*Do you like that dress?* (el traje que está a cierta distancia de las dos personas que hablan)

Se hace la misma distinción con respecto al tiempo.

esta noche	*this evening, tonight*
esa noche	*that night* (pasado reciente)
aquella noche	*that night* (pasado remoto)

2 Los pronombres demostrativos son iguales a los adjetivos.[4] Los pronombres demostrativos concuerdan, en género y número, con el nombre que reemplazan.

Usted no puede evitar su obligación con un **pretexto** tan ridículo como **éste.**

---

[3] Los adjetivos demostrativos casi siempre preceden al nombre. Cuando se colocan después, es necesario que el artículo definido preceda al nombre. En este caso, el adjetivo demostrativo puede tener cierto tono despectivo: Como el protestante **ese** que también va al casino.

[4] Los pronombres demostrativos, excepto los neutros, generalmente llevan un acento escrito, pero se permite la omisión de éste cuando no produzca ambigüedad. En este texto se ha mantenido el acento ortográfico en los pronombres demostrativos.

Éste y **aquél** se usan, respectivamente, con el significado de *the latter* (el que se mencionó recientemente) y *the former* (el que se mencionó anteriormente).

> Cervantes y Shakespeare son autores famosos; **éste** escribió *Hamlet* y **aquél** *Don Quijote*.

3 Los pronombres neutros **esto, eso** y **aquello** se usan al referirse a una idea o situación y no a un nombre en especial. Estos pronombres son invariables.

> **Es la primera vez que se me pide hacer esto.**
> **Aquello fue terrible.**

6 La colocación de adjetivos

20 ◆ EJERCICIO DE SUSTITUCIÓN

Compré un libro magnífico.
_____ dos _____.
_____ franceses.
_____ muchos _____.
_____ religiosos.
_____ algunos _____.
_____ interesantes.
_____ pocos _____.
_____ aquel _____.
_____ elemental.
_____ varios _____.
_____ cierto _____.

21 ◆ EJERCICIO ESCRITO

Escriba oraciones con las siguientes palabras según indica el ejemplo. Debe usar las palabras en el orden en que aparecen y hacer los cambios gramaticales necesarios.

EJEMPLO   Ayer / (él) / tener / malo / día.
          Ayer tuvo un mal día.

1. Ser / grande / lástima.   *Es una grande lástima*
2. (Yo) / les / dar / mis hijos / bueno / educación.   *Les doy a mis hijos un bueno*
3. Ser / bueno / hombre.   *Es un buen hombre*
4. Nosotros / estudiar / tercero / lección.   *Estudiamos la tercera lección*
5. Hombre / no / tener / malo / vida.   *El hombre no tiene una mala vida*
6. Huracán / año pasado / ser / grande / desastre.   *Huracán el año pasado fue un gran desastre*
7. Éste / ser / primero / bueno / libro / yo / leer.
   Éste es el primer buen libro que yo leo

22 ◆ EJERCICIO ESCRITO—I

Usando el adjetivo indicado por el apunte, conteste a las siguientes preguntas. El adjetivo precede al nombre cuando el nombre es el elemento más importante, y sigue al nombre cuando el adjetivo mismo es más importante.

EJEMPLO (Lamentable) ¿Es un caso de egolatría?
Sí, es un caso de lamentable egolatría.
¿Es admirable esa egolatría?
No, es una egolatría lamentable.

(Bueno) ¿Está el hombre orgulloso de sus acciones? *Está un hombre orgulloso de buenas acciones*
¿De qué acciones está orgulloso?

(Piadoso) ¿Lo escucha el juez con comprensión? *El juez con comprensión*
¿Muestra el juez una actitud irreligiosa? *piadosa lo escuchar*

actitud piadosa

(Pequeño) ¿Hace el juez un gesto? *gesto pequeño*
¿Hace el juez un gesto decisivo? *gesto pequeño*

(Profundo) ¿Lo miran ellos con dolor? *profundo dolor*
¿Lo miran con un dolor fingido? *dolor profundo*

23 ◆ EJERCICIO ESCRITO—II

Usando los adjetivos indicados, escriba oraciones nuevas que tengan más o menos el mismo sentido de las oraciones originales.

1. No es un libro viejo. (nuevo)
2. Es un edificio alto. (grande)
3. Napoleón fue un hombre famoso. (grande)
4. No tengo más que este libro. (único)
5. Aquel hombre es mi profesor del año pasado. (antiguo)
6. El hombre tiene la conciencia limpia. (puro)
7. Es una vida desgraciada. (pobre)
8. No soy un hombre rico. (pobre)
9. María es una persona extraordinaria. (único)
10. Nadie más que usted lo dijo. (mismo)
11. Es una cosa segura. (cierto)
12. Hay varios tipos de negocios. (diferente)

24 ◆ EJERCICIO DE EXPANSIÓN

EJEMPLO Es una persona fría. (calculadora)
Es una persona fría y calculadora.

Tiene las maneras suaves. (elegantes)
Es una noche fresca. (clara)

190 / LECCIÓN 8

Se oye un sonido sinuoso. (largo)
Tocan canciones bonitas. (alegres)
Tienen vidas falsas. (huecas)

Notas gramaticales

1 Los adjetivos determinativos—posesivos (mi, tu, etc.), demostrativos (este, esta, etc.), numerales cardinales (dos, cinco, etc.), numerales ordinales (segundo, quinto, etc.), cuantitativos (mucho, poco, etc.) e indefinidos (cierto, otro, etc.)—generalmente preceden al nombre.[5]

> Es la **primera** vez que lo hago.
> Lo hace con **mucha** frecuencia.

2 Los adjetivos calificativos o descriptivos generalmente siguen al nombre. En este caso, el elemento más importante es el adjetivo.

> Compró una flauta **roja**.

3 Los adjetivos calificativos que clasifican—adjetivos de nacionalidad, religión, filiación política o terminología científica—siguen al nombre.

> La **votación republicana** superó las predicciones.   *The Republican vote surpassed predictions.*
> Era una **obligación social**.   *It was a social obligation.*

4 Los adjetivos calificativos preceden al nombre si denotan atributos o cualidades inherentes del nombre. En este caso, el elemento más importante es el nombre; pero hay muchas variaciones, especialmente en el lenguaje poético y literario, que más bien corresponden al campo de la estilística.

> La **blanca** nieve brillaba a lo lejos. (cualidad inherente)
> Ella quiere el traje **blanco**. (cualidad descriptiva)

5 Algunos adjetivos cambian de significado según precedan o sigan al nombre. Generalmente, estos adjetivos tienen un valor figurativo o limitativo cuando preceden al nombre y un valor literal o descriptivo cuando lo siguen.

el antiguo profesor	*the former professor*
la historia antigua	*ancient history*
cierto hecho	*a certain fact*
un hecho cierto	*a definite fact*
los diferentes libros	*the various books*
los libros diferentes	*the different books*
un gran hombre	*a great man*
un hombre grande	*a big man*

---

[5] Los adjetivos interrogativos se presentan en la **Lección 9**. El adjetivo **todo** (-a, -os, -as), cuando precede al nombre, se usa seguido del artículo, un adjetivo posesivo o uno demostrativo: **todo el día, toda mi vida, todas estas muchachas**. El uso de **todo** (-a, -os, -as) después del nombre es muy poco frecuente: **Mi vida toda. Los chicos todos.**

el mismo libro	*the same book*
el libro mismo	*the book itself*
mi nuevo coche	*my new car* (*another car*)
mi coche nuevo	*my new car* (*brand new*)
el pobre hombre	*the unfortunate man*
el hombre pobre	*the poor man* (*not rich*)
la pura agua	*just water*
el agua pura	*pure water*
la única persona	*the only person*
una persona única	*a unique person*

6   Algunos adjetivos tienen formas más cortas cuando preceden a un nombre masculino singular.

> un **buen** libro
> un **mal** hombre
> el **tercer** capítulo
> el **primer** día

Alguno y **ninguno** pierden la **o** final cuando se usan como adjetivos que preceden al nombre.[6]

> **algún** gesto
> **ningún** científico

Grande y **cualquiera** generalmente usan la forma corta delante de nombres masculinos y femeninos.

> una **gran** lástima
> de **cualquier** tipo

Las formas cortas de **primero** y **tercero** se mantienen aunque haya otro adjetivo intercalado que preceda al nombre.

> el **primer** buen poema

7   Cuando dos o más adjetivos modifican al mismo nombre, estos adjetivos preceden o siguen al nombre de acuerdo con las reglas generales.

> **este primer problema social**

Si dos adjetivos calificativos preceden o siguen al nombre, la conjunción **y** generalmente los une.

> **Es un hombre guapo y bien vestido.**
> **La buena y compasiva mujer ayudó al enfermo.**

No se usa la conjunción **y** con los adjetivos determinativos.

> **los tres primeros capítulos**

Tampoco se usa la conjunción **y** cuando uno de los adjetivos forma una unidad con el nombre y el otro modifica a esta unidad.

> **el teatro español contemporáneo**

---

[6] Vea la página 36 para **alguno** y **ninguno**.

7 *Hace* y expresiones de tiempo (*time*)

25 ◆ PREGUNTAS Y RESPUESTAS

Conteste a las siguientes preguntas usando la expresión indicada.

EJEMPLO (tres años) ¿Cuánto tiempo hace que estudia usted español?
Hace tres años que estudio español.

(dos años) ¿Cuánto tiempo hace que está usted en esta universidad?
(cinco años) ¿Cuánto tiempo hace que viven ustedes en esta ciudad?
(veinte años) ¿Cuánto tiempo hace que su padre es abogado?
(varias semanas) ¿Cuánto tiempo hace que estudian ellos química?
(algunos minutos) ¿Cuánto tiempo hace que me esperas?
(casi dos siglos) ¿Cuánto tiempo hace que los Estados Unidos son independientes?

26 ◆ EJERCICIO DE SUSTITUCIÓN

Hacía diez minutos que esperaban cuando entró el hombre.
_____ conversaban _____ .
_____ estaban allí _____ .
_____ estaban sentados _____ .
_____ trabajaban _____ .

27 ◆ EJERCICIO DE TRANSFORMACIÓN

Cambie las siguientes oraciones según indica el ejemplo.

EJEMPLO Hace tres horas que estoy aquí.
Estoy aquí hace tres horas.

Hace cinco meses que vivo en esta casa.
Hace varios minutos que escuchan el discurso.
Hace dos semanas que estudiamos la comedia.
Hace año y medio que soy estudiante universitario.
Hace dos horas que nos esperas.
Hacía media hora que el hombre estaba muerto.
Hacía veinte años que era hombre de negocios.

28 ◆ hace + PRESENTE → llevar + GERUNDIO

EJEMPLO Hace tres años que estudio aquí.
Llevo tres años estudiando aquí.

Hace un año que trabajan en esa oficina.
Hace dos años que estudiamos en el extranjero.
Hace diez años que vivo en el campo.
Hace una hora que escribe esa carta.
Hace mucho rato que camina por la calle.
Hace media hora que esperamos el tren.

29 ◆ PREGUNTAS Y RESPUESTAS

Conteste a las siguientes preguntas usando la expresión indicada.

EJEMPLO   (una hora)   ¿Cuándo salió Carlos?
Carlos salió hace una hora.

(cinco años)   ¿Cuándo fue usted a México?
(tres años)   ¿Cuándo empezaste a estudiar español?
(veinte minutos)   ¿Cuándo llegó usted a casa?
(dos siglos)   ¿Cuándo se hicieron independientes los Estados Unidos?
(tres meses)   ¿Cuándo murió la madre de Pablo?
(media hora)   ¿Cuándo vio usted al profesor?
(dos años)   ¿Cuándo se casó su tía?

30 ◆ EJERCICIO DE TRADUCCIÓN

I have known him for five years.
I met him five years ago.
The judge has been here a half hour.
The judge was here a half hour ago.
We have been married for two years.
We got married two years ago.

Notas gramaticales

1 Se usa **hace** + el presente del verbo para expresar una acción o condición que comenzó en el pasado y continúa en el momento actual.

Estudio español hace dos horas.   *I have been studying Spanish for two hours.*

2 Se usa **hacía** + el imperfecto del verbo para expresar una acción que comenzó en el pasado y duró hasta otro punto más reciente del pasado.[7]

Estudiaba español hacía dos horas.   *I had been studying Spanish for two hours.*

---

[7] Cuando la oración es negativa, se pueden usar los mismos tiempos que se usan en inglés.
Nadie me llama (**ha llamado**) desde hace tres siglos.
Nadie me llamaba (**había llamado**) desde hacía tres siglos.

3 Los dos patrones [*patterns*] que se pueden usar con **hace** son los siguientes:

hace	expresión de tiempo	**que**	presente

Hace   dos horas   que   espero.

presente	**hace**	expresión de tiempo

Espero   hace   dos horas.

En el segundo patrón se puede usar **desde hace** en vez de **hace**.

Espero **desde hace** dos horas.

Estos mismos patrones se pueden usar con **hacía** y el imperfecto del verbo.

4 Se puede usar el verbo **llevar**+gerundio en vez de **hace**+presente.

Llevo dos horas **tocando** la flauta.
Hace dos horas que **toco** la flauta.

5 También se usa **hace** con expresiones de tiempo con el mismo significado de *ago* en inglés. En este caso, se expresa una acción que ocurrió en el pasado, y se mide el tiempo desde el momento en que ocurrió hasta el presente. Como es natural, se usa el verbo en el pasado.

Ese llanto te habría podido salvar   That crying could have saved you an
hace una hora.   hour *ago*.

8   Problemas de vocabulario

Hace y tiempo (*weather*)

31 ◆ PREGUNTAS Y RESPUESTAS

Conteste a las siguientes preguntas usando la expresión indicada.

EJEMPLO   (buen) ¿Qué tiempo hace hoy?
           Hace buen tiempo hoy.

(mal)   ¿Qué tiempo hacía ayer?
(frío)   ¿Qué tiempo hace en el invierno?
(calor)   ¿Qué tiempo hace en el verano?
(fresco)   ¿Qué tiempo hace en la primavera?
(viento)   ¿Qué tiempo hacía anoche?
(buen)   ¿Qué tiempo hacía cuando llegaste?
(sol)   ¿Qué tiempo hace ahora?

Equivalentes de *to be hot, to be cold*

32 ◆ EJERCICIOS DE SUSTITUCIÓN

El hombre tiene mucho calor.
(Nosotros) _____.
(Yo) _____.
_____ frío.
(Ustedes) _____.
El hombre _____.

El agua está muy fría.
— sopa _____.
— café _____.
_____ caliente.
— leche _____.
— papas _____.

33 ◆ PREGUNTAS Y RESPUESTAS

Escuche cada pregunta y contéstela con una respuesta lógica.

EJEMPLO ¿Es frío o caliente el hielo?
El hielo es frío.

¿Es fría o caliente la nieve?
¿Es frío o caliente el fuego?
¿Son fríos o calientes los helados?
¿Son frías o calientes las llamas?

34 ◆ EJERCICIO DE TRADUCCIÓN

I'm hot.
It's hot today.
The water is hot.
It's very cold today.
The soup is very cold.
He's very cold.
Ice is very cold.

hielo es muy frío

35 ◆ EJERCICIO DE REPETICIÓN

Repita las siguientes oraciones.

El sol brilla.	Hay sol.
La luna está fuera.	Hay luna.
Ha nevado mucho.	Hay mucha nieve.
El viento sopla.	Hay viento.

Notas gramaticales

1   Se usa **hace** en muchas expresiones que indican el estado del tiempo:

Hace buen tiempo.
Hace viento.

2   Se usa **hace** cuando se trata de la temperatura de la atmósfera:

Hace calor aquí.   *It's hot here.*

Se usa **tener** cuando se trata de la temperatura de las personas.

Mi madre tiene calor.   *My mother is hot.*

Se usa **estar** cuando se trata de cosas y la temperatura es transitoria.

El agua está caliente.   *The water is hot.* (el agua no está siempre caliente)

Se usa **ser** cuando se trata de cosas y la temperatura es una característica permanente.

El hielo es frío.   *Ice is cold.* (el hielo siempre es frío)

3   Después de **hace** y **tener**, **frío** y **calor** son nombres y los modifica el adjetivo **mucho**.

Tengo mucho calor.

4   Después de **ser** y **estar**, **frío** y **caliente** son adjetivos y los modifica el adverbio **muy**.

La nieve es muy fría.

5   Con ciertas palabras como **luna** y **nieve** se usa **hay**. También se puede usar **hay** con **viento**, **sol**, etc., pero se usa **hace** con más frecuencia.

Hay nieve.
Hace mucho viento.   **Hay** mucho viento.

Manera, modo

de...manera... } *in...way*	
de...modo...	
de una manera evidente	*in an obvious way*
de un modo trágico	*in a tragic way*

El alma puede mostrarse de cierta manera.

_____ alguna _____.

_____ igual _____.

_____ tal _____.

_____ esta _____.

Lo hace de un modo sorprendente.

_____ extraordinario.

_____ sutil.

_____ cómico.

_____ elegante.

Tener ganas de

tener ganas de   querer

37 ◆ querer → tener ganas de

Escuche cada oración y repítala usando **tener ganas de** en lugar de **querer**.

EJEMPLO   Él quiere llorar ahora.
          Él tiene ganas de llorar ahora.

Queremos ir a la fiesta.

Quiero hablar con mi amigo.

Quiere caminar por las calles.

¿Quieres tocar la flauta?

Queremos salir a pasear.

Expresiones que denotan obligación:
hay que, tener que, haber de, deber

38 ◆ hay que → tener que

Escuche cada oración y repítala usando **tener que** en lugar de **hay que**, haciendo los cambios que requiera el apunte.

EJEMPLO   Hay que escuchar la música.   (usted)
          Tiene que escuchar la música.

Hay que olvidar todos los negocios. (nosotros)

Hay que estudiar para un examen.   (yo)

Hay que correr a buscar los papeles.   (ellos)
Hay que contemplar los astros.   (tú)
Hay que juzgar sus obras.   (él)

39 ◆ haber de→ deber

Escuche cada oración y repítala usando **deber** en lugar de **haber de**.

EJEMPLO   Han de estudiar ahora.
Deben estudiar ahora.

Ha de ser un sonido triste.
Has de hablar ahora.
Hemos de interpretar estos datos.
He de decirle la verdad.
Han de traer el archivo.

Notas gramaticales

1   Las expresiones **hay que**+infinitivo y **tener que**+infinitivo denotan obli-
    gación, pero **hay que** es impersonal y sólo varía en el tiempo (había que,
    hubo que, etc.) mientras que **tener que** es personal y por lo tanto concuerda
    con el sujeto.

    Hay que trabajar.   **Tenemos que** trabajar.
    Había que estudiar.   **Tenía que** estudiar.

2   **Haber de**, además de expresar obligación, puede tener otros significados
    como el de probabilidad.

    Ella ha de tener algún dinero. (Probablemente tiene algún dinero.)

3   **Deber** expresa obligación cuando se usa con verbos de acción y probabilidad
    cuando se usa con los otros verbos.

    Deben regresar mañana. (obligación)
    Deben estar en la fiesta. (probabilidad)

Algunas personas distinguen entre **deber**+infinitivo (obligación) y **deber de**+
infinitivo (probabilidad). En general, esta distinción no se observa en la
lengua hablada.

LECCIÓN 9

1 Oraciones básicas

1 Me refiero a esos que se complacen en ser gente para sí mismos.

I'm referring to those who take pleasure in being somebody for themselves.

2 En rigor, suyo no lo ha sido nunca.

Actually, it never has been yours.

3 Entran dos hombres por la izquierda, llevando entrambos un escritorio pesado.

Two men enter from the left, carrying a heavy desk between them.

4 Para probar si está cómoda la silla, se sienta en ella.

In order to find out if the chair is comfortable, he sits on it.

5 Habla con la confianza del hombre de mundo.

He speaks with the confidence of a man of the world.

6 Permítame decirle, aunque ello no me valga de nada, que se me quita mucho.

Allow me to say, even though it doesn't do me any good, that a lot is being taken away from me.

7 ¿Cuál es el problema, entonces?

What's the problem, then?

8 Usted, de niño, quería ser músico.

You, as a child, wanted to be a musician.

9 Si alguna vez me jacté de ello fue sólo porque lo hice.

If at some time I bragged about it, it was only because I did it.

10 Parece mentira que tenga una madre así.

It's hard to believe that he has such a mother.

2 Spanish pronunciation

/s/, [z]

In Spanish America, the letter **s** at the beginning of a word, between vowels, and at the end of a word sounds very similar to English /s/. The /s/ that is most widely heard in Spain is somewhat different. In Spanish America, the letter **c** before **e** and **i** and the letter **z** are pronounced the same as the letter **s**. In much of Spain, they are not pronounced like **s**, but like **th** in the English word **think**. Spanish American pronunciation will be used in the exercises.

1 ◆ PRONUNCIATION EXERCISE

/s/	V/s/V	final /s/
sima	misa	mis
Cela	lesa	les
subo	buzo	bus
sapo	paso	paz
sota	tosa	tos

There are two variants of /s/:

[s] occurs before voiceless consonants, such as /p/, /t/, /k/.[1]
[z] occurs before voiced consonants, such as /b/, /d/, /g/.

2 ◆ PRONUNCIATION EXERCISE

[s]	[z]
rascar	rasgar
descastar	desgastar
esposo	esbozo
despancar	desbancar
de este	desde
es Paco	es Baco
las palas	las balas
las tomas	las domas

In some areas of the Spanish speaking world, the /s/ before consonants and at the end of a word is aspirated and is represented by [h]. This is not preferred pronunciation; Americans should recognize but not imitate it.

---

[1] In Spanish, the letter **x** before a consonant is usually pronounced [s]; some people pronounce it [gs] or [ks]: texto [tésto, tégsto, técsto]. Between vowels it is pronounced [gs] or [ks]: examen [egsámen, eksámen]. There are a few words in which **x** between vowels is pronounced [s]: exacto [esácto].

When /s/ precedes /R/, either the /s/ disappears and as a compensation the trill of /R/ is lengthened, or the /s/ becomes a fricative variant of /R/. Listen to your teacher pronounce the following words:

Israel
los reyes
las ranas

3 El gerundio[2]

3 ◆ EJERCICIO DE SUSTITUCIÓN

Entran dos hombres trayendo un escritorio.
_____ cargando un archivo.
_____ llevando unas sillas.
_____ caminando rápidamente.
_____ manifestando gran agitación.
_____ hablando en voz baja.

4 ◆ al + INFINITIVO → GERUNDIO

EJEMPLO   Al entrar en la sala, vio al juez.
Entrando en la sala, vio al juez.

Al contemplar los astros, me olvidé de los negocios.
Al estar solo, el hombre empezó a llorar.
Al llegar a la puerta, se sintió triste.
Al salir de la casa, iré a la oficina.
Al ver al juez, se pondrá nervioso.

5 ◆ EJERCICIO ESCRITO

Escriba las siguientes oraciones cambiándolas según indica el ejemplo.

EJEMPLO   Puesto que la lees por segunda vez, comprenderás la novela muy bien.
Leyéndola por segunda vez, comprenderás la novela muy bien.

1. Puesto que no tengo dinero, no puedo ir. _No teniendo dinero_
2. Mientras estaba ante el juez, se puso muy nervioso. _Estando ante el juez_
3. Puesto que no lo tiene, no podrá dártelo. _No teniéndolo_
4. Mientras viajaban en México, encontraron a mi tío. _Viajando_
5. Como no la sabemos, no podemos decirle la fecha. _No sabiéndola_

[2] Las formas progresivas se presentaron en la **Lección 4.**

Notas gramaticales

1 En español, el gerundio se usa frecuentemente en oraciones aclaratorias. El gerundio puede referirse al sujeto o al complemento del verbo o describir la acción del verbo principal.

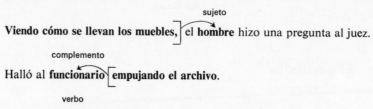

Viendo cómo se llevan los muebles, el **hombre** hizo una pregunta al juez.

sujeto

Halló al **funcionario** empujando el archivo.

complemento

El conserje **sale,** caminando de espaldas.

verbo

2 El gerundio a veces reemplaza a las oraciones adverbiales que comienzan con expresiones como **puesto que, cuando, mientras, como.**

Cuando vio (**Viendo**) cómo se llevaban los muebles, el hombre hizo una pregunta al juez.

When he saw (Seeing) how the furniture was being taken away, the man asked the judge a question.

3 El gerundio, al contrario de la forma -*ing* del inglés, no se puede usar como adjetivo ni como nombre. La traducción de esta forma -*ing* se puede hacer de distintas maneras.

Seeing is believing. **Ver** es **creer.** (infinitivo con función sustantiva)

My favorite sport is swimming. Mi deporte favorito es $\begin{cases} \textbf{nadar.} \text{ (infinitivo con funcion sustantiva)} \\ \textbf{la natación.} \text{ (nombre)} \end{cases}$

It's the crying child. Es el niño **que llora.** (oración adjetiva)

4 A veces, el gerundio tiene un sujeto expreso, el cual sigue al gerundio y puede ser un sustantivo o un pronombre.

Escribiéndolo **nosotros,** el libro será excelente.
Entrando el **hombre** en la sala, empezó a reír.

5 El gerundio compuesto se forma con **habiendo** + el participio pasivo.

Habiéndolo hecho ellos, estará bien hecho.

4 El artículo indefinido

6 ♦ PREGUNTAS Y RESPUESTAS

Conteste a las siguientes preguntas de acuerdo con el apunte.

EJEMPLO   (español)   ¿Cuál es la nacionalidad de él?
          Es español.

(músico)   ¿Cuál es la profesión de su padre?
(católica)   ¿Cuál es la religión de ella?
(americano)   ¿Cuál es la nacionalidad de ese señor?
(abogado)   ¿Cuál es la profesión de Juan?
(protestante)   ¿Cuál es la religión de él?

7 ◆ EJERCICIO DE EXPANSIÓN

EJEMPLO   Es egoísta.   (insoportable)
          Es un egoísta insoportable.

Es autor.   (conocido)
Es soldado.   (valiente)
Es funcionario.   (típico)
Es cura.   (humilde)
Es pesimista.   (antipático)
Es republicano.   (fanático)
Es español.   (famoso)
Es profesor.   (aburrido)

8 ◆ AFIRMATIVO → NEGATIVO

EJEMPLO   Tienen una hermana.
          No tienen hermana.

Tenemos un escritorio.
Había una silla en la escena.
Vi una pluma en la mesa.
Lleva una camisa.
Hay un ruido en la sala.

9 ◆ EJERCICIO DE SUSTITUCIÓN

Escribió otro drama.
_____ cierto _____.
_____ comedia.
_____ otra _____.
_____ poema.
_____ medio _____.
_____ página.
_____ cien _____.
_____ palabras.
_____ mil _____.
_____ cartas.

10 ♦ así → tal

Escuche cada oración y repítala usando **tal** en lugar de **así**.

EJEMPLO   Nunca vi una tempestad así.
Nunca vi tal tempestad.

Una desgracia así es insoportable.
Parece mentira que haya gente así.
Nunca vi un caso así.
Un problema así es increíble.
Parece mentira que tenga una madre así.

11 ♦ EJERCICIO DE EXPANSIÓN

EJEMPLO   Veo a un hombre.   (mujer)
Veo a un hombre y a una mujer.

Tengo un lápiz.   (pluma)
Estudiamos un drama.   (cuento)
Acabo de recibir una tarjeta postal.   (carta)
Tiene un hermano.   (hermana)
Los personajes incluyen a un conserje.   (funcionario)

Notas gramaticales

Los artículos indefinidos (**un, una**) se usan como en inglés excepto:

1 Después del verbo **ser**, el artículo indefinidio se omite casi siempre delante de nombres que expresan nacionalidad, religión, filiación política, profesión, o ciertas características.

Soy abogado.	*I am a lawyer.*
Carlos es comunista.	*Carlos is a Communist.*
Mi madre es optimista.	*My mother is optimistic (an optimist).* (el optimismo es una de sus características)

Se usa el artículo indefinido cuando el predicado nominal está modificado o cuando se le da énfasis a la característica expresada.

Es un abogado famoso.	*He is a famous lawyer.*
¡Mi madre es una optimista!	*My mother is an optimist!* (el optimismo es su característica principal)

2 También se omite frecuentemente delante del complemento directo del verbo de una oración negativa.

El personaje ya no tiene nombre.	*The character no longer has a name.*

3 A veces se incluye para dar énfasis.

No tiene un centavo.	*He doesn't have a cent.*

En español, el artículo indefinido no se usa con **otro, cierto,**[3] **medio, tal, cien, mil** y **qué** con sentido exclamativo.[4] En inglés, el artículo indefinido se usa en estos casos.

otro hijo	*another son*
cierto hombre	*a certain man*
cien días	*a hundred days*
mil dólares	*a thousand dollars*
media libra	*half a pound*
tal hipócrita	*such a hypocrite*
¡Qué hombre!	*What a man!*

4 Igual que ocurre con el artículo definido, el artículo indefinido se repite cuando se usan nombres en una serie.

Comí una manzana y una naranja.   *I ate an apple and orange.*

5   Palabras interrogativas: pronombres y adjetivos

12 ◆ RESPUESTA → PREGUNTA CON **quién** O **quiénes**

Escuche cada oración y haga una pregunta con **quién** o **quiénes** sobre la oración. Si el sujeto no se expresa, la pregunta debe referirse al complemento. Siga los ejemplos.

EJEMPLOS   El hombre lo hizo.
           ¿Quién lo hizo?

           Se quejan de los niños.
           ¿De quiénes se quejan?

El hombre va a morir.
La mujer miente.
Los amigos están en el club.
Besa a su mujer.
Visitan a María.
Escucha a sus padres.
Hablan del hombre.
Piensa en su mujer.
El libro es para Juana.
La flauta es de los niños.
El archivo es del juez.
Los papeles son del juez.

---

[3] A veces se encuentran las expresiones **un cierto, una cierta,** no sólo en la conversación, sino también en obras literarias.

[4] Las oraciones exclamativas se encuentran en la **Lección 10.**

13 ◆ EJERCICIO DE SUSTITUCIÓN

¿Cuántos libros tiene usted?
¿_____ sillas _____?
¿_____ dinero _____?
¿_____ hermanos_____?
¿_____ comida _____?
¿_____ camisas _____?

14 ◆ RESPUESTA → PREGUNTA CON cuál O cuáles

Escuche cada oración y haga una pregunta con **cuál** o **cuáles** sobre la oración. Siga los ejemplos.

EJEMPLOS   Prefiero este libro.
¿Cuál de los libros prefiere usted?

Prefiero estos libros.
¿Cuáles de los libros prefiere usted?

Prefiero esta camisa.   *Cuál de las camisas prefiere Ud*
Compraré estas corbatas.   *Cuál de las corbatas comprará Ud*
Compraré esta bicicleta.   *Cuál de las bicicletas comprará*
Leo este drama.   *Cuál de los dramas lee Ud*
Escribí estos poemas.   *Cuál de los poemas escribió*
Quiero esta silla.   *Cuál de las sillas quiere*

15 ◆ EJERCICIOS DE SUSTITUCIÓN

¿Cuál es el problema?
¿_____ fecha?
¿_____ pregunta?
¿_____ respuesta?
¿_____ dirección?
¿_____ calle?
¿_____ solución?
¿_____ palabra?

¿Cuáles son las fechas?
¿_____ días de la semana?
¿_____ meses de verano?
¿_____ palabras?
¿_____ números?
¿_____ ejercicios?
¿_____ sillas cómodas?

¿Qué es la filosofía?
¿————— química?
¿————— romanticismo?
¿————— religión?
¿————— realismo?
¿————— comunismo?
¿————— un juicio final?
¿————— un ángel?
¿————— un juez?
¿————— un funcionario?

16 ◆ RESPUESTA → PREGUNTA CON qué

Escuche cada oración y haga una pregunta con el adjetivo interrogativo **qué** sobre la oración. Siga el ejemplo.

EJEMPLO   Este libro es bueno.
¿Qué libro es bueno?

Esta silla es cómoda.
Aquellos papeles son importantes.
Ese hombre va a morir.
Esa mujer mintió.
Aquellas personas no son religiosas.
Esos chicos nunca están quietos.

17 ◆ no sé lo que → qué

Haga preguntas según indica el ejemplo.

EJEMPLO   No sé lo que va a hacer.
¿Qué va a hacer?

No sé lo que le sucedió.
No sé lo que hizo con el niño.
No sé lo que les pasa.
No sé lo que compran.
No sé lo que quieren.

18 ◆ EJERCICIO DE SUSTITUCIÓN

¿De qué habla?
¿————— discuten?
¿————— escriben?
¿————— se quejan?
¿————— se trata?

Notas gramaticales

1 **¿Quién?** y **¿quiénes?** son los pronombres interrogativos que se usan para las personas. **¿Quién?** y **¿quiénes?** pueden ser:

    a. sujeto del verbo

        ¿Quién lo besó?   *Who kissed him?*

    b. complemento del verbo precedido por la preposición **a**

        ¿A quién besó?   *Whom did he kiss?*

    c. complemento con preposición

        ¿De quién hablabas?   *Whom were you talking about?*

2 **¿De quién?** se usa en las mismas preguntas que requieren *whose* en inglés. Nótese la diferencia de estructura entre las dos lenguas.

    ¿De quién es el libro?   *Whose book is it?*

3 **¿Cuánto?** (-a)—*how much*—y **¿cuántos?** (-as)—*how many*—concuerdan en género y número con el nombre que modifican.

    ¿Cuántas amigas tiene usted?
    ¿Cuánto tiempo trabajó usted?

4 Los pronombres **¿cuál?** y **¿cuáles?** significan *which, which ones,* y se usan directamente seguidos por el verbo o por una frase prepositiva con **de**.

    ¿Cuáles leíste?   *Which ones did you read?*
    ¿Cuál de los libros te gusta?   *Which of the books do you like?*

5 **¿Cuál?** y **¿cuáles?** también se usan con el verbo **ser** seguido de un nombre, excepto en los casos en que se desee una definición.

    ¿Cuál es el problema?   *What is the problem?*
    pero **¿Qué es la filosofía?**   *What is philosophy?*

Nótese la diferencia de significado entre las dos preguntas siguientes:

    ¿Cuál es su religión?   *What is his religion?* (mencione el nombre de la organización religiosa a que pertenece)
    ¿Qué es su religión?   *What is his religion?* (defina sus creencias)

6 **¿Qué?** se puede usar como un adjetivo interrogativo modificando cosas o personas.[5]

    ¿Qué tren vamos a tomar?
    ¿Qué muchacha está con él?

7 **¿Qué?** se puede usar como pronombre funcionando como:

    a. sujeto   **¿Qué pasa?**
    b. complemento   **¿Qué come usted?**
    c. complemento con preposición   **¿Para qué quieren la inmortalidad?**

---

[5] En algunos lugares de Hispanoamérica se usa **cuál** como adjetivo: **¿Cuál libro leíste?** Es preferible usar **qué**.

6 Pronombres personales: complementos con preposición

19 ◆ PREGUNTAS Y RESPUESTAS

Conteste a la pregunta usando el pronombre que convenga.

I. EJEMPLO   ¿Piensas en tu madre?
             Sí, pienso en ella.

¿Te sientas en la silla?
¿Se ha olvidado el hombre de su madre?
¿Están ellos sentados ante el juez?
¿Es la carta para ti?
¿Trabajas con los niños?
¿Se acuerda usted de nosotros?
¿Tienes algo para mí?
¿Lo compró por ustedes?
¿Huyes del perro?
¿Puedes ir sin mí?

II. EJEMPLO   ¿Vas conmigo?
              Sí, voy contigo.

¿Puedo contar contigo?
¿Habló ella con ustedes?
¿Irás conmigo?
¿Va usted con nosotros?
¿Llevas el libro contigo?

20 ◆ EJERCICIO DE SUSTITUCIÓN

La muchacha siempre habla de sí misma.
__ hombre _____ .
__ mujeres _____ .
María _____ .
__ actores _____ .
__ actrices _____ .
Juan _____ .

21 ◆ EJERCICIO DE REPETICIÓN

Habrá un juicio final. Estoy seguro de ello.
Causó la felicidad de muchas personas. Estoy seguro de ello.

Se sacrificó por sus hijos. Estoy seguro de ello.
Van a condenarlo. Estoy seguro de ello.
El alma es inmortal. Estoy seguro de ello.

22 ◆ EJERCICIO DE SUSTITUCIÓN

Todos lo hacen como yo.
_____ tú.
_____ excepto __.
_____ nosotros.
_____ menos __.
_____ tú.
_____ incluso __.
_____ ellos.
_____ según __.
_____ yo.
_____ como __.

Notas gramaticales

1 Los pronombres personales (**él, ella, usted, nosotros, vosotros, ellos, ellas, ustedes**) que siguen a una preposición son iguales a los pronombres personales que funcionan como sujeto. **Mí** y **ti** son las excepciones. **Él, ella, ellos** y **ellas** se refieren a personas o a cosas.

   Es un regalo para mi **amiga**.   Es un regalo para **ella**.
   Me siento en la **silla**.   Me siento en **ella**.

2 **Sí** es un pronombre reflexivo de tercera persona y se usa cuando el sujeto y el pronombre que sigue a la preposición se refieren a la misma persona o cosa. Muchas veces la expresión **mismo** refuerza al pronombre **sí**; **mismo** concuerda en género y número con el nombre a que se refiere.

   María habla de **ella**.   *Mary talks about her.*
   María habla de **sí misma**.   *Mary talks about herself.*

3 **Ello** es un pronombre neutro usado para referirse a una idea o una oración. Nunca se usa para referirse a un nombre determinado.

   <u>**El hijo agradecerá lo que su padre hace por él.**</u>
   ↑
   Se puede contar con **ello**.

   En la lengua hablada existe la tendencia a sustituir **ello** por otros pronombres neutros o por sustantivos.

   Se puede contar con **eso**.
   El caso fue que vino.

4 **Mí, ti** y **sí** se combinan con la preposición **con** en las formas **conmigo, contigo** y **consigo.**

No voy **contigo.**

5 **Como, entre, excepto, incluso, menos** y **según** requieren los pronombres que se usan como sujetos.

Entre tú y **yo** no hay amistad.
Según tú, todo el mundo es malo.

6 Las formas **mí** y **ti** sólo se usan después de preposiciones; por lo tanto es necesario repetir la preposición cuando hay más de un complemento.

Es un regalo **para** él y **para** mí.

Esta repetición de la preposición no es necesaria con otros pronombres.

Se sacrificó **por** usted y nosotros.

7 *Lo*: artículo y pronombre neutros

23 ◆ cosa → lo

Escuche cada oración y repítala usando **lo** según indica el ejemplo.

EJEMPLO   No es la misma cosa.
No es lo mismo.

Sólo la primera cosa nos interesa.
¿Volvemos a la misma cosa?
Es la cosa nueva ahora.
La cosa sorprendente es que ganó.
La cosa cierta es que me puse triste.

24 ◆ lo + ORACIÓN ADJETIVA → lo + PARTICIPIO PASIVO

Escuche cada oración y repítala usando **lo** + el participio pasivo según indica el ejemplo.

EJEMPLO   Yo le llamo así a pesar de lo que se dijo.
Yo le llamo así a pesar de lo dicho.

Lo que se vio nos impresionó mucho.
Lo que pasó no le interesa.
Nunca halló lo que se perdió.
Me interesa lo que se dijo.
Lo que se dio no me gustó.

25 ◆ EJERCICIO DE SUSTITUCIÓN

¿Sabes lo del médico?
¿——————— exámenes?
¿——————— María?
¿——————— juicio?
¿——————— cena?
¿——————— fiesta?
¿——————— Juan?

26 ◆ PREGUNTAS Y RESPUESTAS

Usando el pronombre neutro **lo**, conteste a las siguientes preguntas según indican los ejemplos.

    I. EJEMPLO   ¿Sabe el juez lo de ayer?
                Sí, lo sabe.

¿Comprende el hombre lo de su nombre?
¿Dijo la mujer que había cometido un asesinato?
¿Te imaginas lo desagradable que es?
¿Pensaban ellos que iban a morir?
¿Me preguntaron ustedes lo del niño?

    II. EJEMPLO   ¿Es de alguna utilidad el juicio?
                Algunas veces lo es.

¿Son desagradables los juicios?
¿Es verdad lo que dice el hombre?
¿Son buenos estos niños?
¿Es difícil el español?
¿Son interesantes sus novelas?

Notas gramaticales

1 El artículo neutro **lo** se usa con un adjetivo o un participio pasivo para expresar un concepto abstracto.

    No se puede hacer lo imposible.   *You can't do the impossible.*
    No se puede cambiar lo hecho.   *You can't change what's done.*

Se puede usar **lo** con **de** + nombre.

    Va a contarnos lo del juez.   *He's going to tell us the thing (business, story)*
                                   about the judge.

2   El pronombre neutro **lo** se usa para referirse a una oración completa, a una
    idea o a un concepto abstracto.

> —Yo no sé **lo que me pasa**.

> —¿Quiere que se [lo] explique?

> Le dice al conserje que **limpie la silla** y el conserje [lo] hace.

3   El pronombre neutro **lo** se usa frecuentemente con verbos como **saber**, **creer**,
    pensar y **decir** para referirse a una oración previa.

> — Ayer vino Juan.
> —**Lo sé.**   *I know. I know it.*
> —¿Cómo lo sabes?
> —**Lo dijo él.**   *He said so.*

4   **Lo** también puede referirse a un adjetivo.

> —¿Es **cierto** lo que usted dice?

> —Puedo jurar que [lo] es.

> **Suyo** no [lo] ha sido nunca.

8   Misleading cognates

Confidencia, confianza, confiado

confidencia: comunicación de un secreto	*confidential remark*

27 ◆ EJERCICIO DE SUSTITUCIÓN

El hombre le hace confidencias al juez.
__ hombres _____.
_____ hicieron _____.
(Nosotros) _____.
_____ haremos _____.
(Tú) _____.

> **confianza**: seguridad   *confidence*

28 ◆ EJERCICIO DE SUSTITUCIÓN

El hombre habla con confianza.
_____ fuma _____.
__ empleados _____.
_____ trabajaron _____.
Inés y yo _____.
_____ contestamos _____.

> **confiado** (adjetivo): cualidad de tener confianza   *confident*

29 ◆ EJERCICIO DE SUSTITUCIÓN

El hombre espera la decisión muy confiado.
__ muchacha _____.
__ mujeres _____.
_____ esperaban _____.
(Yo) _____.

30 ◆ EJERCICIO DE TRADUCCIÓN

I have much confidence in you.   *Tengo mucha confianza en Ud*
I confide in you.   *Confío en ti*
He seems too confident.   *Parece demasiado confiado*

Sano y *cuerdo*

> **sano** (adjetivo): el opuesto de enfermo   *healthy, wholesome, sound*
> **sano y salvo**   *safe and sound*
>
> **cuerdo** (adjetivo): el opuesto de loco   *sane*

31 ◆ PREGUNTAS Y RESPUESTAS

Conteste a las siguientes preguntas según indica el ejemplo.

EJEMPLO   ¿Está loco?
          No está loco sino cuerdo.

¿Están enfermas las niñas?
¿Están ustedes sanos?
¿Estás loco?
¿Está cuerdo el hombre?
¿Está enferma la muchacha?

32 ◆ EJERCICIO DE TRADUCCIÓN

She is sane.   *Ella está cuerda*
She is healthy.   *Ella está sana*
She is insane.   *Ella está loca*

Quitar y la palabra inglesa *"quit"*

---

quitar: sacar, robar, suprimir   *to take away*

---

33 ◆ robar → quitar

Escuche cada oración y repítala usando **quitar** en lugar de **robar**.

EJEMPLO   Le roban a la mujer su dinero.
          Le quitan a la mujer su dinero.

Le roban al hombre su buen nombre.
Le roban al hombre sus obras.
Les roban a los hombres sus obras.
Les roban a los hombres mucho.
Les roban a los hombres todo.

The English word *quit* may be expressed in Spanish in
   several ways.

Dejó de trabajar a las cinco.   *He quit working at five.*
Dejó (Se fue de) la universidad.   *He quit college.*
Dejó (Abandonó) sus estudios.   *He quit his studies.*

---

34 ◆ EJERCICIO DE TRADUCCIÓN

He quit his job.   *El dejó de su trabajo*
They took his job away from him.   *Ellos le quitaron a el su trabajo*

Quieto y la palabra inglesa "quiet"

quieto: tranquilo, sosegado, pacífico, sin movimiento	*peaceful; calm; quiet in the sense that there is no movement, no agitation.*
Todo está tan quieto.	*Everything is so peaceful.*
El niño se está tan quieto.	*The child is so peaceful.*

35 ◆ EJERCICIO SOBRE EL USO DE **estar(se) quieto**

Escuche cada oración y repítala usando **estar quieto** o **estarse quieto** sin cambiar el sentido de la oración original. Use **estar quieto** para las cosas y **estarse quieto** para las personas.

EJEMPLO El niño nunca se mueve.
El niño siempre se está quieto.

Todo está tan tranquilo.
Nos quedamos sin movimiento.
El sonido siempre se mueve.
El hombre está agitado.
Quiero que estés tranquila.
No te muevas.

The English word *quiet*, in the sense of being without sound, may be expressed in Spanish in several ways.	
Es un hombre silencioso.	*He's a quiet man.*
La mujer se queda callada.	*The woman is quiet.*
La flauta no se oye.	*The flute is quiet.*
Cállate.	*Be quiet.*

36 ◆ EJERCICIO ESCRITO

Traduzca:

1. She's a quiet woman who almost never talks.
2. He's a quiet child who almost never moves.
3. Hold still.
4. Be quiet.

Respecto y *respeto*

---

respecto   relación de una cosa a otra

En este respecto es una comedia muy interesante.
(Con) respecto al estilo es una novela excelente.

respeto   veneración, reverencia

Mi nombre siempre fue pronunciado con respeto.
Siente gran respeto por su padre.

---

37 ◆ EJERCICIOS DE SUSTITUCIÓN

Le habla con respeto.
__ hablamos _____.
Los tratamos _____.
__ tratan _____.
La _____.
__ miras _____.
__ miro _____.
Lo _____.

Le hablaron respecto[6] al juicio.
_____ obra.
_____ decisión.
_____ problema.
_____ futuro.
_____ trabajo.

38 ◆ EJERCICIO DE TRADUCCIÓN

I speak to him with respect.
I speak to him with respect to our work.
They treat the judge with respect.
With respect to the judge, he'll be here at ten.

---

[6] También se puede usar **con respecto.**

LECCIÓN 10

1 Oraciones básicas

1 **Nuestro nombre más bien pertenece a los otros, por lo menos más que a nosotros mismos.**

Our names belong to others, at least more than to ourselves.

2 **Es como cuando recordamos a una persona que sin embargo se ha olvidado de nosotros.**

It's like when we remember someone who, nevertheless, has forgotten us.

3 **No hubo más remedio que castigarlo.**

There was nothing to do but punish him.

4 **Qué bonita era la vida, ¿verdad?**

How beautiful life was, wasn't it?

5 **¡Qué sorpresa se va a llevar el doctor!**

What a surprise the doctor's going to have!

6 **Ahora va a ser peor, o mejor; eso depende de usted.**

Now it's going to be worse, or better; that depends on you.

7 **Por lo general el juicio es más agradable de lo que se espera.**

Generally the judgment is more pleasant than one expects.

8 **En ocasiones el sonido parecerá lejísimos, como si ya nunca más fuéramos a oírlo.**

At times the sound will seem very distant, as if we were never going to hear it again.

9 **¿Y qué tiene que ver eso con el alma, entendida realmente?**

And what does that have to do with the soul, understood realistically?

10 **Guarda en una gaveta el informe del niño.**

He puts the report on the child in a drawer.

2 Spanish pronunciation

/f/, /ch/, /h/

For the pronunciation of /f/, the upper teeth touch the lower lip and the airstream passes through. Spanish /f/ is very similar to English /f/ and its pronunciation should cause no difficulty.

1 ◆ PRONUNCIATION EXERCISE

/f/

falso
fácil
forma
fuma
filósofo
científico
manifestar
refiero
confianza

The only difference between Spanish and English /ch/ is that Spanish /ch/ is slightly more lax than English /ch/.

2 ◆ PRONUNCIATION EXERCISE

/ch/

chapa
champaña
cheque
chica
choza
chupar
facha
apache
muchacha

There are variations in the pronunciation of /h/ depending, mainly, on the friction produced by the airstream as it passes between the back of the tongue and the palate. In some parts of Spanish America, Spanish /h/ is very similar to English /h/.

3 ◆ PRONUNCIATION EXERCISE

/h/

juicio
juez
jactarse
general[1]
gerundio
dejar
lejísimos
conserje

3 Posesión: adjetivos pospuestos; pronombres posesivos

4 ◆ de + PRONOMBRE → suyo

Escuche cada oración y repítala usando la forma correcta de **suyo**.

EJEMPLO El libro es de ella.
El libro es suyo.

El botón es de ella.
La chaqueta es de él.
Las sillas son de ustedes.
El cigarrillo es de él.
Los abrigos son de ellos.

5 ◆ EJERCICIO DE SUSTITUCIÓN

El archivo es mío.
__ vestidos _____.
__ cartera _____.
__ ideas _____.
_____ nuestras.
__ abrigos _____.
__ coche _____.
_____ tuyo.
__ culpa _____.
__ chaquetas _____.

_____

[1] g before **e** or **i** is pronounced /h/.

6 ◆ FORMAS ÁTONAS → FORMAS TÓNICAS

Escuche cada oración y repítala usando la forma correcta del adjetivo pospuesto. Siga los ejemplos.

I. EJEMPLO   Es mi primo.
            Es un primo mío.

Es tu idea.
Es su carta.
Es nuestro amigo.
Es mi tía.
Es tu problema.

II. EJEMPLO   Mi chaqueta está sucia.
             La chaqueta mía está sucia.

Mi alma está perdida.
Tu idea es ridícula.
Su suerte es increíble.
Mi vida está acabada.
Sus pecados son serios.

7 ◆ EJERCICIO ESCRITO

Escriba las siguientes oraciones usando la forma correcta del pronombre posesivo para reemplazar la expresión en **negrilla**.

1. Tus zapatos son iguales a **mis zapatos**.
2. El conserje trae mi silla y **tu silla**.
3. Tus amigas y **nuestras amigas** se conocen.
4. Yo fui desde mi hotel y él desde **su hotel**.
5. Su escritorio se parece a **mi escritorio**.
6. Van a ir a tu casa y a **nuestra casa**.
7. Yo siempre traigo mi informe y ellos traen **sus informes**.

Notas gramaticales

1 Los adjetivos posesivos que se colocan después del nombre son **mío, tuyo, suyo, nuestro, (vuestro), suyo**. Estas formas pospuestas concuerdan en género y número con el nombre que modifican.

    el libro **mío**   los libros **míos**
    la cartera **mía**   las carteras **mías**

2 Estas formas pospuestas son las que se usan después del verbo **ser**.

    El libro es **mío**.   La chaqueta es **tuya**.

Para evitar ambigüedad, el adjetivo **suyo** suele reemplazarse por frases prepositivas como **de él, de ella, de usted**, etc.

El bolso es **suyo**. $\longrightarrow$ El bolso es **de ella**.
Los abrigos son **suyos**. $\longrightarrow$ Los abrigos son **de ustedes**.

Nuestro y **vuestro** no presentan ambigüedad y, por lo tanto, las formas **de nosotros** y **de vosotros** se usan con poca frecuencia. **De mí** y **de ti** no se usan en esta clase de estructura.

Los abrigos son **nuestros**.   Los abrigos son **de nosotros**.

3   Para dar énfasis, se usa la forma pospuesta de los adjetivos. El artículo o el adjetivo demostrativo preceden al nombre.

El libro **mío** está en la mesa.   *My* book is on the table.
Ese libro **suyo** es excelente.   *His* book is excellent.

4   En español, el adjetivo pospuesto es semejante a las formas **of mine, of yours**, etc., del inglés. Nótese que, tanto en inglés como en español, estas formas son tónicas, mientras que las que preceden a los nombres son átonas.

Es un amigo **mío**.   He is a friend *of mine*.

5   El pronombre posesivo se forma con el artículo definido y la forma pospuesta del adjetivo posesivo. El pronombre concuerda en género y número con el nombre que reemplaza.

su hotel y **el nuestro**   his hotel and *ours*
sus amigas y **las nuestras**   your friends and *ours*

4   Las formas comparativas y superlativas de adjetivos y adverbios

8 ◆ EJERCICIOS DE SUSTITUCIÓN

Tiene tantos libros como yo.
_____ dinero _____.
_____ trabajo _____.
_____ obras _____.
_____ imaginación __.

El juez es tan alto como el funcionario.
La mujer _____.
_____ buena _____.
Los hombres _____.
_____ grandes _____.

El hijo habla tan rápidamente como su padre.

_____ poco _____.

Las hijas _____.

_____ bien _____.

_____ escriben _____.

Nadie sufre tanto como ese hombre.

_____ se ríe _____.

_____ se sacrifica _____.

_____ se confiesa _____.

_____ se jacta _____.

9 ◆ EJERCICIO DE TRADUCCIÓN

I read as much as he.
I read as many books as he.
I read as well as he.
I am as good as he.

10 ◆ FORMA POSITIVA → FORMA COMPARATIVA

Escuche cada oración y repítala cambiando el adjetivo o el adverbio de la forma positiva a la forma comparativa según indican los ejemplos.

EJEMPLOS   Compro el libro barato.
            Compro el libro más barato.

            Va a ser malo.
            Va a ser peor.

Esta silla está cómoda.
Esta gaveta está llena.
Es un autor importante.
El tic-tac se oye lejos.
Va a ser bueno.
Estas sillas son buenas.
La flauta está cerca.
Las muchachas cantan bien.
El niño toca mal.
Trabaja mucho por su familia.
Da poco a sus hijos.

11 ◆ más → menos

Escuche cada oración y repítala haciendo los cambios que indica el ejemplo.

EJEMPLO Es más alto que yo.
Es menos alto que yo.

Trabaja más que yo.
Voy a quedar más solo que antes.
Su vida es más falsa que la mía.
Este árbol es más grande que aquél.
Los hombres son más fuertes que las mujeres.
Esta obra es más interesante que la otra.

12 ◆ EJERCICIO DE SUSTITUCIÓN

Es la muchacha más bonita de la clase.
_____ alta _____ .
_____ alumno _____ .
_____ pequeño _____ .
_____ alumna _____ .
_____ inteligente _____ .
_____ estudiante _____ .

13 ◆ PREGUNTAS Y RESPUESTAS

Conteste a las siguientes preguntas según indica el ejemplo.

EJEMPLO (Roberto) ¿Quién canta bien?
Roberto canta lo mejor posible.

(María) ¿Quién estudia poco?
(el hombre) ¿Quién sufre mucho?
(el juez) ¿Quién espera tranquilamente?
(Pablo) ¿Quién escribe correctamente?
(aquel muchacho) ¿Quién habla mal?

14 ◆ EJERCICIO DE SUSTITUCIÓN

Hay más de tres actores en la escena.
_____ comedia.
_____ diez _____ .
_____ personajes _____ .
_____ treinta _____ .
_____ novela.
_____ capítulos _____ .

15 ◆ sólo → no ... más que

Escuche cada oración y repítala añadiendo **no...más que** según indica el ejemplo.

Vendrán sólo veinte personas.
No vendrán más que veinte personas.

Ganó sólo mil dólares.
El juicio duró sólo una hora.
El dramaturgo escribió sólo treinta comedias.
Tengo sólo diez primos.
Hay sólo cinco mil estudiantes en la universidad.

16 ◆ como máximo → no ... más de

Escuche cada oración y repítala usando **no...más de** en lugar de **como máximo.**

EJEMPLO **Pagará cien dólares como máximo.**
No pagará más de cien dólares.

Lo esperaré veinte minutos como máximo.
Trabajaremos ocho horas como máximo.
Se quedan tres días como máximo.
La comedia durará dos horas como máximo.
Aceptan a dos mil estudiantes como máximo.

17 ◆ EJERCICIOS DE SUSTITUCIÓN

Tiene más hijos que yo.
_____ orgullo _____ .
_____ sillas _____ .
_____ confianza _____ .
_____ cigarrillos ____ .

Tiene más libros de los que necesita.
_____ obras _____ .
_____ dinero _____ .
_____ documentos _____ .
_____ tiempo _____ .
_____ maletas _____ .
_____ imaginación _____ .

18 ◆ PREGUNTAS Y RESPUESTAS

Conteste a las preguntas según indican los ejemplos.

EJEMPLOS ¿Es rico el hombre?
El hombre es más rico de lo que usted se imagina.

¿Termina pronto la comedia?
La comedia termina más pronto de lo que usted se imagina.

¿Es difícil la muerte?
¿Es agradable el juicio?
¿Es importante la poesía?
¿Es mala la soledad?
¿Pasa rápidamente el tiempo?
¿Vale poco la reputación?
¿Dura mucho el castigo?

19 ◆ EJERCICIO DE TRADUCCIÓN

I have more than ten books.
I have no more than ten books.
I have only ten books.
I have more books than you.
I have more books than I want.
The books are better than you think.

Notas gramaticales

1 **Tanto (-a, -os, -as)...como** se usa con los nombres en las oraciones comparativas de igualdad.

    Gano tanto dinero como él.   *I earn as much money as he.*
    Lee tantos libros como yo.   *He reads as many books as I.*

2 **Tan...como** se usa con los adjetivos y adverbios.

    María es **tan bella como** su hermana. (adjetivo)
    José juega **tan bien como** Felipe. (adverbio)

3 **Tanto**, con función adverbial, modifica al verbo. Su equivalente en inglés es *as much, so much.*

    Estudio tanto como mi amiga.

4 El grado comparativo regular de los adjetivos y adverbios se forma con **más** para el comparativo de superioridad y **menos** para el de inferioridad.

    Es más importante que yo.   *He is more important than I.*
    Es menos importante que yo.   *He is less important than I.*
    Habla más rápidamente que yo.   *He speaks more rapidly than I.*
    Habla menos rápidamente que yo.   *He speaks less rapidly than I.*

5 Los comparativos irregulares son:

adjetivos		
bueno	mejor	
malo	peor	
grande	mayor	(meaning older or more important)
pequeño	menor	(meaning younger or less important)

adverbios

mucho	más
poco	menos
bien	mejor
mal	peor

6 El grado superlativo de los adjetivos y adverbios es igual al comparativo de superioridad. El artículo definido precede al superlativo de los adjetivos.

El autor más famoso es Cervantes. *The most famous author is Cervantes.*
La mejor alumna es Julia. *The best student is Julia.*

Puesto que los grados comparativo y superlativo del adverbio son idénticos, se usa frecuentemente el siguiente patrón:

lo	grado comparativo del adverbio	expresión de posibilidad

Roberto juega lo mejor posible. *Robert plays as well as possible.*
Roberto jugó lo mejor que pudo. *Robert played as well as he could.*

7 Después del superlativo se usa la preposición **de**.

Es la ciudad más grande **del** mundo. It is the largest city *in* the world.

8 Cuando un número sigue a **más** o **menos**, se usa **de** en oraciones afirmativas.

Tengo **menos de** cincuenta dólares. *I have less than fifty dollars.*

En oraciones negativas se usa **no...más que** en el sentido de *only* y **no...más de** en el sentido de *no more than.*

No tengo **más que** cincuenta dólares. I have *only* fifty dollars.
No tengo **más de** cincuenta dólares. I have *no more than* fifty dollars.

9 Si hay dos oraciones en una comparación, éstas se unen con:

a. **del que, de la que, de los que** o **de las que** cuando se trata de un nombre.

Me dio más regalos **de los que** me prometió. *He gave me more presents than he promised me.*
Gasta más dinero **del que** gana. *He spends more money than he earns.*

b. **de lo que** cuando se trata de un adjetivo o adverbio.

El juez es más simpático **de lo que** se espera. *The judge is nicer than expected.*

La casa estaba más lejos **de lo que** creíamos. *The house was farther than we believed.*

5 Superlativo absoluto de adjetivos y adverbios

20 ◆ muy, sumamente, extremadamente → -ísimo

Cambie las siguientes oraciones según indican los ejemplos.

EJEMPLOS La lección es muy fácil.
La lección es facilísima.

Roberto es extremadamente tonto.
Roberto es tontísimo.

Tuvo un trance muy difícil.
Era un padre muy amante.
El sonido está muy lejos.
El plato está extremadamente caliente.
La mujer es sumamente fea.
Son unas palabras sumamente importantes.
Los dos están muy seguros.
La escena es extremadamente grande.
El hombre es extremadamente noble.
La señora es muy amable.

Notas gramaticales

1 El superlativo absoluto del adjetivo se forma con **-ísimo** (**-a, -os, -as**). Los adjetivos terminados en una consonante añaden **-ísimo** directamente. Si la consonante final es una **z**, ésta cambia en **c**.

fácil   facilísimo
feliz   felicísimo

Los adjetivos terminados en una vocal o un diptongo pierden la vocal o el diptongo antes de añadir **-ísimo**.

interesante   interesantísimo
bueno   buenísimo
feo   feísimo
sucio   sucísimo

2 Algunas veces es necesario un cambio ortográfico para mantener el sonido del adjetivo.

rico   riquísimo
largo   larguísimo

3 La mayor parte de los adjetivos terminados en **ble** tienen el cambio **ble → bil**.

agradable   agradabilísimo

4 En lugar del superlativo absoluto se usan frecuentemente los adverbios **muy,** **sumamente** o **extremadamente** delante del adjetivo o del adverbio.

> **Estoy cansadísimo.**   Estoy **muy** cansado.
> Estoy **sumamente** cansado.
> Estoy **extremadamente** cansado.

5 El superlativo absoluto del adverbio simple se forma como el del adjetivo.[2]
> mucho   much**í**simo

6 Duplicación: complementos directos e indirectos

21 ◆ EJERCICIO DE SUSTITUCIÓN

Lo abandona a usted.
_____ a ella.
_____ a usted.
_____ a ellas.
_____ a ustedes.
_____ a ellos.
_____ a ustedes.
_____ a él.

22 ◆ DUPLICACIÓN DEL COMPLEMENTO INDIRECTO

> Añada a cada oración la preposición **a** y el pronombre correspondiente.

> EJEMPLO Perdóneme usted.
> **Perdóneme usted a mí.**

Me dio el informe.
¿Me lo pregunta usted?
Nos quiso besar.
Te trajo la carta.
Él te abandona.

---

[2] **Cerca** mantiene la terminación **a**: **cerquísima**. La forma correcta de **lejos** es **lejísimos**. Los otros adverbios añaden **mente** a la forma femenina del superlativo absoluto del adjetivo, pero esta forma se usa raras veces: **lentísimamente, dificilísimamente.**

23 ◆ EJERCICIOS DE SUSTITUCIÓN

¿Le mandaron a usted la carta?
¿_____ a ti _____?
¿_____ a ella _____?
¿_____ a nosotros ____?
¿_____ a ustedes _____?
¿_____ a ellos _____?

Me encontré a mí mismo.
(Nosotros) _____.
(Ellas) _____.
(Tú) _____.
(Ella) _____.
(Ustedes) _____.
(Él) _____.
(Yo) _____.

24 ◆ DUPLICACIÓN DEL COMPLEMENTO INDIRECTO

Añada a cada oración el pronombre correspondiente para repetir el complemento indirecto.

EJEMPLO   Manda un informe al funcionario.
Le manda un informe al funcionario.

Dio una buena educación a sus hijos.
Compra joyas a su amante.
Trato de hacer justicia al hombre.
Robaron el dinero a la mujer.
Pidió el archivo a los funcionarios.
Entrega unos papeles al juez.

25 ◆ DUPLICACIÓN DEL COMPLEMENTO DIRECTO

Escuche cada oración y repítala poniendo el complemento directo delante del verbo y añadiendo el pronombre correspondiente.

EJEMPLO   Toca la flauta muy bien.
La flauta la toca muy bien.

Mandé los libros ayer.
Dice todo con confianza.
Vio a las muchachas.
Siempre dicen esto.
Mi hermano escribió la carta.
Llevan entrambos el escritorio.
Educó a sus hijos en el extranjero.

1 Se añade frecuentemente la preposición **a** y un pronombre con el fin de aclarar o dar énfasis a los pronombres reflexivos y a los que son complemento del verbo.

> Claridad: **Lo** veo **a usted**.
> **Lo** veo **a él**.
> Énfasis: **Me** lo mandan **a mí**.
> **Se** siente **a sí mismo**.

2 En español, generalmente se usa una forma redundante con el complemento indirecto al añadir el pronombre correspondiente. En inglés nunca se añade un pronombre.

> **Les** dio una buena educación **a sus hijos**.
> **Enséñale** los papeles **al profesor**.

3 Cuando el complemento directo es un nombre y se coloca delante del verbo, es necesario duplicar ese complemento con el pronombre correspondiente. En inglés sólo se necesita una pausa al pronunciar la oración.

> **El informe lo leí ayer.**   *The report I read yesterday.*
> **Eso lo sabe todo el mundo.**   *That everyone knows.*

7 Exclamaciones

26 ◆ EJERCICIO DE SUSTITUCIÓN

¡Qué lástima!
¡___ hombre!
¡___ cosa!
¡___ suerte!
¡___ desgracia!
¡___ película!
¡___ comedia!
¡___ problema!
¡___ tragedia!
¡___ calor!

27 ◆ qué → qué ... más

Cambie las siguientes oraciones según indica el ejemplo.

EJEMPLO   ¡Qué buen libro!
            ¡Qué libro más bueno!

¡Qué lindo escritorio!
¡Qué tristes sonidos!
¡Qué mal hijo!
¡Qué simpática mujer!
¡Qué arrogante hombre!

28 ◆ qué → qué ... tan

Cambie las siguientes oraciones según indica el ejemplo.

EJEMPLO   ¡Qué inmenso reloj!
          ¡Qué reloj tan inmenso!

¡Qué cómoda silla!
¡Qué terribles dolores!
¡Qué sonoro nombre!
¡Qué puro amor!
¡Qué aburrida vida!

29 ◆ AFIRMATIVA → EXCLAMATIVA CON qué

Cambie las siguientes oraciones a la forma exclamativa.

EJEMPLO   La noche era fresca.
          ¡Qué fresca era la noche!

La vida era bonita.
Mi voz suena rara.
Hace calor.
Los sonidos se alejan rápidamente.
La escena es desolada.
Tiene fiebre.
El hombre llega pronto.

30 ◆ AFIRMATIVA → EXCLAMATIVA CON cómo

Cambie las siguientes oraciones según indica el ejemplo.

EJEMPLO   El hombre sufre mucho.
          ¡Cómo sufre el hombre!

El reloj suena mucho.
Me duele mucho la espalda.
El niño lloraba sin cesar.
Ese escritorio pesa demasiado.
Su padre se jacta todo el tiempo.

1 ¡**Qué**! puede usarse delante de nombres, adjetivos o adverbios.

    ¡**Qué juez!**   *What a judge!*
    ¡**Qué inteligente!**   *How intelligent!*
    ¡**Qué bien habla!**   *How well he speaks!*

2 Al contrario del inglés, no se usa el artículo delante del nombre en una exclamación.

    ¡**Qué hombre!**   What *a* man!

3 Un adjetivo puede preceder al nombre que modifica.

    ¡**Qué bonita muchacha!**   *What a pretty girl!*

4 Frecuentemente, el adjetivo sigue al nombre para dar más énfasis; en este caso **más** o **tan** se colocan entre el nombre y el adjetivo.

    ¡**Qué muchacha más (tan) bonita!**

5 Si la exclamación es una oración, el patrón que se usa es éste:

Qué	nombre, adjetivo o adverbio	verbo	sujeto

    ¡Qué **arrogancia** tiene ese hombre!   (nombre)
    ¡Qué **bonita** es la muchacha!   (adjetivo)
    ¡Qué **bien** toca el muchacho!   (adverbio)

6 ¡**Cómo**! se usa delante de verbos y el patrón es el siguiente:

Cómo	verbo	sujeto

    ¡**Cómo trabaja ese hombre!**

8 Problemas de vocabulario

Recordar, acordarse de

recordar, acordarse de   *to remember*
Recordar y **acordarse de** son sinónimos pero hay que fijarse en la diferencia de estructura.

31 ◆ recordar → acordarse de

Escuche cada oración y repítala usando **acordarse de** en lugar de **recordar**.

EJEMPLO   Recuerdo a la mujer.
             Me acuerdo de la mujer.

Recuerdo el caso de una señora.
Recordamos a esa persona.
¿No recuerda usted tal momento?
Recordaban al funcionario.
¿Recuerdas a los amigos del casino?

Olvidar, olvidarse de, olvidársele a uno

> **olvidar, olvidarse de**   *to forget*
>
> **Olvidar** y **olvidarse de** son sinónimos.

32 ◆ olvidarse de → olvidar

Escuche cada oración y repítala usando **olvidar** en lugar de **olvidarse de**.

EJEMPLO   El hombre se ha olvidado de nosotros.
             El hombre nos ha olvidado.

¿Se olvidan los hombres de los negocios?
Olvídese de eso.
Me he olvidado de su nombre.
¿Te olvidaste de su tía?
El hombre no se olvidaba de ellos.

> **olvidársele a uno** se usa mucho en vez de **olvidar** u **olvidarse**, sobre todo para mostrar su aspecto involuntario.

33 ◆ olvidarse → olvidársele

Escuche cada oración y repítala usando **olvidársele** en lugar de **olvidarse**.

EJEMPLOS   Me olvidé de su nombre.
              Se me olvidó su nombre.

              Me olvidé de los nombres.
              Se me olvidaron los nombres.

Se olvidó de los papeles.
Se olvida de la flauta.
Me olvidé de los libros.
Nos olvidábamos de dar las gracias.
Te olvidas de esos casos.

Calidad, cualidad

calidad	conjunto de cualidades de una persona o cosa; importancia; superioridad o excelencia de algo
cualidad	característica, atributo

34 ♦ EJERCICIO ESCRITO

Escriba las siguientes oraciones usando **calidad** o **cualidad,** según convenga.

1. No se puede dudar de la _____ moral de las obras del hombre.
2. Este vestido es de la mejor _____ .
3. Este hombre tiene muchas _____ excelentes.
4. La hipocresía es su peor _____ .
5. Es una persona de _____ .
6. El hombre tiene confianza a causa de la _____ de su vida.

Expresiones idiomáticas con el verbo *tener*

35 ♦ PREGUNTAS Y RESPUESTAS

Conteste a las siguientes preguntas usando la expresión indicada.

EJEMPLO (tener razón) ¿Juan está equivocado?
No, Juan tiene razón.

(tener sed) ¿Alicia tiene hambre?
(tener sueño) ¿Vas a salir ahora?
(tener calor) ¿Tienen ustedes frío?
(tener veinte años) ¿Tiene usted diecinueve años?

36 ♦ EJERCICIO DE TRADUCCIÓN

Be careful, children.
Be very careful, children.

I am sleepy.
I am very sleepy.
They are hungry.
They are very hungry.
We are lucky.
We are very lucky.
She is to blame.
He is fifteen years old.
This has to do with the judgment.
I am afraid of dogs.
They are ashamed.
She is always right.

Notas gramaticales

1 Entre las expresiones idiomáticas con el verbo **tener** que corresponden a expresiones inglesas con el verbo *to be* se encuentran:

tener _____ años	*to be _____ years old*
tener calor[3]	*to be hot*
tener cuidado	*to be careful*
tener frío	*to be cold*
tener hambre	*to be hungry*
tener la culpa	*to be to blame*
tener miedo	*to be afraid*
tener prisa	*to be in a hurry*
tener razón	*to be right*
tener sed	*to be thirsty*
tener sueño	*to be sleepy*
tener suerte	*to be lucky*
tener vergüenza	*to be ashamed*

2 En español, estas expresiones usan el verbo **tener** + nombre, mientras que en inglés se usa el verbo *to be* + adjetivo.

tener + nombre
Tengo hambre.

to be + adjetivo
I am hungry.

---

[3] **Tener calor** y **tener frío** se presentaron en la **Lección 8**.

Cuando se modifican estas expresiones, en español se usa un adjetivo y en inglés se usa un adverbio.

tener + adjetivo + nombre	to be + adverbio + adjetivo
Tengo mucha hambre.	*I am very hungry.*

3 Otras expresiones idiomáticas con el verbo **tener** son:

tener que ver con	*to have something to do with*
tener lugar	*to take place*

9 Problemas de ortografía

Responsable, responsabilidad

> Un cuerpo del que usted no es responsable...
> Nunca falté a ninguna de mis responsabilidades.

Las consonantes dobles

En inglés existen diferentes posibilidades de consonantes dobles, mientras que en español sólo hay cuatro: **cc, ll, nn** y **rr**. La **ll** es una de las letras del alfabeto y su sonido /y/ se distingue fácilmente del de la l /l/. Otro tanto sucede con el sonido de la **r** /r/ y el de la **rr** /R/ aunque, como se mencionó en la **Lección 7**, la letra **r** tiene el sonido /R/ al comienzo de palabra y después de la l, n y s. Las letras **cc** sólo ocurren delante de la **e** y de la **i** y tienen el sonido /ks/. Las letras **nn** ocurren con poca frecuencia en palabras como **innecesario, ennoblecer** y **dígannos**, donde se pronuncian las dos letras.

Debe prestarse especial atención a aquellas palabras que se parecen mucho en las dos lenguas, pero que tienen consonantes dobles en inglés y sólo una consonante en español.

posible	ilusión
necesario	tenis
clase	aceptar
ocurrir	acento

La consonante doble inglesa **mm** corresponde a **nm** en español.

> Los dos están in**m**óviles.
> Contempla la in**m**ensidad vacía.
> Suena el tic-tac de un reloj in**m**enso.

37 ◆ EJERCICIO ESCRITO

Traduzca:

1. The man is immoral.
2. It's a possibility.
3. He left immediately.
4. There are excellent illustrations.
5. One must accept responsibility.
6. The professor entered the classroom.
7. We are responsible.

Adjetivos terminados en *-ico* y *-no*

> En general, los adjetivos terminados en *-ical* y *-nal* en inglés
> corresponden respectivamente a los adjetivos terminados en **-ico**
> y **-no** en español.
>
> la vida eter**na**   eter*nal* life
> una situación crí**tica**   a crit*ical* situation

38 ◆ EJERCICIO DE SUSTITUCIÓN

El dolor físico va a desaparecer.
_____ interno _____.
_ dolores _____.
_____ externos _____.
_ señales _____.
_____ físicas _____.

39 ◆ EJERCICIO DE TRADUCCIÓN

It's a satirical book.
It's a critical judgment.
His fame will be eternal.
He teaches physical education.

LECTURA II

JUICIO FINAL

PIEZA EN UN ACTO

A don Antonio Buero Vallejo

José de Jesús Martínez nació en Managua, Nicaragua en 1929, pero desde muy joven ha vivido en Panamá. Martínez ha seguido cursos en diferentes universidades de este continente y de Europa. En la actualidad es profesor de Filosofía y Lógica en la Universidad de Panamá. Martínez ha escrito obras de teatro y poesías. Entre sus libros de poemas se encuentran: *Tres lecciones en verso* y *Poemas a ella*.

PERSONAJES

FUNCIONARIO

CONSERJE

JUEZ

HOMBRE

ACTO ÚNICO

Nada de escenografía. Ni siquiera cortinas. El puro hueco[1] negro al que no se le ve fin. La escena es desmesuradamente[2] grande, desolada. Los actores, sin embargo, ocuparán sólo una mínima parte de ella. Suena el tic-tac de un reloj inmenso pero

---

[1] **hueco** hole   [2] **desmesuradamente** excesivamente

invisible. Ha de ser un sonido seco, quizá más bien como el de un tam-tam, y exagerado para que, en el momento debido, pueda hacer bien evidente la entrada del personaje más importante, decisivo y final: el silencio.

Entran dos hombres por la izquierda, funcionarios típicos, llevando entrambos un escritorio pesado que colocan en medio de la escena. Uno de estos hombres, el FUNCIONARIO, *es más bien alto, pero sin llegar a dar la impresión de arrogancia. Todo lo dice y hace con la seguridad de una experiencia larga. En ambos es bien notoria la falta de malicia. Corre a cargo del actor ponerla de manifiesto en pequeños gestos y movimientos. No importa marcar esto hasta llevar la interpretación del personaje fuera de los límites de la realidad. De la realidad que conocemos, naturalmente.*

I

CONSERJE. ¡Uf, cómo pesa esto!

FUNCIONARIO. No lo inclines tanto, que se caen los papeles.

CONSERJE. ¿Lo dejamos aquí?

FUNCIONARIO. Sí, da lo mismo. Despacio.

CONSERJE. ¿Por qué no se lo deja permanentemente aquí y se evita así el estar trayéndolo y llevándolo?

FUNCIONARIO (*No es una pregunta*). ¿Dónde crees tú que estamos ahora mismo?

CONSERJE. No sé. A mí es la primera vez que se me pide hacer esto.

FUNCIONARIO. ¿No oyes ese ruido? (*El tic-tac.*)

CONSERJE. Sí. ¿Qué es?

FUNCIONARIO. Ven, quiero mostrarte algo. (*Lo lleva hacia la derecha y le hace mirar por entre bastidores[1].*) ¿Ves? (*Miran hacia abajo.*)

CONSERJE (*Manifestando mucha piedad y aflicción en el rostro*). ¡Se va a morir!

FUNCIONARIO. Sí.

CONSERJE. ¿Es él quien va a venir?

FUNCIONARIO. Sí. Démonos prisa. Ya no debe tardar. (*Van otra vez al centro.*)

CONSERJE. ¡Qué calor hace!

FUNCIONARIO. Tiene mucha fiebre, parece. Ve a traer las sillas. Yo traeré el archivo.

CONSERJE. No. Déjame a mí traer el archivo.

FUNCIONARIO. Bueno, lo traeremos entre los dos, pero traigamos antes las sillas.

(*Mutis de ambos por la izquierda.*)

---

[1] **bastidores** lienzos de los lados del escenario

Se oye la flauta por primera vez. Es un sonido sinuoso y largo, triste y cruel. Como canción que busca pastor[2] perdido, como un recuerdo en retirada o el alma en pena de un rondador[3] ecuatoriano. Algunas veces, como esta primera, saldrá desde detrás del público. Otras, desde los lados o desde el hueco profundo. Cada vez desde un sitio diferente. En ocasiones parecerá muy cerca, dando la impresión de que de un instante a otro va a aparecer en escena. Y en ocasiones parecerá lejísimos, como si ya nunca más fuéramos a oírlo. Es, en todo momento, un sonido que pasa. Nunca está quieto. Su movimiento debe ser claramente perceptible. El sonido se ha marchado ya cuando entra el Funcionario. Viene trayendo tres sillas. Las coloca junto al escritorio. Entra el CONSERJE *empujando[4], trayendo como mejor pueda, un archivo pesado.*

FUNCIONARIO (*Va a ayudarle*). Te dije que no lo trajeras solo. A ver.

CONSERJE. Si no pesa tanto.

FUNCIONARIO. Por acá. (*Lo guía.*) Aquí.

CONSERJE. Yo no sé por qué hay que traer esto si, como dices tú, no se le ocupa casi nunca.

FUNCIONARIO. Precaución. Ha habido casos, personas que protestan y a las que hay que probarles que mienten. Yo recuerdo el caso de una señora. Insistía en que era mala. Decía que había cometido no sé qué asesinato. ¡Lo decía con un candor!... Hasta que se le dieron toda clase de pruebas de que estaba mintiendo, de que era buena. Entonces confesó que mentía porque quería que se la condenara. Quería estar con su hijo. Ella sabía que él se iba a condenar. Quería esperarlo. Pero se le aseguró que estaría con él, y se puso feliz. A mí me quiso besar. Y a él (*gesto al escritorio*) ni digamos.

CONSERJE. Lo que puede el amor de una madre, salvar al hijo.

FUNCIONARIO. No. A él no hubo más remedio que condenarlo. Era un malvado[5] de... Parece mentira que haya tenido una madre así.

CONSERJE. ¿Y la señora?

FUNCIONARIO. La señora es feliz. Ella está con su hijo. Tal y como[6] ella lo ve.

CONSERJE. ¿Condenaron también a la señora?

FUNCIONARIO. No. Al hijo solamente. Pero ella está con él, aunque no esté él con ella. Como cuando recordamos a una persona que sin embargo se ha olvidado de nosotros.

CONSERJE. Raro, ¿verdad?

FUNCIONARIO. Al contrario, es bien sencillo.

CONSERJE. Sí, es lo que quise decir.

---

[2] **pastor** shepherd   [3] **rondador** tipo de flauta formado por varias cañas de distinta longitud
[4] **empujando** pushing   [5] **malvado** hombre malo   [6] **Tal y como** the way

FUNCIONARIO. Ojalá fuese siempre así, como con esa señora. Otras veces es tan desagradable. Él (*gesto al escritorio*) sufre. Mucho.

CONSERJE. Me lo imagino.

FUNCIONARIO. (*El tic-tac se irregulariza un poco, pero recupera su ritmo normal. Va al extremo derecho a asomarse.*) Ya esto no puede tardar. Voy a ir a avisarle.

CONSERJE. ¿Vuelves?

FUNCIONARIO. No. A menos que me mande llamar. (*Nota la preocupación del* CONSERJE.) No te pongas nervioso.

CONSERJE. Es la primera vez que se me llama para esto.

FUNCIONARIO. Ya te acostumbrarás. (*Mutis por la izquierda.*)

> *Después de una pequeña pausa, entra, por la izquierda también, naturalmente, el* JUEZ. *Es un jefe, pulcramente vestido y peinado[7], con la sonrisa fácil y las maneras suaves y elegantes.*

JUEZ. Bien. Veamos. Limpia bien esa silla. (*La que está frente al escritorio y que ha de ocupar el* HOMBRE.)

CONSERJE. Sí, señor. (*Lo hace.*)

JUEZ. ¿Está cómoda? (*Se sienta en ella y la prueba. La encuentra satisfactoriamente cómoda.*) Tú siéntate allí, a mi lado.

CONSERJE. Sí, señor. (*Lo hace.*)

JUEZ (*Se levanta y toma asiento detrás del escritorio*). Bueno. Esperemos.

> *El tic-tac se hace más patente[8]. Crece. Se desordena. De pronto, calla. Un pequeño gesto del* JUEZ. *Los dos están inmóviles. Por la derecha entra un* HOMBRE. *Cincuentón[9]. Burgués[10] típico. Al ver al* JUEZ *y al* CONSERJE *que lo esperan, se sobresalta.*

HOMBRE. ¿ ? (*Quiere regresarse, pero hay una fuerza invisible que se lo impide.*)

JUEZ (*Sonriente, amable*). Pase, pase usted, por favor. Lo esperábamos.

HOMBRE. Luego... (*Suelta la carcajada.*) ¡Ja, ja, ja! ¡Era verdad! ¡Ja, ja, ja! ¡Era verdad!

JUEZ. Pase usted, por favor. Siéntese. Estará cansado.

HOMBRE (*Pasa y se sienta frente al escritorio*). Vea usted, me rió porque... Yo, siempre sospeché que había algo después de la muerte. Más que sospecharlo lo sabía, casi con seguridad.

JUEZ. Gracias.

---

[7] **peinado** groomed   [8] **patente** claro   [9] **Cincuentón** de unos cincuenta años   [10] **Burgués** hombre de la clase media

HOMBRE. Lo discutí muchas veces en el Casino[11], con los amigos, usted sabe... Especialmente con el doctor. (*Vuelve la vista hacia la derecha, el otro mundo, en el que acaba de dejar al doctor.*) Es un amigo que tengo, muy dado de científico.

JUEZ. Sí. (*Ya lo conoce.*)

HOMBRE. Él decía que no. Que eran patrañas[12] de los curas, decía.

El CONSERJE *ríe, pero se borra[13] rápidamente la risa.*

HOMBRE (*Serio, con esa solemne seriedad de los hombres de negocios*). En cambio yo, puede usted creérmelo, no lo dudé ni un solo instante. Bueno, quizás alguna vez, llevado por el pesimismo, pero, en fin, cosa momentánea, como usted comprenderá.

JUEZ. Sí. Es natural.

HOMBRE. Exactamente eso, natural. Aparte de esos momentos "naturales", como le digo, no dudé nunca de que había otra vida después de la terrena[14] y de que en ella se nos someterá a juicio... Porque supongo que esto es un...

JUEZ. No se le puede llamar juicio propiamente. Además de que es una palabra fea, aquí no se condena o salva a nadie... que no venga ya condenado o salvado.

HOMBRE. Por supuesto. Yo quería decirle señor..., señor Juez... Usted permitirá que yo le llame así, a pesar de lo dicho.

JUEZ. Sí, cómo no.

HOMBRE. Yo sabía, repito, que después de muertos somos..., nos enfrentamos, mejor dicho, con..., con nuestra propia vida; eso es, con nuestra propia vida. Y he obrado en consecuencia, velando por[15] mis obligaciones para con mi prójimo[16], mi familia y mi religión. (*Se exalta hipócritamente.*) Mi religión católica, única verdadera, que he defendido ante tanto ateo y hereje que hay en el mundo.

JUEZ (*Sonríe y deniega con la cabeza, pero dice*). Gracias.

HOMBRE. Como el doctor, o el protestante ese que también va al Casino. ¡Ja, ja, ja! ¡Qué sorpresa se va a llevar el doctor! ¡Me imagino la cara que pondrá! ¡Ja, ja!... (*Un dolor repentino en la espalda, despertado por los movimientos convulsos de la risa, se la cortan en seco.*) Todavía me duele la espalda. Con todo, es menos que hace un rato.

JUEZ. Despreocúpese, dentro de pocos instantes desaparecerá todo dolor físico.

HOMBRE. Sí, sí. Siento cómo se va yendo, como si se me estuviera despegando[17] de los huesos[18].

---

[11] **Casino** club   [12] **patrañas** mentiras   [13] **se borra** desaparece   [14] **terrena** de la tierra   [15] **velando por** cuidando de   [16] **prójimo** fellow man   [17] **despegando** separando   [18] **huesos** bones

JUEZ. Por supuesto, no es el dolor lo que se le está despegando de los huesos, es usted mismo. Pero, para el caso, da igual. Todo malestar[19] físico desaparecerá en breves instantes.

HOMBRE (*Mirando hacia la derecha*). Aquello fue terrible. Era un dolor terrible.

JUEZ. Siento mucho que haya tenido un trance[20] tan difícil. Pero quizás le haya sido de alguna utilidad. Algunas veces lo es.

HOMBRE. Debo decirle, sin embargo, que el haber sufrido el trance, como dice usted, en el seno[21] de la religión católica, y confortado por todos los sacramentos ¡y por la bendición papal! (*suena a falso; el* JUEZ *sonríe*) hizo que todo fuera plácido y tranquilo. Claro que en momentos, los últimos sobre todo, el dolor y la asfixia lograron que perdiera el control de mi serenidad y que...

JUEZ. Es natural.

HOMBRE. Natural, eso es. (*Para sí mismo.*) Cuando venga el doctor... ¡Ja, ja! ¿Ve usted? Ya no me duele absolutamente nada. Me siento como ligero, como aligerándome[22]. (*Con la confianza del hombre de mundo.*) Pues bien, señor Juez, estoy dispuesto. La calidad de mi vida me hace poder esperar confiado. Podemos empezar cuando usted guste.

JUEZ. Es cosa rápida. Y por lo general más agradable de lo que se espera. (*Pausa.*)

HOMBRE (*En vista de que el* JUEZ *no hace nada para empezar*). Podemos empezar cuando usted guste.

JUEZ. No, no. Es al revés. Al contrario. Es usted quien debe exponer lo que es, para entonces nosotros darle el puesto que le corresponde, y que no dudo será uno privilegiado.

HOMBRE. Entendido. Para empezar, debo decirle que me llamo...

JUEZ. Perdone que le interrumpa. Quizás le resulte un poco violento, pero, usted... ya no tiene nombre.

HOMBRE. ¿Cómo?

JUEZ. Es violento, lo reconozco. Pero repare usted en que el nombre es sólo un sonido, o un garabato[23] escrito, mediante el cual la gente nos llama. ¿No es cierto? Pues bien, la gente no existe ya para usted. En realidad es usted quien no existe para la gente, pero, en fin, para el caso es lo mismo. Su nombre no funciona ya, por así decirlo, y ha dejado, por tanto, de serlo.

HOMBRE. Mi nombre, mi nombre propio, mío.

JUEZ. Ha dejado usted de tenerlo. Eso es todo. En rigor, suyo no lo ha sido nunca. Nuestro nombre más bien pertenece a los otros, por lo menos más que a nosotros mismos. Desde luego son los otros los que más lo usan, salvo

---

[19] **malestar** indisposición   [20] **trance** últimos momentos de la vida   [21] **en el seno** dentro
[22] **aligerándome** haciéndome más ligero   [23] **garabato** scrawl, scribble

casos de lamentable egolatría[24]. Me refiero a esos que se complacen en ser gente para sí mismos, llamándose, viéndose desde fuera. Esos que hablan de sí mismos en tercera persona. Éste no es su caso, según consta aquí (*algún papel que tiene sobre el escritorio*) y me agrada[25] consignar[26].

HOMBRE. En efecto, debo confesar que es algo muy notable. Que se me quite así, de pronto...

JUEZ. Con ello no se le ha quitado todo. Por lo menos es lo que debemos esperar. Conviene siempre hacer esta aclaración al principio porque nos ahorra[27] el estar después haciendo correcciones del mismo tipo. De manera que puede usted continuar, si le parece bien.

HOMBRE. Por supuesto, con ello no se me ha quitado todo. Me queda bastante. Pero permítame decirle, aunque ello no me valga de nada, que se me quita mucho. Mi nombre siempre fue pronunciado con respeto y simpatía por cuantos me conocieron y trataron. Velar por su reputación fue tarea[28] que me impuse y que logré con éxito en todas mis relaciones de hombre de negocios y de ciudadano.

JUEZ. Claro, pero eso, como usted mismo ha dicho, no le vale de nada. En lo que al nombre se refiere, por supuesto.

HOMBRE. Era un nombre honesto, garantizaba la verdad de aquello al pie de lo cual estaba. Y era sonoro. No soy vanidoso, como los casos del ejemplo. Así debe constar en sus documentos. Era un nombre sonoro, sin embargo. Pero, ¡lo dicho! Con ello no se me ha quitado todo, ni mucho menos. Me queda lo más: el haber cumplido con mis obligaciones religiosas, el haber hecho repetidas veces el bien, el haber sido un padre amantísimo.

JUEZ. Podemos comenzar por esto último, si usted prefiere.

HOMBRE. Encantado. Le he dicho ya que mi vida me permite el lujo[29] de poder estar aquí sentado ante usted con toda tranquilidad y confianza. (*A sí mismo.*) ¿No tendré?... (*Se busca en los bolsillos.*) Vaya, sí que tengo. (*Cigarrillos.*) ¿Me permite fumar?

JUEZ. Tenía usted el hábito muy arraigado[30].

HOMBRE. Sí, es verdad. Me calma..., me resulta agradable.

JUEZ. Fume, con toda confianza. Además, debe usted aprovecharse, dentro de poco no podrá ya hacerlo. Quiero decir, no tendrá ya necesidad o ganas de hacerlo.

El CONSERJE *se queda mirando, curioso, el cigarrillo encendido.*

HOMBRE (*Al* CONSERJE). ¿Me permite usted ofrecerle?

---

[24] **egolatría** self-idolatry out [25] **me agrada** me da gusto [26] **consignar** to mention, point out [27] **ahorra** evita [28] **tarea** trabajo [29] **lujo** luxury [30] **arraigado** deeply rooted

CONSERJE. No, no, muchas gracias. Perdone. No los había visto nunca. Echan humo[31], ¿verdad? Perdone. (*El* JUEZ *sonríe.*)

JUEZ. ¿No recuerda usted alguna vez que, sin estar pensando en sus hijos, se sentía usted a sí mismo como algo hecho por ese amor que les tuvo?

HOMBRE. No entiendo.

JUEZ. Sí, es difícil. Por lo general se trata de algo muy pequeño. Pero, por muy pequeño que sea, aquí nos encargamos de... ampliarlo, de otorgarle méritos gratis, por así decirlo. Antes, sin embargo, tenemos que buscar y encontrar ese algo, para dárselos.

HOMBRE. Pues al padre que fui. Me sacrifiqué por mis hijos, les di una educación buena, un ambiente[32] sano, les di todo lo humanamente posible. He aquí un algo nada despreciable[33] ni pequeño: Todo lo que he dado, a mis hijos y a mucha gente, pero sobre todo a mis hijos.

JUEZ. Sí, pero lo dado, dado está, ya no lo tiene usted.

HOMBRE. ¿Cómo? Sin duda no le he entendido. "El que más da, más tiene; matemáticas de Dios", según dijo un santo.

JUEZ. Es difícil. Pero no se intranquilice usted. Quiero decir que aquí no se va a juzgar... Aunque esto propiamente no es un juicio, pero en fin, empleemos la palabra en aras de[34] la claridad. Aquí, digo, no se trata de juzgar sus obras, sino a usted. No es lo mismo, contra lo que pudiera parecer. (*Pausa.*) Por ejemplo: Nunca podría nadie confundir un arquitecto con una casa que ese arquitecto ha hecho. De igual modo, debe usted distinguir lo que usted es de lo que usted ha hecho. Sólo lo primero es lo que ahora nos interesa. Lo que usted ha hecho ha quedado en el mundo. Estoy seguro de que allí se le agradece, si con ello ha ocasionado[35] la felicidad de alguien. Pero ahora se trata de su propia felicidad. Ahora se trata... de usted.

HOMBRE. Perdone usted, sigo sin comprender. ¿No cabe[36] entonces apelar a mis obras buenas? Estoy dispuesto a confesar también las malas, por supuesto, pero quiero que se las compare, que se las pese.

JUEZ. Sí, cómo no, sí cabe apelar a ellas. Pero por una razón indirecta, oblicua. Porque, en el fondo, uno no hace las cosas... Uno las hace, sí, pero en el fondo, esas cosas que uno hace lo hacen a uno. Uno las hace a ellas y ellas nos hacen a nosotros. No sé si me explico. Por eso sólo pueden sernos, servirnos, de referencia, y sólo a guisa de tal[37] cabe citarlas o apelar a ellas.

HOMBRE. Cuando yo mandé a mis hijos a estudiar al extranjero, puesto que por esta parte de mi vida hemos decidido comenzar, cuando me sacrifiqué personalmente por hacer esta obra de cuya calidad moral no puede haber

---

[31] **Echan humo** they give off smoke   [32] **ambiente** environment   [33] **despreciable** insignificante   [34] **en aras de** for the sake of   [35] **ocasionado** causado   [36] **No cabe** no es posible   [37] **a... tal** como tales

ninguna duda, lo hice, puede usted estar seguro de ello, movido sólo por el más puro amor. (*El* JUEZ *consulta algo en sus papeles.*) Si alguna vez me jacté de ello fue sólo porque lo hice, pero no lo hice para jactarme de ello.

JUEZ. Se lo creo a usted. No es necesario insistir sobre eso. Y, esta obra, ¿qué hizo? Además de darle una buena educación a sus hijos. En usted..., en usted mismo, ¿qué hizo?

HOMBRE. Obras como ésas son las que me han hecho a mí, a mi persona entera.

JUEZ. ¿Dónde está? Es lo que buscamos.

HOMBRE. Aquí, claro.

JUEZ. Sí, pero no, no está tan claro. Aquí hay un traje, que usted no hizo. Un cuerpo, debido a un proceso biológico del que usted no es responsable...

HOMBRE. ¿Mi... alma?

JUEZ. Exacto. (*Pausa.*)

HOMBRE. ¿Y?

JUEZ. Veamos.

HOMBRE. Eso no se puede mostrar.

JUEZ. Con el dedo de la mano, no, pero sí de alguna manera. Por ejemplo: ¿No se ha detenido usted nunca en la mitad de la noche, en el centro del Universo, a contemplar los astros, la inmensidad vacía, olvidándose de los negocios, de todos los diferentes tipos de negocios que enajenan[38] al hombre durante el día?

HOMBRE. No. ¿Y qué tiene que ver eso con el alma, entendida realmente, no poéticamente?

JUEZ. Es una de las situaciones en la que suele manifestarse. Cuando existe. Porque el alma no siempre existe. Ahora va a ser peor, o mejor, eso depende de usted. Ahora no habrá astros. No habrá nada. Sólo usted. Si es que existe. Y la cosa va a durar bastante más de lo que pueda imaginarse.

HOMBRE. Me aburriré, creo.

JUEZ. Eso depende de lo agradable o desagradable que sea lo que va a contemplar toda la eternidad.

HOMBRE. ¿No dijo usted que no habrá nada?

JUEZ. He dicho que habrá usted. Sólo usted.

HOMBRE. ¿Y Dios?

JUEZ (*No entiende*). ¿Cómo?

HOMBRE. Dios. Dios.

JUEZ. Olvídese usted de eso. No vale la pena. Señor mío, está usted solo. Es importante que lo encontremos, pues.

HOMBRE. ¿A mí, dice usted?

---

[38] **enajenan**   alienate

JUEZ. ¿Es que no se hace falta? ¿No se hizo falta ahora, hace un rato?

HOMBRE. No. Quiero decir, sí. Me sentí abandonado. Me dio dolor. (*Otra vez, hipócritamente.*) Claro, el hecho de morir con todos los sacramentos...

JUEZ. Déjese ya de tonterías, hombre. (*Transición.*) Perdón. Esto es serio. Compréndalo usted, por favor.

HOMBRE. Perdóneme usted a mí. Todavía no sé lo que me pasa.

JUEZ (*Con intención*). ¿Quiere que se lo explique?

HOMBRE. No. No. (*Transición.*) ¿Usted no será, por casualidad[39]?...

JUEZ. Sí. (*Pausa.*)

II

HOMBRE. ¿De qué estábamos hablando?

JUEZ. De usted.

HOMBRE. Sí, es verdad.

JUEZ. Estábamos buscándolo. Para premiarle[1] seguramente. De manera que puede usted decirle que salga con confianza.

HOMBRE. No depende de mí. Tengo la mejor voluntad, pero, no sé, no sé qué decirle.

JUEZ. Me lo temía. ¿Le gusta a usted el campo?

HOMBRE. No. Me aburre. Soy, he sido siempre, un hombre de acción.

JUEZ. Sí, me lo suponía también.

HOMBRE. Mire usted, yo..., yo...

JUEZ (*Muy interesado*). Sí.

HOMBRE. Yo..., yo...

JUEZ (*Muy interesado*). Usted, ¿qué?

HOMBRE (*Como queriendo llorar*). Yo amaba a mis hijos, mi casa, mi...

JUEZ (*Enojado*). ¡Nada de eso existe ya! ¿Quiere usted acabar de comprenderlo de una vez por todas[2]? Ahora se trata de usted. Olvídese de todo lo demás.

HOMBRE. ¿Cómo voy a olvidarlo, si me pide que hable de mí? Ellos eran la mitad de mi vida, la mitad de mi alma.

JUEZ. ¿Y la otra mitad? Porque ésa de la que habla usted ha muerto. ¿Lo comprende usted bien, verdad? (*El* HOMBRE *vuelve la vista hacia la derecha.*) ¿Y la otra mitad? Pero, hombre de Dios, ¿es que no se ha traído usted nada? (*Impaciente.*) ¡La otra mitad!

HOMBRE. No sé. ¿Y si no la hay?

---

[39] **por casualidad** by chance

[1] **premiarle** reward him   [2] **de una... todas** once and for all

JUEZ (*Se echa para atrás*). Vamos a esperar que ése no sea el caso.

HOMBRE. Yo era... un hombre que luchaba, que amaba, que saludaba... Un hombre. Eso es todo. Ahora me parece que es bien poco.

JUEZ. No lo es. Pero no basta. Usted era, en suma, una serie de contactos con el mundo.

HOMBRE. Eso. Yo era un dedo que tocaba al mundo. Mejor, un puño³ que le golpeaba.

JUEZ. ¿Un puño? ¿Está usted seguro de que quiere decir eso?

HOMBRE (*Exaltado*). ¡Sí, señor, sí, un puño, un puño apretado⁴, valiente, que golpeó en las puertas de la vida y que se abrió paso⁵ y que llegó..., que llegó hasta... (*Vuelve a ver hacia la derecha y se le desinfla⁶ el ánimo.*) Tiene que constar en sus papeles que nunca falté a ninguna de mis responsabilidades.

JUEZ. Sí. Debo felicitarlo.

HOMBRE. ¿Cuál es el problema, entonces?

JUEZ. Ninguno, si lo que usted dice es cierto.

HOMBRE. Puedo jurar que lo es. Y así lo tienen que certificar esos papeles.

JUEZ. Es que aquí en los papeles sólo están los golpes. No el puño.

HOMBRE. ¿Cómo?

JUEZ. Digo que aquí sólo están registrados los golpes, las peñas, las alegrías, los dolores... Los golpes sólo. Ahora falta el mundo, contra el cual se dieron; falta el pecho, en el cual se dieron. Y el puño, falta el puño que los dio.

HOMBRE (*Levanta el puño*). Fui yo quien los dio. ¡Yo!

JUEZ. ¿Volvemos a lo mismo?

HOMBRE. ¿Y quién quiere usted que los haya dado?

JUEZ. No sé. La gente. La costumbre.

HOMBRE (*Melancólico*). ¿La gente? ¿La costumbre?

JUEZ. Sí. Les pasa a los mejores.

HOMBRE (*Melancólico aún*). Y ahora ya no existen. Se han muerto. Quiero decir...

JUEZ (*Con piadosa comprensión*). Yo sé lo que quiere decir.

   Flauta.

HOMBRE. ¿Qué voy a hacer ahora?

JUEZ. No sé. Quiero decir...

HOMBRE. Yo sé lo que quiere decir. (*Pausa.*) Estamos dando vueltas⁷.

JUEZ (*Dándole a entender que tienen todo el tiempo por delante*). Sí. No importa. (*El* HOMBRE *levanta la cabeza como preguntándole por algo increíble.*) Sí. (*El* HOMBRE *baja el rostro. Pausa larga.*)

---

³ **puño** fist   ⁴ **apretado** clenched   ⁵ **se abrió paso** got ahead   ⁶ **desinfla** deflates
⁷ **dando vueltas** going around in circles

HOMBRE. ¿No acaba?

JUEZ. No.

La flauta se va.

HOMBRE. ¿Comenzamos?

JUEZ. Comencemos. (*Pausa larga.*)

HOMBRE. Sigo sin comprender por qué no me reconoce usted al hombre bueno, y a veces malo, por qué no, que he sido en la vida.

JUEZ. Lo reconozco.

HOMBRE. ¿Y?

JUEZ. Se ha muerto.

HOMBRE. ¿Y yo?

JUEZ. No sé.

HOMBRE. Quiero decir, que me juzgue a mí como si fuera él.

JUEZ. Eso es contrario a la justicia más elemental. Juzgar a uno por otro.

HOMBRE. ¡Él era yo!

JUEZ. Lo ha dicho bien: Era.

HOMBRE. ¿Y yo?

JUEZ. No sé.

HOMBRE. Seguimos dando vueltas. (*Se coge la cabeza como si estuviese mareado[8].*) ¡Yo tengo que existir! Algo tengo que haber hecho de mí. Puedo enumerarle todo lo que he hecho.

JUEZ. No valdría la pena.

HOMBRE. El haber hecho muchas cosas prueba que tengo que haberme hecho a mí.

JUEZ. Desgraciadamente eso no es cierto. Hay quienes no hacen nada, y son tanto. Y quienes hacen mucho, y son tan poco.

HOMBRE (*Con una sonrisa amarga*). Me gustaría reírme, ¿sabe?

JUEZ. Ríase usted.

HOMBRE. No sé. No puedo. La vida mía, es como una casa en la que quiero meterme, y no encuentro la puerta. Y oigo voces adentro. Y risas.

Efecto sonoro estereofónico de voces mezcladas y de risas.

HOMBRE. Es triste. Porque también me oigo reír a mí, adentro.

Las voces y risas se alejan hasta perderse.

JUEZ. No se ocupe de ellos.

HOMBRE. Yo estuve en una guerra.

---

[8] **mareado**   dizzy

Efectos sonoros estereofónicos de guerra. Pero se alejan rápidamente hasta perderse.

HOMBRE. Es inútil. Está cerrada. (*Recuerda.*) Cuando enterramos a mi madre. (*Pausa.*) También está cerrada. Parece mentira, ¿verdad? (*Recuerda.*) Una noche, recuerdo, iba a una fiesta a la que se me había invitado. A una embajada[9]. Iba a pie, quedaba cerca. Lo cierto es que de pronto, en el momento de ir a tocar el timbre de la puerta, me puse triste.

Flauta.

HOMBRE. Sin ningún motivo, sin ninguna razón. Era una noche fresca, clara. Me dieron ganas de irme a pasear, a caminar, deambular[10] por las calles y averiguar por qué me había puesto así de pronto. Cosa extraña, nunca me había pasado eso antes, ni me volvió a pasar después.

JUEZ. Esto es muy importante. ¿Qué le sucedió a usted cuando se fue a pasear?

HOMBRE (*Estaba distraído*). ¿Cómo? No. No. Toqué el timbre y entré.

La flauta se aleja hasta perderse.

HOMBRE. Era una obligación social que, como usted comprenderá, no podía descuidar. Se me pasó inmediatamente con la charla[11] de los amigos y la primera copa.

JUEZ. Estaba usted llamándose esa noche, y no se oyó. O, mejor dicho, se oyó, pero no quiso atenderse. Es una gran lástima. Esa noche nos hubiera bastado ahora. Pero se abandonó usted a sí mismo, lo abandonó. Y ahora él lo abandona a usted.

HOMBRE. Me parece que comienzo a comprender.

JUEZ. ¿Y en la infancia? ¿No tiene usted nadie ahí? En esa época de la vida, por lo general, se encuentra uno a sí mismo. Lo que pasa es que, desgraciadamente con mucha frecuencia, nos perdemos después. Usted (*consulta algún papel*), de niño, quería ser músico.

HOMBRE. ¿Músico?

JUEZ. Sí, se compró una flauta.

Flauta.

HOMBRE. No recuerdo.

JUEZ. ¿Qué hizo con ese niño? (*Pausa.*) Tenía los ojos grandes. Se compró una flauta.

HOMBRE. Sí, es cierto, ahora recuerdo. Era una flauta roja.

JUEZ. ¿Recuerda usted "ahora"?

---

[9] **embajada** embassy   [10] **deambular** caminar sin dirección fija   [11] **charla** conversación

HOMBRE. Yo no he tenido tiempo para recordar. Mi vida ha sido un puro ajetreo[12], una pura lucha por la vida.

La flauta comienza a alejarse.

JUEZ. Es lástima. Ese niño lo habría podido salvar.

HOMBRE. ¿Él?

JUEZ. Él. Otro abandonado. (*Guarda en alguna gaveta el papel con el informe del niño.*)

La flauta se ha vuelto a hundir[13]. Silencio.

HOMBRE. ¿Qué hacemos ahora?

JUEZ. No sé.

HOMBRE. Oiga usted, esto es ridículo. Yo existí en la tierra, todo el mundo me veía, se pensaba en mí, se me tenía en cuenta. Usted no puede venir ahora a decirme que yo no existo o que no he existido nunca. ¿Quién, si no yo, hizo lo que hizo? ¿A quién, si no a mí, besaba mi mujer? Pues bien, eso soy yo, y usted tiene la obligación de condenarlo o de salvarlo, pero de hacer algo con ello. Yo supongo que usted no pretenderá eludir[14] su obligación con un pretexto tan ridículo como éste, de que no existo.

JUEZ. Señor, trato de hacerle justicia a usted, a usted mismo. Para ello tengo antes que encontrarlo. No sería justo que yo tomara por usted una serie de referencias con el mundo, porque aquí no se trata de juzgar al mundo, sino a usted. No me sirve ningún ejemplo o momento de su vida en el que usted estaba interesado en algún negocio, de cualquier tipo, a menos que, en quitando todo eso ajeno, quede algo en el fondo: usted.

HOMBRE (*Con intención*). Usted, por supuesto, no lo sabe, pero la vida, señor mío, no es más que eso: un estar de alguna manera en referencia con el mundo. Es una pobre vida.

JUEZ. Aquí no se trata de juzgar la vida. Se trata de juzgarlo a usted.

HOMBRE. Empieza usted a decir tonterías. (*Grita.*) ¡Yo soy mi vida!

JUEZ. Entonces usted se ha acabado. (*El* HOMBRE *pierde todos sus ímpetus y vuelve a sentarse.*) No hay necesidad de excitarse. Ya sé que se dice eso, que uno es su propia vida. Pero lo que se quiere decir es que somos parecidos a ella, semejantes, puesto que lo que somos depende de nuestra vida, y viceversa. La vida es nuestra madre y nuestra hija simultáneamente. Sin embargo, hay vidas tan falsas, huecas, que no tienen a nadie adentro, o que tienen dentro una persona hueca, vacía, sin peso o consistencia. Estas personas se sienten a sí mismas porque sienten el contacto con su cuerpo. Eso les basta, y no

---

[12] **ajetreo** agitación   [13] **hundir** desaparecer (lit., sink)   [14] **eludir** evitar

piensan que ese apoyo[15] les faltará algún día. Y si lo piensan, suponen que detrás, o que dentro, en algún sitio, tienen un alma o un yo auténtico, profundo, y que pueden ir, instalarse en él, cuando lo quieran o necesiten. Pero no hay nadie. Están vacíos. Son una pura cáscara[16]. Cuando la desgracia sopla, cuando la muerte los amenaza, cuando necesitan de sí mismos, van corriendo a buscarse... Entonces se desesperan, se desorientan, se sorprenden, porque no hallan más que el sitio vacío. Y la vida, y el tiempo, la muerte, se los lleva como hojas. (*Pausa.*) No se les ocurre agarrarse[17] a algo que no pase, a alguna idea fija, clavada[18] en la verdad.

HOMBRE. ¿Ideas? ¿Cree usted que yo he tenido tiempo para pensar en "ideas"?

JUEZ. He usado la palabra en un sentido muy amplio. ¿No ha amado usted, u odiado, algo... fijo, al margen de la corriente, de manera que pueda decirse que lo que usted era entonces también estaba al margen?

HOMBRE. Era peligroso. Una vez una mujer me amó. No era a mí. Fue cosa de ella sólo. Yo la comprendía. ¡Puedo jurar que la comprendía! (*Como si le estuviera discutiendo.*) ¡Le aseguro, señor!...

JUEZ. Lo sé.

Flauta.

HOMBRE. Pero, era peligroso. Da vértigo. Da miedo. Mi vida entera... Yo mismo, mi propio ser... (*Cae en la cuenta de lo que dice.*) Yo creía entonces, suponía... Como decía usted antes... Yo suponía, pensaba, creía que yo... ¿No me habrá robado alguien? ¿No sería posible que?...

JUEZ. No.

HOMBRE. Y sin embargo uno está tan seguro, de que estaba allí, de que se podía contar con ello. Tenía usted razón. Es una sorpresa. Da nostalgia.

JUEZ. ¿Qué hizo usted con ella?

HOMBRE. ¿Con quién?

JUEZ. Con esa mujer que le amó.

HOMBRE. Nada. Era peligroso. No pude.

La flauta se aleja hasta perderse.

JUEZ. Tantas oportunidades. Alguien lo andaba buscando a usted por todas partes. ¿Para qué quieren ustedes la inmortalidad entonces?, si no tienen nada con qué llenarla, si no tienen nada que llevar a ella. ¿Y el odio? ¿Tampoco lo conoció usted? ¿No odió nunca a nadie?

HOMBRE. Odiar es pecado.

JUEZ (*Tiene que reconocerlo*). Sí.

---

[15] **apoyo** support [16] **cáscara** shell [17] **agarrarse** to hold on [18] **clavada** fastened (lit., nailed)

HOMBRE. Yo he pecado. (*Pausa.*) A raíz de aquello[19], de esa muchacha, tuve una..., una...

JUEZ. Sí. (*Lo sabe por algún papel.*)

HOMBRE. Mi mujer fue muy buena.

JUEZ. Sigue siéndolo.

HOMBRE. Quizás fue sólo para probarme que esa otra..., la muchacha de quien le hablaba, y que me miraba de una forma tan extraña... (*Se tapa los ojos.*) O quizás fue sólo para presumir[20] en el Casino. Los amigos, usted sabe.

JUEZ. Sí.

HOMBRE. Aceptaré la pena que se me imponga.

JUEZ. Sí, sin duda. Pero a esto le pasa lo que a sus acciones buenas. Yo no digo que no sea usted quien ha pecado, pero antes hay que ver dónde está el que vamos a castigar.

HOMBRE. Ya le digo. Yo traicioné a mi mujer. Ése soy yo, ése que le mentía diciéndole que tenía trabajos especiales, cuando lo que hacía era irme con esa infame, esa cualquiera, esa...

JUEZ. Por favor. Se trata de usted.

HOMBRE. A ése que gastaba el dinero de sus hijos en comprarle joyas a su amante, a ése, quiero que lo castigue, no me importa.

JUEZ. ¿Dónde está? Dígame usted antes dónde está. ¿No se da cuenta de que todo eso que me dice usted no era más que una serie de relaciones con sus amigos, su ambiente. Yo no busco la relación, busco a quien las tenía. Creí que ya lo había comprendido.

HOMBRE. ¡Condéneme, condéneme usted, pero déjese ya de martirizarme!

JUEZ (*Perdiendo los estribos*[21]). ¡Quiero condenarlo! ¡Ya no me importa! ¡No me importaría ya, pero deme usted algo que condenar, algo!... (*Recobra la calma.*) Perdóneme. Es inútil. Usted, por supuesto, se da cuenta de que es inútil.

HOMBRE. ¿Qué va a ser de mí?

JUEZ (*Irónico, amargo*). ¿De quién? (*Indiferencia aparente.*) Nada.

HOMBRE. ¿No se me va a castigar, y premiar, mis pecados, mis virtudes?

JUEZ. No tiene usted ni lo uno ni lo otro.

HOMBRE. ¿Qué va a ser de mí ahora?

JUEZ. Nada. No tema. No va a sufrir, no va a perder nada. Nunca lo ha tenido.

HOMBRE. Hace frío aquí.

JUEZ. Sí. (*Al* CONSERJE.) Llévate las cosas. Esto ha terminado. (*El* CONSERJE *lo hace, en repetidos viajes.*)

---

[19] **A... aquello**   muy poco tiempo después   [20] **presumir**   to boast   [21] **los estribos**   el control

HOMBRE (*Viendo cómo se llevan los muebles*). Y a mí, ¿qué me va a pasar a mí?

JUEZ. Nada, señor mío, nada. ¿No entiende usted? Nada.

HOMBRE. ¿Es decir?

JUEZ. Es decir, nada.

HOMBRE. Por lo menos me dirá usted cuánto tiempo va a durar.

JUEZ. El tiempo se ha detenido ya para usted. (*Le da la espalda para no sufrir.*) Un instante sólo, pero sin límites.

HOMBRE. Me gastaré. Terminará el viento por gastarme, diluirme[22].

JUEZ. Aquí no sopla viento.

HOMBRE. Es verdad. Todo está tan quieto. Tan silencioso. Qué rara suena mi voz. (*El* JUEZ, *de espaldas, deniega con la cabeza.*) ¿No es mi voz? ¿Mi pensamiento, entonces?

Efectos estereofónicos de voces, de risas y de guerra, todo mezclado.

HOMBRE. ¿No puede usted callarlo? (*Los ojos cerrados. Una risa sobresale[23].*) Oigo que ríen dentro. Me han dejado afuera, y es de noche.

JUEZ. Se irá alejando poco a poco.

Los efectos sonoros se alejan poco a poco y desaparecen.

HOMBRE. Es verdad. (*Cae en la cuenta pronto.*) ¡Pero entonces voy a quedar más solo!

JUEZ. No va a quedar nada.

HOMBRE. Ese instante, ha comenzado ya, ¿verdad? (*El* JUEZ *afirma con la cabeza.*) Qué bonita era la vida, ¿verdad?

Flauta.

JUEZ. La suya fue fácil.

HOMBRE. ¿Y el niño de la flauta?

JUEZ. ¿Me lo pregunta usted a mí?

HOMBRE. ¿Qué se hizo? ¿Qué les pasa?

JUEZ. Se quedan. Los deja el tiempo. Se convierten en fantasmas. Rondan de noche los caminos, los sueños. Asustan a los niños.

HOMBRE. Y los perros, los perros les ladran de noche, ¿verdad?

JUEZ. Sí.

HOMBRE (*Con profundo dolor y remordimiento[24]*). De niño, yo les tenía pánico a los perros.

El CONSERJE *se ha llevado ya todo, menos la silla en la que el* HOMBRE *está sentado en medio de la inmensidad. La flauta se aleja, pero tarda en de-*

---

[22] **diluirme** dissolve me   [23] **sobresale** stands out   [24] **remordimiento** remorse

saparecer, *para dar la impresión de que ahora lo hace definitivamente.*
Momentos antes de desaparecer, se oyen, muy lejos, ladridos y aullidos[25] *de*
perros.

JUEZ (*Al* CONSERJE). Vamos. (*Inicia un mutis rápido.*)

El Ángel, es decir, el CONSERJE, *se acerca al* HOMBRE *para confirmar una*
sospecha.

CONSERJE (*En voz muy alta y alegre*). ¡Señor! ¡Señor! ¡Está llorando!

JUEZ (*Se detiene y vuelve a verlo*). Te condenaste, infeliz. Hace una hora, allá
abajo, adentro, ese llanto te habría podido salvar. Hubieras podido decirme
que llorabas, que lloraste. Pero ahora es muy tarde. No lo puedes decir, sólo
puedes llorar. Al fin eres algo. No algo que ha llorado, sino algo que llora,
y que llorará eternamente. (*Mutis rápido.*)

El Ángel sale, caminando de espaldas, con mucho dolor. Queda el HOMBRE
solo, rodeado de silencio, de pena y de nada. Después de un rato largo,
desmesuradamente largo, comienza a caer, muy lentamente, el

TELÓN

---

[25] **aullidos** howling

CUESTIONARIO

I

1. ¿Qué parte de la escena ocuparán los actores?
2. En general, ¿qué impresión da la escena?
3. ¿Qué sonido puede oírse?
4. ¿Quién será el personaje más importante, decisivo y final?
5. ¿Quiénes entran?
6. ¿Qué llevan?
7. ¿Por qué hace el Conserje preguntas al Funcionario?
8. ¿Qué ve el Conserje cuando mira por entre bastidores?
9. ¿Qué otros muebles tienen que traer los dos hombres?
10. ¿Qué otro sonido se oye por primera vez?
11. ¿Qué impresión dará la flauta durante la escena?
12. ¿Por qué mintió la señora cuyo caso cuenta el Funcionario?
13. ¿Qué les pasó al fin a la madre y a su hijo?
14. Describa al Juez.
15. ¿Qué parece representar el tic-tac del reloj? ¿Por qué no se oye más? -
16. ¿Por qué ríe el Hombre cuando llega?
17. ¿Qué opinión tiene el doctor?
18. ¿Por qué insiste el Hombre en que nunca dudó que había algo después de la muerte?
19. Según el Juez, ¿por qué no se puede llamar al encuentro entre él y el Hombre un "juicio"?
20. ¿Qué dice el Hombre de su familia? ¿de su religión?
21. ¿Qué sensación física tiene el Hombre?
22. ¿Qué dice el Hombre de sus últimos momentos en la tierra y de la ayuda que le prestó su religión?
23. Según el Juez, ¿qué debe exponer el Hombre?
24. ¿Qué dice el Juez del nombre del Hombre? ¿del nombre en general?
25. ¿Cuál es la reacción del Hombre a esta falta de nombre?
26. ¿Cómo muestra el Hombre que no siente la tranquilidad y confianza que pretende tener?
27. ¿Cómo se puede explicar la reacción del Conserje al ver el cigarrillo?
28. ¿Qué dice el Hombre de sí mismo como padre?
29. ¿Por qué no le interesa al Juez lo que el Hombre dio a sus hijos?
30. Según el Juez, ¿en qué sentido tienen importancia las buenas obras?
31. ¿Qué dice el Hombre de la educación que dio a sus hijos? ¿Entiende el Hombre lo que acaba de decir el Juez de las buenas obras?
32. Según el Juez, ¿cómo suele manifestarse el alma?
33. ¿Qué tendrá el Hombre con él por toda la eternidad?
34. ¿Quién es el Juez?

II

1. ¿Qué están buscando el Juez y el Hombre?
2. ¿Por qué no le gustaba al Hombre el campo?
3. ¿Por qué no puede el Hombre olvidar a sus hijos?

4. El Hombre dice que era un puño que golpeaba al mundo. ¿Por qué no tiene eso valor ahora que está muerto?
5. ¿Por qué sería injusto si el Juez juzgara al Hombre como era en la vida?
6. ¿Cuál es el efecto de las voces y las risas que se oyen?
7. ¿Qué pasa cuando el Hombre trata de pensar en la guerra y en el entierro de su madre?
8. ¿Qué le pasó al Hombre una noche cuando iba a una fiesta?
9. ¿Por qué no le ayuda este episodio ahora?
10. ¿Por qué dice el Juez que es una gran lástima?
11. De niño, ¿qué quería ser el Hombre?
12. ¿Qué hizo el Hombre con ese niño?
13. ¿Por qué se aleja la flauta?
14. ¿Qué quiere decir el Juez cuando habla de las personas huecas?
15. ¿Qué les pasa a estas personas cuando llega alguna desgracia?
16. ¿Qué hizo el Hombre con la mujer que lo amaba?
17. ¿Por qué no se puede castigar al Hombre por su adulterio?
18. ¿Por qué no puede el Juez ni condenar ni premiar al Hombre?
19. ¿Qué va a ser del Hombre?
20. ¿Qué le pasa al niño de la flauta?
21. ¿Por qué no salvan sus lágrimas al Hombre?

COMPOSICIONES DIRIGIDAS

Escriba una composición desarrollando la idea central. Se presenta un esquema para guiarlo.

I

El ambiente   *Idea central:* De varias maneras el autor crea un ambiente de misterio, tristeza y soledad.

I. La escena
   A. La falta de escenografía
   B. El hueco
      1. Grande
      2. Negro
      3. Desolado

II. Los sonidos
   A. El tic-tac del reloj
   B. La flauta
      1. Triste
      2. Cruel
      3. Nunca quieta
      4. Alejamiento
   C. El silencio
      1. El personaje más importante
      2. La soledad total

La religión del Hombre   *Idea central:* El Hombre dice que es un buen católico pero se ve una falta de sinceridad en lo que dice.

I. Lo que dice el Hombre
   A. Defensor de su religión
   B. Creencia en el juicio final
   C. El morir con los sacramentos
   D. Buenas obras
   E. Confianza ante el Juez

II. Lo que muestra su hipocresía
   A. Las palabras que suenan a falso
   B. Actitud en cuanto al médico
   C. Necesidad de fumar

II

El abandono   *Idea central:* El Hombre tuvo varias oportunidades para encontrarse a sí mismo, pero no las aprovechó.

I. La posibilidad de encontrarse a sí mismo
   A. El niño de la flauta
   B. La fiesta en la embajada
      1. Momento de tristeza
      2. Noche fresca y clara
      3. Deseo de caminar
   C. La mujer que lo amaba

II. El abandono de sí mismo
   A. Hombre de negocios
      1. Olvido del niño
      2. Falta de interés en el campo
      3. Falta de tiempo para las ideas
   B. La obligación social
      1. Entrada a la fiesta
      2. Olvido de la tristeza
         a. La charla
         b. Las copas
   C. El amor rechazado
      1. Peligro
      2. Pecado

La nada   *Idea central:* La eternidad depende del individuo. Porque el Hombre no trae nada consigo se quedará para siempre en la soledad total.

I. La importancia del alma
   A. La inmortalidad
   B. La eternidad
   C. Lo único que se queda después de la muerte
   D. Lo que no se queda
      1. Las buenas obras
      2. Las malas obras
      3. Lo exterior

II. Lo que da forma al alma
   A. Las ideas
   B. Las emociones
   C. La sensibilidad
   D. Lo interior

III. Situación del Hombre
   A. Falta de alma
   B. Lo que desaparece
      1. Los muebles
      2. Los sonidos
      3. Los otros personajes
   C. La nada

TEMAS

1. Discuta cómo nos presenta el autor a Dios y a los ángeles. ¿Parecen humanos o divinos?
2. ¿En qué se diferencia este concepto del juicio final de las usuales creencias cristianas?
3. ¿En qué consiste la originalidad de la interpretación del alma en esta obra?
4. ¿Qué recursos utiliza el autor para mantener el interés del público y evitar que el elemento teológico domine la obra?

LECCIÓN 11

1 Oraciones básicas

1 Los árboles, desnudos y negros, crecían hacia un cielo gris azulado, transparente.

The trees, bare and black, were growing toward a bluish gray, transparent sky.

2 Mientras bajaban su maleta de la baca, se le acercó el alguacil.

While they were getting his suitcase down from the luggage rack, the constable approached him.

3 Ya le hablarían a usted de lo mal que andaba la cuestión del alojamiento.

They probably already spoke to you about the trouble they are having with the lodging.

4 Le mando a mi Manuel dinero para pagarse la pensión en casa de sus tíos.

I send my Manuel money to pay his board at his aunt and uncle's house.

5 Empezaba a sentirse lleno de una paz extraña, allí en aquella casa.

He was beginning to be filled with a strange peace, there in that house.

6 A la mañana siguiente, a eso de las ocho, Filomena llamó tímidamente a su puerta.

The following morning about eight o'clock, Filomena knocked timidly at his door.

7 Lo único que es mejor advertirle, para que no le choquen a usted las cosas que le diga.

The only thing is that it's better to warn you, so that the things she may say won't shock you.

8 Solamente una bombilla sobre la inscripción de la puerta emanaba un leve resplandor.

A single lightbulb above the inscription on the door gave out a little brightness.

9 Todavía no me atrevo a estrenar los zapatos que me hizo.

I still don't dare use the shoes that he made me.

10 Suspiró y sus ojos se cubrieron de una tristeza suave.

She sighed and her eyes filled with a soft sadness.

267

2 Spanish pronunciation

/m/, /n/, [ŋ], /nt/

In Spanish and English, **m** is pronounced the same for all practical purposes.

1 ◆ PRONUNCIATION EXERCISE

/m/
mal
mando
mientras
mañana
llamó
solamente
emanaba
bombilla

In Spanish and English, **n** is pronounced virtually the same. Some Spanish speakers pronounce the final /n/ as [ŋ] (similar to the sound of *ng* in the English word *song*).

2 ◆ PRONUNCIATION EXERCISE

/n/V	V/n/V	final /n/
noto	tono	ton
nasa	sana	san
nata	Tana	tan
naco	cano	can

An **n** that precedes **b**, **v**, or **p** is pronounced /m/.

3 ◆ PRONUNCIATION EXERCISE

/m/
un polo
un bolo
un paso
un vaso
un pelo
un velo

The **n** is pronounced [ŋ] when it precedes /k/, /g/, /x/, or initial /w/.

[ŋ]

banco

ganga

ángel

un kilo

un gesto

un gozo

un hueso

un huevo

Some speakers of English tend to link /nt/ and nasalize the vowel that precedes /n/.

wi*nt*er

twe*nt*y

In Spanish /n/ and /t/ are pronounced distinctly.

5 ◆ PRONUNCIATION EXERCISE

/nt/

canto

tanto

santo

monta

cinta

manta

pinto

3   El reflexivo[1]

Oraciones recíprocas, reflexivas y de pasiva refleja

6 ◆ DOS ORACIONES → UNA ORACIÓN

Combine las dos oraciones en una nueva según indica el ejemplo.

---

[1] El uso del reflexivo en lugar de la voz pasiva se encuentra en la **Lección 1**. El uso del reflexivo con las partes del cuerpo se encuentra en la **Lección 7**. Otros usos se presentarán en la **Lección 12**.

EJEMPLO   Juan mira a María. Ella lo mira también.
Juan y María se miran.

Pepe ayuda a su hermano. Él lo ayuda también.
Pablo encontró a su amigo. Él lo encontró también.
Juana insultó a Carlos. Carlos le contestó.
José quiere a Inés. Ella lo quiere también.
La madre escribe a su hijo. Él le contesta.

7 ◆ PRONOMBRE + mismo → REFLEXIVO

Escuche cada oración y repítala usando el reflexivo en lugar del pronombre
+ **mismo**.

EJEMPLO   La mujer compró un libro para sí misma.
La mujer se compró un libro.

Manolo hizo unos zapatos para sí mismo.
Pagamos la pensión nosotros mismos.
La muchacha compra el traje para sí misma.
Comí la carne yo mismo.
Él preparó la comida para sí mismo.
Tomé la sopa yo mismo.

8 ◆ EJERCICIO DE TRADUCCIÓN

Repita la primera oración y después traduzca las otras dos según indica el
ejemplo.

EJEMPLO   Me llaman loca.
Me llaman loca.
They call me crazy.
Me llaman loca.
My name is María.
Me llamo María.

1. Me enfadaste.
   You made me angry.
   You got angry.
2. La madre acostó al niño.
   The mother put the child to bed.
   The child went to bed.
3. La mujer lo sentó junto al fuego.
   The woman seated him next to the fire.
   He sat down next to the fire.
4. Los hombres levantaron el sofá.
   The men lifted up the couch.
   The men got up.

5. Acerqué la silla a la puerta.
   I moved the chair closer to the door.
   I approached the door.
6. El niño cansa a sus padres.
   The child tires his parents.
   The child gets tired.

9 ◆ TERCERA PERSONA PLURAL → REFLEXIVO

Use el reflexivo en las siguientes oraciones según indica el ejemplo.

EJEMPLO   Cerraron la tienda.
          Se cerró la tienda.

Abrieron las ventanas.
Rompieron el vaso.
Secan la ropa.
Queman las hojas.
Limpiaron la casa.

10 ◆ EJERCICIO SOBRE EL USO DE sentir

Escuche cada oración y repítala usando **sentir** en lugar del verbo, según indica el ejemplo.

EJEMPLO   Oímos golpes en la puerta.
          Sentimos golpes en la puerta.

Oigo ruidos en la sala.
Tenemos hambre.
Está consciente de una paz interior.
¿Aprecias la belleza del poema?
Experimentó una gran irritación.

11 ◆ EJERCICIO SOBRE EL USO DE sentirse

Escuche cada oración y repítala usando **sentirse** en lugar del verbo, según indica el ejemplo.

EJEMPLO   Se encontraba lleno de paz.
          Se sentía lleno de paz.

Estoy enferma.
Se encuentra muy nervioso.
¿Estás bien aquí?
Nos hallamos cansados.
No estaban enfadados.

Escriba las siguientes oraciones usando las preposiciones que estime necesarias. Algunas de estas oraciones no llevan preposiciones.

1. Bajan __a__ las maletas.
2. Se bajan __del__ auto de línea.
3. Encuentro __a__ mi amigo en la calle.
4. Me encuentro __con__ mi amigo en el café.
5. Enfadamos __a__ muchas personas.
6. Nos enfadamos __con__ muchas personas.
7. El niño alegra __a__ su madre.
8. La mujer se alegra __de__ la buena suerte de su hijo.
9. Decidí _____ volver en seguida.
10. Me decidí __a__ volver en seguida.
11. Olvidó _____ estudiar.
12. Se olvidó __de__ estudiar.

Notas gramaticales

1   Se puede usar casi cualquier verbo en forma reflexiva cuando el sentido lo admite. En general, el reflexivo indica que el complemento directo o indirecto del verbo es idéntico al sujeto.

complemento directo

María y Paula **se** detestan.   *María and Paula detest each other.*
(Yo) **me** miro en el espejo.   *I look at myself in the mirror.*

complemento indirecto

Juan y yo **nos** escribimos cartas.   *Juan and I write letters to each other.*
El muchacho **se** lava la cara.   *The boy washes his face.*

2   El verbo transitivo[2] tiene un valor intransitivo cuando se usa en forma reflexiva.

Alejó la silla.   *He moved the chair away.*
Se alejó.   *He went away.*

3   Hay menos verbos intransitivos en español que en inglés. Por eso el uso del reflexivo es frecuente en casos donde se usa un verbo intransitivo en inglés.

transitivo en inglés y en español

La mujer **derrite** la mantequilla.   The woman *melts* the butter.

intransitivo en inglés, reflexivo en español

La nieve **se derrite.**   The snow *melts.*

---

[2] El verbo transitivo requiere un complemento directo: **Abro la puerta.** Un verbo intransitivo no puede tener un complemento directo: **El hombre salió.**

4 El verbo reflexivo que tiene un valor intransitivo puede ir seguido de adjetivos. El verbo transitivo, al contrario, requiere un complemento directo. Compare el uso de **sentir** y **sentirse**:

adjetivo

Se siente **irritado**.   He feels *irritated*.

complemento directo

Siente una **irritación** pueril.   He feels a childish *irritation*.

Otros verbos se usan de la misma manera:

Halla al **enfermo**.   He finds the *sick man*.
Se halla **enfermo**.   He is *sick*. (Lit.—He finds himself sick.)

5 Siendo intransitivo, el verbo reflexivo requiere una preposición delante de un nombre o un infinitivo. Compare la estructura del verbo transitivo y el verbo reflexivo que le corresponde:

Encuentro la **casa**. (complemento directo)
Me encuentro con la **mujer**. (complemento con preposición)
Enfado al **niño**. (complemento directo)
Me enfado con el **niño**. (complemento con preposición)

6 En vez del reflexivo o de la voz pasiva, se puede usar la tercera persona plural de la voz activa.

Se cerró la tienda.
La tienda **fue cerrada**.
Cerraron la tienda.

4   Adverbios, preposiciones y frases prepositivas

Adverbios *aún, todavía, ya*

aún ⎫ **todavía** ⎭	*still*
Aún (Todavía) estudia en la universidad.	*He's still studying at the university.*
aún no ⎫ **todavía no** ⎭	*not yet*
Aún no (Todavía no) ha llegado el cartero.	*The mailman hasn't arrived yet.*

ya	*already, now, later*
Ya llegó el cartero.	*The mailman already arrived.*
ya no	*no longer*
Ya no estudia en la universidad.	*He no longer studies at the university.*

13 ◆ todavía → aún

Todavía no ha estrenado las sábanas.
La mujer todavía está preparando el desayuno.
Todavía no está arreglado.
El médico todavía no se había levantado.
Todavía vive con sus tíos.

14 ◆ PREGUNTAS Y RESPUESTAS

Escuche cada pregunta y contéstela primero con una oración afirmativa y después con una negativa, según indica el ejemplo.

EJEMPLO ¿Salió el tren?
Sí, ya salió.
(¿Salió el tren?)
No, todavía no ha salido.

¿Han llegado sus amigos?
¿Está preparada la cena?
¿Conoce usted al médico?
¿Ha vuelto Manolo?
¿Compraste los zapatos?

15 ◆ RESPUESTAS CON ya no

Escuche cada pregunta y contéstela usando **ya no** según indica el ejemplo.

EJEMPLO ¿Todavía está el médico en casa?
No, ya no está en casa.

¿Todavía vive su tío en Buenos Aires?
¿Todavía escribes poesía?
¿Todavía hacía frío?
¿Todavía estudias en la universidad?
¿Todavía trabajan ellos en la pensión?

Escuche cada oración y repítala usando **ya** en lugar de las expresiones adverbiales.

EJEMPLO ¿Le sirvo ahora la cena?
¿Le sirvo ya la cena?

En seguida voy.
Seguramente sabes eso.
¡Más tarde verá qué bonito es!
Más adelante le enseñaré los libros.
Ahora está arreglado.
Más adelante lo conocerá usted.
Por supuesto que usted puede acercarse.

Adverbios *aun, hasta; ni aun, ni siquiera*

aun[3] ⎫
hasta ⎭ *even*

Aun (hasta) los niños lo saben.   *Even children know it.*

ni aun ⎫
ni siquiera ⎭ *not even*

Ni aun (Ni siquiera) los niños lo creen.   *Not even children believe it.*

17 ◆ EJERCICIO DE SUSTITUCIÓN

Escuche cada oración y repítala usando **aun** según indican los ejemplos.

EJEMPLOS Le da dinero y hasta le paga la pensión.
Le da dinero y aun le paga la pensión.

Ni siquiera leyó la inscripción.
Ni aun leyó la inscripción.

Le gritó y hasta lo golpeó.
Limpió todo, hasta las paredes.
Ni siquiera le dio las gracias.
Hasta le manda dinero todas las semanas.
Ni siquiera había llevado los zapatos.
Ni siquiera le chocaron esas cosas.

---

[3] **Aún** sólo lleva acento escrito cuando puede usarse en lugar de **todavía**.

Preposiciones *hasta, hacia*

hasta término, o de espacio o de tiempo	
Camina hasta su casa.	*He walks as far as his house.*
No lo descubrieron hasta la mitad del siglo XIX.	*They didn't discover it until the middle of the nineteenth century.*
hacia la dirección del movimiento o el tiempo aproximado	
Camina hacia su casa.	*He walks toward his house.*
Lo descubrieron hacia la mitad del siglo XIX.	*They discovered it around the middle of the nineteenth century.*

18 ◆ EJERCICIO DE TRADUCCIÓN

They walk toward the town.
They walk as far as the town.
I'll be there around two o'clock.
I'll be there until two o'clock.
He looked toward the kitchen.
He even looked at the kitchen.

Adverbios *aquí, acá; ahí; allí,[4] allá*

aquí: en este lugar—un lugar específico	*here*
acá: en un lugar impreciso; empleado con el verbo **venir**	*here*
ahí: en ese lugar—o específico o impreciso	*there*
allí: en aquel lugar—un lugar específico	*there*
allá: en un lugar impreciso; empleado con verbos de movimiento	*there*

19 ◆ EJERCICIO DE SUSTITUCIÓN

Use **aquí, ahí** o **allí** en las siguientes oraciones según indican los ejemplos.

---

[4] En Hispanoamérica existe la tendencia de usar **ahí** más que **allí**. En este caso, **ahí** tiene los dos valores de **en ese lugar** y **en aquel lugar**.

Estoy contento en esta casa.
Estoy contento aquí.
Está contento en esa casa.
Está contento ahí.
Estaba contento en aquella casa.
Estaba contento allí.

Esta casa es donde vivo.
Esa casa es donde vivo.
Aquella casa es donde vivo.

Hay que andar por esta calle.
Hay que andar por esa calle.
Hay que andar por aquella calle.

No quiero irme de este lugar.
No quiere irse de ese lugar.
No quería irse de aquel lugar.

20 ◆ EJERCICIO ESCRITO

Escriba las siguientes oraciones usando **acá** o **allá**, según convenga.

1. Venga _____.
2. Vaya _____.
3. No vive aquí sino más _____.
4. _____ afuera estaba la tierra.
5. Pienso que aquella calle está por _____.
6. No te sientes tan lejos de mí. Pon tu silla más _____.

Frases prepositivas *acerca de, alrededor de, cerca de, a eso de*

acerca de	*about (i.e., concerning)*
alrededor de	*about (i.e., approximately); around*
cerca de	*about (i.e., approximately); near*
a eso de	*about (as in "at about a certain time")*

Hablan **acerca de** la filosofía. — *They talk about philosophy.*
Hay montañas **alrededor del** pueblo. — *There are mountains around the town.*
Vale **alrededor de** (**cerca de**) veinte dólares. — *It's worth about twenty dollars.*
Hay montañas **cerca del** pueblo. — *There are mountains near the town.*
Llamó **alrededor de** (**cerca de, a eso de**) las ocho. — *He called about eight o'clock.*

Escuche cada oración y repítala usando **acerca de** en lugar de **sobre**, según indica el ejemplo.

EJEMPLO   Hablan sobre el alojamiento.
Hablan acerca del alojamiento.

La conversación fue sobre la llegada del médico.
Me preguntaron sobre la inscripción.
Discuten sobre la explicación que diste.
Hablan sobre la felicidad de esa mujer.
Comentaron sobre lo mal que andaba la situación.

22 ◆ EJERCICIO DE SUSTITUCIÓN

Escuche cada oración y repítala usando primero **alrededor de** y después **cerca de**, según indica el ejemplo.

EJEMPLO   Cuesta veinte dólares, más o menos.
Cuesta alrededor de veinte dólares.
Cuesta cerca de veinte dólares.

Pagó la mitad, más o menos.
Lo llamaron a las ocho, más o menos.
Vale cincuenta pesos, más o menos.
Vino a las dos, más o menos.
Me debe cincuenta pesetas, más o menos.

23 ◆ EJERCICIO DE TRADUCCIÓN

He sat near the fire.
They sat around the fire.
He wrote a book about Mexico.
He wrote about ten books.
I saw him about ten o'clock.

5   La formación de palabras

En español, hay diferentes maneras de derivar unas palabras de otras. Por ejemplo, muchos nombres terminados en **-ción** se derivan de verbos (operar → operación); muchos adjetivos terminados en **-al** se derivan de nombres (semana → semanal). Existen distintas terminaciones que se pueden usar para formar determinadas partes de la oración (adjetivos, nombres, etc.). Como no se puede predecir con exactitud cuál es la terminación correcta, no es aconsejable que el estudiante trate de formar palabras nuevas por su cuenta. Sin embargo, el conocimiento de los derivados y su formación lo ayudará a reconocer vocabulario y estructuras. El estudiante debe siempre buscar raíces conocidas en palabras que no conoce.

Nombre→nombre terminado en -al o en -ar

El **manzanar** es donde crecen los **manzanos**.	*The apple orchard is where apple trees grow.*

24 ◆ EJERCICIO DE DERIVACIÓN

El pinar es donde crecen ———————.
El olivar es donde crecen ———————.
El naranjal es donde crecen —————.

Verbo→nombre terminado en -miento

La acción de **alojar** o el lugar donde uno se aloja es el **alojamiento**.	*The action of lodging or the place where one is lodged is the lodging.*

Los verbos que cambian la e en i en el gerundio también la cambian al convertirse en nombres terminados en **-miento**.

La acción de crecer es el crecimiento.

25 ◆ EJERCICIO DE DERIVACIÓN

La acción de casar o casarse es el ———————.
La acción de nacer es el ———————————.
La acción de alejar o alejarse es el ———————.
La acción de sentir es el —————————————.

Verbo→nombre terminado en -ada o en -ida

La acción de **entrar** o el sitio por donde se entra es la **entrada**.	*The action of entering or the place where one enters is the entrance.*

26 ◆ EJERCICIO DE DERIVACIÓN

La acción de llegar es la _____ .
La acción de ir es la _____ .
La acción de venir es la _____ .
La acción de retirar es la _____ .
El sitio por donde se sale es la _____ .

27 ◆ EJERCICIO DE TRADUCCIÓN

They were waiting for the arrival of the mail.
The house is near a pine grove.
Lodging is a great problem.

Nombre[5]→adjetivo

28 ◆ EJERCICIO ESCRITO

Escriba las siguientes oraciones completando la segunda con el adjetivo que se relaciona con el nombre en **negrilla** de la primera oración.

EJEMPLO   La mujer siente gran **felicidad**.
La mujer es muy _____ .
La mujer es muy feliz.

1. El profesor explica el problema con **claridad**.
El profesor da una explicación _____ del problema.
2. Atilano lo miró con una gran **tristeza**.
Atilano lo miró con una expresión _____ .
3. Eso lo puedo decir con **certeza**.
Eso lo puedo decir como cosa _____ .
4. Ella se jacta de la **pureza** de sus intenciones.
Ella se jacta de sus intenciones _____ .
5. Ella le habló con **timidez**.
Ella le habló de una manera _____ .
6. Le contestó con **sequedad**.
Le contestó en un tono _____ .
7. No quiero las almendras por su **amargura**.
No quiero las almendras que están _____ .

---

[5] En los nombres que se derivan de adjetivos, algunas veces hay cambios ortográficos o cambios en la raíz como los que aparecen en las formas verbales: **seco** → **sequedad**, **cierto** → **certeza**.

8. La mujer muestra mucha **sabiduría**.
   La mujer se muestra muy _____.
9. Son las **tonterías** que digo.
   Son las cosas _____ que digo.

Verbo→nombre, adjetivo o adverbio

29 ◆ EJERCICIO ESCRITO

Escriba la segunda oración usando el nombre, adjetivo o adverbio que esté relacionado con el verbo en **negrilla** de la primera oración.

EJEMPLO   El niño **se alejaba** del jardín.
          El niño se iba _____ del jardín.
          El niño se iba lejos del jardín.

1. Cuando llegó al pueblo, ya había **anochecido**.
   Cuando llegó al pueblo, era ya de _____.
2. El hombre **se acercó** a la casa.
   El hombre llegó _____ de la casa.
3. Los días **se alargan**.
   Los días se hacen más _____.
4. Sus manos fueron **endurecidas** por el trabajo.
   El trabajo puso sus manos _____.
5. **Enterraron** el arcón.
   Cubrieron el arcón con _____.
6. Al quitar algunas cosas, **aligeró** la maleta.
   Al quitar algunas cosas, la maleta quedó más _____.

Adjetivo→adverbio terminado en *-mente*

Un trabajo **fácil** es el que se puede hacer **fácilmente**.	*An easy job is one that can be done easily.*

30 ◆ EJERCICIO ESCRITO

Escriba la segunda oración usando el adverbio que se deriva del adjetivo en **negrilla**.

EJEMPLO   El capítulo era **fácil**.
          Entendí el capítulo _____.
          Entendí el capítulo fácilmente.

1. Mi hermano es muy **inteligente**.
   Mi hermano siempre actúa _____.
2. Mi padre es muy **cuidadoso**.
   Mi padre guía _____.
3. Ellas son muy **tímidas**.
   Ellas hablan _____.
4. Ese alguacil es muy **lento**.
   Ese alguacil camina _____.
5. Yo me sentía muy **triste**.
   Yo me quejaba _____.

31 ◆ EJERCICIO DE EXPANSIÓN

Escuche cada oración y repítala añadiendo el apunte según indica el ejemplo.

EJEMPLO   Hablaba lentamente.   (tristemente)
Hablaba lenta y tristemente.

Lo leyó claramente.   (rápidamente)
Hizo el trabajo perfectamente.   (cuidadosamente)
Se expresa fácilmente.   (elegantemente)
Escribía inteligentemente.   (frecuentemente)

Notas gramaticales

1 Los adjetivos que terminan en **e** o consonante añaden directamente la terminación **-mente** para formar el adverbio.

   amable → amablemente
   sutil   → sutilmente

2 Los adjetivos que tienen forma masculina (**-o**) y forma femenina (**-a**) usan la forma femenina seguida de **-mente** para formar el adverbio.

   primero, primera → primeramente

3 Los adverbios terminados en **-mente** que se derivan de adjetivos con acento escrito mantienen el acento.

   fácil → fácilmente

4 Cuando hay dos o más adverbios seguidos, sólo se añade **-mente** al último.

   Lo hizo **rápida y fácilmente.**

5 Los adverbios terminados en **-mente** tienen dos sílabas tónicas: la del adjetivo y la primera sílaba de **-mente**.

   tristemente
   difícilmente

6 Problemas de vocabulario

*Cuestión, pregunta; hacer una pregunta, preguntar;
preguntar por, pedir*

---

cuestión   *matter or question under discussion*
es cuestión de   *it's a matter of*

El sueldo es una cuestión importante.   *Salary is an important question.*

pregunta   *question, query requiring certain information as an answer*

Las preguntas del profesor siempre son   *The professor's questions are*
   difíciles.   *always difficult.*

hacer una pregunta   *to ask a question*

¿Quién hizo la pregunta?   *Who asked the question?*

preguntar   *to ask (something) as a question*

¿Qué me preguntó usted?   *What did you ask me?*

preguntar por   *to ask for (e.g., someone)*

La niña pregunta por su padre.   *The little girl is asking for her father.*

pedir   *to ask for, to request (something), to ask (someone to do something)*

¿Qué libro me pidió usted?   *What book did you ask me for?*
Le pedimos que vaya.   *We ask you to go.*

---

32 ◆ EJERCICIO ESCRITO

Escriba las siguientes oraciones usando **cuestión** o **pregunta**, según convenga.

1. Favor de repetir la _____ .
2. La _____ del alojamiento anda mal.
3. El tren llegará pronto; ya es _____ de pocos minutos.
4. No puedo contestar a las _____ .
5. La predestinación es una _____ interesante.

33 ◆ EJERCICIO DE SUSTITUCIÓN

La profesora siempre le hace preguntas.
Sus padres _____ .
Los guardias _____ .
Su hermana y yo _____ .
(Tú) _____ .

34 ◆ EJERCICIO DE TRANSFORMACIÓN

Escuche cada pregunta y, basándose en ella, haga una oración usando **le pregunto** según indica el ejemplo.

EJEMPLO   ¿Cuántos años tiene su hijo?
           Le preguntó cuántos años tenía su hijo.

¿Qué hace su hijo?
¿Cuándo va a llegar Manuel?
¿Quién le mandó a usted los zapatos?
¿Cuántos libros compraron ustedes?
¿Quién va a alojar al médico?

35 ◆ EJERCICIO DE TRANSFORMACIÓN

Escuche cada pregunta y, basándose en ella, haga una oración usando **preguntan** según indica el ejemplo.

EJEMPLO   ¿Está el Sr. González en casa?
           Preguntan por el Sr. González.

¿Está el médico en su oficina?
¿Está don Lorenzo en casa?
¿Está aquí la Sra. de Gómez?
¿Dónde estará el alguacil?
¿Están los niños en la escuela?

36 ◆ EJERCICIO DE TRANSFORMACIÓN

Escuche cada oración y, basándose en ella, haga una nueva oración usando **me pidió** según indica el ejemplo.

EJEMPLO   Déme dos lápices, por favor.
           Me pidió dos lápices.

Déme cinco dólares, por favor.
Entréguenme las composiciones, por favor.
Escríbame la dirección, por favor.
Denme los libros, por favor.
Sírvame un poco de vino, por favor.

37 ◆ EJERCICIO DE TRANSFORMACIÓN

Escuche cada oración y, basándose en ella, haga una nueva oración usando **le pidió** según indica el ejemplo.

EJEMPLO   Aloje usted al médico.
           Le pidió que alojara al médico.

Baje usted la maleta.
Miren ustedes los zapatos.
Prepare usted la mesa.
Sirva usted la carne.
Vendan ustedes los libros.

38 ◆ EJERCICIO DE TRADUCCIÓN

We asked a difficult question.
"Are you happy?" he asked us.
I asked for the doctor.
I asked the doctor to come with me.
I asked him for the medicine.

Solamente, sólo, solo, único

solamente
sólo } adverbios   *only*

Sólo (Solamente) porque le   *Only because I had him, I've*
tenía a él, he sido feliz.   *been happy.*

Según las nuevas reglas de la Real Academia Española, el adverbio **sólo** lleva acento únicamente en aquellos casos en que es necesario para evitar ambigüedad.

Trabaja **solo** en la oficina.   He works *alone* in the office.
Trabaja **sólo** en la oficina.   He works *only* in the office.

En los demás casos no es necesario poner el acento.

solo (-a, -os, -as): adjetivo   *alone, single*

Juan vendrá solo.   *Juan will come alone.*
Hay una sola persona que   *There's a single person who*
sabe la respuesta.   *knows the answer.*

único (-a, -os, -as): adjetivo   *only*

Es la única persona que   *He's the only person who*
sabe la respuesta.   *knows the answer.*

Nótese el uso del artículo definido con **único** y el del indefinido con **solo**.

39 ◆ solamente → sólo

Solamente será por dos o tres días.
Es feliz solamente porque tiene un hijo.
Solamente una mujer puede hacerlo.
Solamente trabajando me gané la vida.
¿No va a trabajar solamente por eso?
Hay solamente la luz de una bombilla.

40 ◆ PREGUNTAS Y RESPUESTAS

Usando la forma correcta del adjetivo **solo**, conteste a las siguientes preguntas
según indica el ejemplo.

EJEMPLO   ¿Vive la mujer con alguien?
No, ella vive sola.

¿Está alguien con la enferma?
¿Juegan los niños con alguien?
¿Estudian sus hermanas con alguien?
¿Va alguien con usted?
¿Está alguien con don Lorenzo?

41 ◆ PREGUNTAS Y RESPUESTAS

Usando la forma correcta del adjetivo **solo**, conteste a las siguientes preguntas
según indica el ejemplo.

EJEMPLO   ¿Tiene usted algunos libros?
No tengo ni un solo libro.

¿Tiene la mujer muchas amigas?
¿Tiene el niño algunos juguetes?
¿Hay varios médicos en el pueblo?
¿Hay alguna alumna en la clase?
¿Recibió usted muchas cartas hoy?

42 ◆ PREGUNTAS Y RESPUESTAS

Usando la forma correcta del adjetivo **único**, conteste a las siguientes preguntas
según indica el ejemplo.

EJEMPLO   Además del rojo, ¿tiene usted otros sombreros?
El rojo es el único sombrero que tengo.

Además de don Lorenzo, ¿hay otros médicos por ahí?
Además de Manuel, ¿tiene la mujer otros hijos?

Además del español, ¿habla usted otras lenguas extranjeras?
Además de aquélla, ¿tienen ustedes otra maleta?
Además de José y Pilar, ¿conoce usted a otros españoles?

43 ◆ EJERCICIO DE TRADUCCIÓN

I only know two Mexicans.
I don't know a single Mexican.
Pablo is the only Mexican I know.
She lives alone.
She lives only for her son.

LECCIÓN 12

1 Oraciones básicas

1 **El frío mordiente se le pegó a la cara.**

The biting cold clung to his face.

2 **Los que se avinieron a tenerle en un principio se volvieron atrás a última hora.**

Those who agreed to have you at first changed their minds at the last moment.

3 **La casa estaba al final de una callecita empinada.**

The house was at the end of a steep little street.

4 **Arriba, junto a los leños encendidos, le había preparado la mesa.**

Upstairs, next to the burning logs, she had prepared the table for him.

5 **Luego se volvió rápidamente hacia el pasillo.**

Then she turned rapidly toward the hallway.

6 **Lo guardo, siempre, para cuando viene a verme mi hijo.**

I keep it, always, for when my son comes to see me.

7 **Él sacaba las mejores notas en la escuela.**

He made the best grades at school.

8 **Detrás de la aldea se alargaba la llanura.**

Behind the village stretched the prairie.

9 **No se va usted a quedar en la calle con una noche así.**

You aren't going to stay out in the street on a night like this.

10 **Sobre la cómoda brillaba un espejo con tres rosas de papel prendidas.**

Over the chest of drawers shone a mirror with three paper roses fastened to it.

2 Spanish pronunciation

/ñ/, /y/

Spanish /ñ/ is somewhat similar to the sound of *ni* in the English word *onion*. As very few words begin with /ñ/ and it is not a final sound, /ñ/ normally appears between vowels.

1 ◆ PRONUNCIATION EXERCISE

/ñ/

baño
extraña
niña
España
cañón
español
tañer
ñame

/n/	/ñ/
una	uña
rana	raña
penas	peñas
mana	maña
panal	pañal
sonó	soñó
canal	cañal
sonar	soñar

In some parts of the Spanish speaking world **ll** is pronounced /ly/. In these areas there is, therefore, a difference in pronunciation between words such as **halla** and **haya**.

In the southern part of South America, especially in Argentina, **ll** and **y** are both pronounced with much friction. The resultant sound is somewhat similar to the *dg* in *edge*.

In the majority of the areas where Spanish is spoken, **y** and **ll** are both pronounced as /y/. This sound is produced with more friction and tension than is English /y/. It is important that /y/ be pronounced correctly; if it is omitted or pronounced laxly, misunderstandings can occur. The word **villa**, for example, could be heard as **vía**.

/y/

llama
llave
llanura
pasillo
allí
bombilla
tejadillo
callecita
callada
hierba
hiena

3 El reflexivo

**Con carácter indefinido, para acciones imprevistas
y con cambio de significado**

3 ◆ EJERCICIO DE TRANSFORMACIÓN

Escuche cada oración y repítala usando el reflexivo según indica el ejemplo.

EJEMPLO Dicen que es imposible alojar al médico.
Se dice que es imposible alojar al médico.

Dicen que la mujer está loca.
La gente no comprende por qué vino el médico.
Todo el mundo sabe que el niño murió.
Nadie puede explicar lo que pasó después.
Muchos creen que los extranjeros son malos.
La gente sale por esta puerta.
Nadie puede fumar en la iglesia.
Uno debe estudiar mucho.
Uno está bien aquí.

4 ◆ EJERCICIO DE SUSTITUCIÓN

Se me perdió el libro.   Se me cayó la copa.
_____ libros.   _____ rompió _____.
_____ cayeron _____.   _____ gafas.
_____ copa.   _____ olvidaron _____.

5 ◆ EJERCICIO DE TRANSFORMACIÓN

Escuche cada oración y repítala usando la estructura reflexiva según indica el ejemplo.

EJEMPLO   Rompimos las gafas.
          Se nos rompieron las gafas.

¿Olvidaste los papeles?
Manchan las camisas.
Sequé la ropa.
Rompieron los zapatos.
No perdí las cartas.
¿Perdiste la dirección?

6 ◆ PREGUNTAS Y RESPUESTAS

Conteste a las siguientes preguntas usando **quejarse de.**

EJEMPLO   ¿Está contenta la mujer?
          Nunca se queja de nada.

¿Están ustedes contentos?
¿Están contentos sus padres?
¿Estás contento?
¿Está contento el médico?

7 ◆ PREGUNTAS Y RESPUESTAS

Conteste a las siguientes preguntas usando **atreverse a.**

EJEMPLO   ¿Ha estrenado la mujer los zapatos?
          No, no se atreve a estrenarlos.

¿Le has hablado al profesor?
¿Les ha pedido su hermano el dinero?
¿Han confesado los niños el accidente?
¿Han salido ustedes de la casa?

8 ◆ PREGUNTAS Y RESPUESTAS

Conteste a las siguientes preguntas usando **arrepentirse de.**

EJEMPLO   ¿Lamenta el hombre sus palabras?
          Sí, se arrepiente de ellas.

¿Lamenta la mujer su crimen?
¿Lamentan los niños sus acciones?
¿Lamentas tus mentiras?
¿Lamentan ustedes sus malas obras?

Conteste a las siguientes preguntas usando **jactarse de**.

EJEMPLO ¿Estáis orgullosos de vuestros triunfos?
Sí, nos jactamos de ellos.

¿Está la mujer orgullosa de su dinero?
¿Están ellos orgullosos de su piedad?
¿Estás orgulloso de tus notas?
¿Está ella orgullosa de su belleza?

10 ◆ EJERCICIO DE TRADUCCIÓN

Repita la primera oración y después traduzca las otras dos según indica el ejemplo.

EJEMPLO No quiere comprometer su fama de cocinera.
No quiere comprometer su fama de cocinera.
She doesn't want to compromise her fame as a cook.
No quiere comprometer su fama de cocinera.
She doesn't want to obligate herself to cook.
No quiere comprometerse a cocinar.

1. Arreglamos las comidas.
   We arrange the meals.
   We make do with the meals.
2. Las hojas caen.
   The leaves fall.
   The little girl falls down.
3. La casa queda vacía.
   The house remains empty.
   I stay home.
4. La mujer volvió con el vino.
   The woman returned with the wine.
   The woman turned around.
5. No quieren ir allá.
   They don't want to go there.
   They don't want to go away.
6. Muchos niños murieron de meningitis.
   Many children died from meningitis.
   Our son died from meningitis.
7. La mujer le pega al hombre.
   The woman hits the man.
   The woman clings to the man.

8. Parece muy vieja.

    She seems very old.

    She resembles her mother.

Notas gramaticales

1 El reflexivo se usa en una estructura impersonal e indefinida que se traduce de varias maneras en inglés.

    Se sabe que la vida es dura.   *One knows* (*They know, We know, You know, It is known*) *that life is hard.*

2 Se usa el pronombre reflexivo **se** + el complemento indirecto para indicar algo que le ocurrió a la persona inesperadamente o por accidente.

    Se me perdieron los libros.   *I lost the books.* (*Lit.—The books got lost on me.*)

    Se nos ocurrió la misma idea.   *We got the same idea.*

3 Hay algunos verbos en español que son siempre reflexivos.

    La mujer se ruborizó.   *The woman blushed.*

    El hombre se jactó de sus buenas obras.   *The man boasted about his good deeds.*

    Los verbos de uso más frecuente que se incluyen en este grupo son:

arrepentirse (de)	*to repent*
atreverse (a)	*to dare*
quejarse (de)	*to complain*

4 Muchos verbos transitivos tienen un cambio de significado en la forma reflexiva. En general la diferencia de significado es bastante obvia.

pegar	*to glue, fasten, or hit*
pegarse	*to stick or cling* (*i.e., to fasten itself*)

5 Con los verbos intransitivos hay también una diferencia de significado en la forma reflexiva que se puede mostrar con bastante claridad en la traducción.

dormir	*to sleep*
dormirse	*to fall asleep*
ir	*to go*
irse	*to go away*

    Pero hay ciertos verbos con los cuales el uso del reflexivo muestra una diferencia más sutil, pues indica la actitud del que habla y le da un tono más personal, familiar o afectivo a la oración. También puede señalar que cierta acción es el resultado de los esfuerzos del sujeto.

morir	*to die*
morirse	*to die, or to be dying*

    Muchos soldados **murieron** en la guerra. (actitud objetiva e impersonal)

    Mi pobre marido **se murió** cuando el niño tenía dos meses. (actitud subjetiva; interés personal del que habla)

| parar | to stop |
| pararse[1] | to stop |

El auto de línea **paró** frente al cuartel. (la acción no es el resultado de los esfuerzos del sujeto)

The bus stopped in front of the barracks.

Lorenzo **se paró** consternado. (la acción es el resultado de los esfuerzos del sujeto)

Lorenzo stopped in alarm.

4 Adverbios, preposiciones y conjunciones

Preposiciones *bajo, debajo de; sobre, encima de; tras, detrás de; ante, delante de*

11 ◆ FRASE PREPOSITIVA → PREPOSICIÓN

Escuche cada oración y repítala sustituyendo la frase prepositiva por la preposición corta que le corresponda.

EJEMPLO Hay una luz encima de la puerta.
Hay una luz sobre la puerta.

Marchó detrás del alguacil.
Sus cabellos estaban ocultos debajo de un pañuelo.
Apareció delante del juez.
La inscripción está debajo de la bombilla.
No quiero hablar delante del alguacil.
Encima de la cómoda brillaba un espejo.
Encontró el papel detrás del escritorio.

Lejos de, cerca de, dentro de, fuera de, detrás de, delante de

12 ◆ EJERCICIO DE EXPANSIÓN

Escuche cada oración y repítala añadiendo la preposición **de** y el apunte, según indica el ejemplo.

EJEMPLO El pueblo está lejos. (la ciudad)
El pueblo está lejos de la ciudad.

---

[1] **Pararse** también quiere decir **ponerse de pie**, *to stand up*, en Hispanoamérica.

La casa queda bastante cerca.   (la iglesia)
Prefiero quedarme dentro.   (la casa)
Lorenzo me esperó fuera.   (la oficina)
Juanito corrió detrás.   (su padre)
La profesora se sienta delante.   (los estudiantes)

Arriba, abajo, adelante, atrás, afuera, adentro, en seguida, después

13 ◆ PREGUNTAS DE SELECCIÓN

> EJEMPLO   ¿Le prepara ella la mesa arriba o abajo?
> **Le prepara la mesa arriba.**

¿Quiere usted seguir adelante o volver atrás?
¿Está nuestro cuarto abajo o arriba?
¿Hace más frío afuera o adentro?
¿Marcha el niño escaleras arriba o abajo?
¿Nadan ellos mar afuera o vuelven atrás?
¿Se enteró usted en seguida o meses después?
¿Son los mejores apartamentos los de arriba o los de abajo?

Desde que y puesto que

14 ◆ EJERCICIO ESCRITO

Añada **puesto que** a la primera oración y combínela con la segunda formando una nueva oración.

> EJEMPLO   No hay posada en el pueblo. El alojamiento es una cuestión difícil.
> **Puesto que no hay posada en el pueblo, el alojamiento es una cuestión difícil.**

1. Mi amiga está enferma. No iremos al cine.
2. No tengo dinero. No compraré el libro.
3. Manda dinero a su hijo. Todos dicen que está loca.
4. La mujer cuida bien su casa. Todo parece muy limpio.
5. Manolo está en la ciudad. Su madre vive sola.

15 ◆ EJERCICIO ESCRITO

Añada **desde que** a la primera oración y combínela con la segunda formando una nueva oración.

> EJEMPLO   Su marido se murió hace doce años. Hace doce años que la mujer trabaja mucho.
> **Desde que su marido se murió, la mujer trabaja mucho.**

1. Hace meses que Manolo se fue. Hace meses que la mujer está sola.
2. Nací hace veinte años. Hace veinte años que mi madre está enferma.
3. Se hizo rico hace dos años. Hace dos años que vive en España.
4. Hace un mes que Miguel llegó a Madrid. Hace un mes que no recibo noticias de él.
5. Hice un viaje a México hace varios años. Hace varios años que el español me interesa mucho.

Antes, antes de, antes que; después, después de, después que

16 ◆ EJERCICIO DE EXPANSIÓN

Escuche cada oración y repítala añadiendo el apunte y la preposición **de** o la conjunción **que**, según indican los ejemplos.

EJEMPLOS María salió antes. (mediodía)
María salió antes del mediodía.

María salió antes. (tú llegaras)
María salió antes que tú llegaras.

Don Fernando vino después. (el almuerzo)
Juan llegó después. (ustedes almorzaron)
Anita leyó antes. (dormirse)
Mercedes salió antes. (se durmiera el niño)
Lorenzo se fue después. (cenar)
Rosa volvió después. (cenaron todos)

Antes de y delante de

antes de	*before* (*in time or order*)
delante de	*before, in front of* (*location*)

17 ◆ EJERCICIO ESCRITO

Escriba las siguientes oraciones usando **antes de** o **delante de**, según convenga.

1. El arcón está _delante de_ la ventana.
2. Manuela llegó _antes de_ las doce.
3. La casa queda _delante de_ el bosque.
4. Salió _antes de_ el almuerzo.
5. La primavera viene _antes de_ el verano.

Después de y detrás de

después de	*after* (*in time or order*)
detrás de	*after, behind* (*location*)

18 ◆ EJERCICIO ESCRITO

Escriba las siguientes oraciones usando **después de** o **detrás de**, según convenga.

1. El perro corre _detrás de_ su amo.
2. Se sirvió el café _después de_ la cena.
3. La llanura se alarga _detrás de_ la aldea.
4. Me dormí _después de_ leer el libro.
5. Estaban sentados _detrás de_ nosotros.

19 ◆ EJERCICIO DE TRADUCCIÓN

The man left after eating. *El hombre salió después de comer.*
The child left afterwards. *El niño salió después.*
The child ran after the man. *El niño corrió detrás del hombre.*
The man stopped after the child called him. *El hombre se paró después de que el niño le llamó.*

Notas gramaticales

1 Hay varias preposiciones cortas que corresponden a frases prepositivas:

bajo	debajo de	*under*
tras	detrás de	*behind*
ante	delante de	*before*

Usualmente, las preposiciones cortas y las frases prepositivas son sinónimas, pero algunas veces sus significados no son idénticos. Las cortas tienen, casi siempre, un sentido menos específico que las frases prepositivas.

2 Hay frases prepositivas que se forman con adverbios + **de**:

cerca	cerca de	*near*
dentro	dentro de	*in*
fuera	fuera de	*out*

3 Hay algunos adverbios que tienen dos formas:

dentro	adentro
fuera	afuera
debajo	abajo

La forma con **a-** tiene un sentido menos específico.[2]

Su amigo le esperaba **fuera**.	His friend was waiting for him *outside*.
Afuera estaba la tierra.	*Out there* was the land.

Esta forma con **a-** también se encuentra en expresiones adverbiales que ocurren después del nombre.

escaleras abajo   *downstairs*

4   La conjunción *since* del inglés puede tener dos significados que se traducen de distintos modos en español. La conjunción temporal es **desde que**:

Desde que me mudé a California, no veo más a mis parientes.	*Since* I moved to California, I don't see my relatives any more.

La conjunción causal es **puesto que, ya que, como**, etc.

Como está enferma, no puede ir a la fiesta.	*Since* she's sick, she can't go to the party.

5   La formación de palabras: prefijos y sufijos

Prefijos

Hay, tanto en inglés como en español, muchos prefijos que se pueden colocar delante de una palabra para cambiar su sentido. Algunos de estos prefijos son idénticos en las dos lenguas.

releer	*re*read
anticlericalismo	*anti*clericalism
predecir	*pre*dict

Prefijos de negación

Los prefijos de negación no son idénticos en las dos lenguas. Los prefijos *un-* y *dis-* del inglés no aparecen en español. Los prefijos comunes en español son:

des-	**des**aparecer	*disappear*
in-	**in**necesario	*unnecessary*
im- (delante de **p**)	**im**popular	*unpopular*
ir- (delante de **r**)	**ir**real	*unreal*

---

[2] De cierta manera se puede comparar esta forma con los adverbios **allá** y **acá** porque también se usan con verbos de movimiento y también admiten formas comparativas: **más allá, más afuera**.

20 ◆ EJERCICIO ESCRITO

Escriba las siguientes oraciones usando palabras con el prefijo **in-**, **im-** o **ir-**.

1. Lo contrario de feliz es ___infeliz___.
2. Lo contrario de posible es ___imposible___.
3. Lo contrario de dependiente es ___independiente___.
4. Lo contrario de responsable es ___irresponsable___.
5. Lo contrario de útil es ___inútil___.
6. Lo contrario de puro es ___impuro___.
7. Lo contrario de regular es ___irregular___.
8. Lo contrario de material es ___inmaterial___.
9. Lo contrario de quieto es ___inquieto___.
10. Lo contrario de religioso es ___irreligioso___.

El prefijo **des-**[3] denota negación pero en un sentido más amplio que **in-**.

ayunar	quedarse sin comer	*fast*
desayunar	comer por la mañana	*breakfast*
propósito	intención; **a propósito** indica que una cosa es oportuna	
despropósito	algo absurdo, sin sentido, que no es oportuno	
gracia	favor, encanto, broma	
desgracia	infortunio, adversidad	

---

21 ◆ EJERCICIO ESCRITO

Escriba las siguientes oraciones usando palabras con el prefijo **des-**.

1. Lo contrario de conocido es ___desconocido___.
2. Lo contrario de hacer es ___deshacer___.
3. Lo contrario de preciar es ___despreciar___.
4. Lo contrario de cubrir es ___descubrir___.
5. Lo contrario de engaño es ___desengaño___.
6. Lo contrario de igual es ___desigual___.
7. Lo contrario de esperar es ___desesperar___.
8. Lo contrario de prender es ___desprender___.
9. Lo contrario de atar es ___desatar___.
10. Lo contrario de honor es ___deshonor___.

---

[3] En algunos casos, **des-** delante de una palabra tiene cierto sentido negativo aunque no haya una palabra afirmativa que le corresponda: **desnudo** (sin ropa). Hay casos semejantes en inglés: *un*couth.

Traduzca las siguientes oraciones usando palabras que comiencen con **des-** como equivalentes de las que aparecen en *bastardilla*.

He couldn't hide his *scorn*. *No puede ~~su desprecio~~*
He spoke to us of his *despair*. *Nos dijo de su desesperación*
We *discovered* the truth. *descubrimos*
I *undid* the package. *deshizo*
Misfortune comes to everyone. *Desgracia viene a todo.*

Los prefijos *bien-* (*ben-*) y *mal-*

Los prefijos **bien-** (o **ben-**) y **mal-** se usan para indicar lo bueno y lo malo.

bienhechor, benefactor: el que hace bien a otro	*benefactor*
bienestar	*well-being*
malhechor: el que hace mal	*malefactor*
malestar	*indisposition*

Escriba las siguientes oraciones usando palabras con el prefijo **mal-**.

1. Lo contrario de benévolo es _malévolo_.
2. Lo contrario de bendición es _maldición_.
3. Lo contrario de bendito es _maldita_.
4. Lo contrario de beneficio es _maleficio_.

Sufijos de profesión

Se usa el sufijo **-ero** para indicar el dueño de algo o el hombre que hace o vende cierta cosa.

quincalla	*small wares (e.g., what is found in a 5 + 10¢ store)*
quincallero	*dealer in small wares, the owner of a variety store*
jornal	*day wages*
jornalero	*day laborer*

24 ◆ EJERCICIO ESCRITO

1. El que hace zapatos se llama _zapatero_
2. El dueño de un rancho es un _ranchero_
3. El empleado de correos que reparte las cartas es un _cartero_.
4. El que torea en las corridas es un _torero_

> Se usa el sufijo **-ería** para indicar la tienda donde se hace
> o se vende cierta cosa.
>
> **vidrio**   *glass*
> **vidriería**   *glazier's shop*

25 ◆ EJERCICIO ESCRITO

1. Se venden libros en una _librería_
2. Se venden relojes en una _relojería_
3. Se venden joyas en una _joyería_
4. Se venden dulces en una _dulcería_.

Sufijos: diminutivo

El español es rico en diminutivos y aumentativos, los cuales se usan frecuentemente en la conversación. Los sufijos diminutivos añaden la calidad de pequeño
y los aumentativos añaden la calidad de grande.

-ito

> El diminutivo que se usa más es **-ito (a)** con sus formas
> **-cito (a)**, **-ecito (a)**. Expresa pequeñez o denota cierto tono
> afectivo, semejante al sufijo *-y* en las palabras inglesas
> *doggy*, *birdie*, *Johnny*.
>
> **tejado → tejadito**   *little roof*
> **sobrino → sobrinito**   *little nephew, nice little nephew*

26 ◆ EJERCICIO SOBRE EL USO DE -ito

Cambie las siguientes palabras al diminutivo según indica el ejemplo.

EJEMPLO animal
       animalito

adiós   *adiósito*
papel
ángel
igual
papá   *papáito*

27 ◆ EJERCICIO SOBRE EL USO DE -ito

Escuche cada oración y repítala usando el diminutivo según indican los ejemplos.

EJEMPLOS   Rosa está aquí.
Rosita está aquí.

Las niñas están aquí.
Las niñitas están aquí.

El gato está aquí.   *gatito*
Los hijos están aquí.   *hijitos*
La abuela está aquí.   *abuelita*
La chica está aquí.   *chiquita*
Los zapatos están aquí.   *zapatitos*
Los libros están aquí.   *libritos*

28 ◆ EJERCICIO SOBRE EL USO DE -cito

Escuche cada oración y repítala usando el diminutivo según indica el ejemplo.

EJEMPLO   Llegó a los balcones.
Llegó a los balconcitos.

El doctor llegó ya.
El joven llegó ya.
La mujer llegó ya.
Los botones llegaron ya.
El autor llegó ya.

29 ◆ EJERCICIO SOBRE EL USO DE -ecito

Escuche cada oración y repítala usando el diminutivo según indica el ejemplo.

EJEMPLO   ¿Dónde está la calle?
¿Dónde está la callecita?

¿Dónde está el café?
¿Dónde está la luz?
¿Dónde están los nietos?
¿Dónde está el rey?

¿Dónde está el nuevo?
¿Dónde están las viejas?
¿Dónde está el pueblo?
¿Dónde está el pobre?

Notas gramaticales

1   El sufijo **-ito (a)** se añade directamente al nombre de más de una sílaba cuando éste termina en consonante, excepto **n** o **r**.

    árbol → arbolito
    Tomás → Tomasito

2   Cuando el sufijo **-ito (a)** se añade a una palabra que termina en vocal acentuada, el acento se coloca sobre la **i**.

    mamá → mamaíta

3   La vocal inacentuada se pierde delante del sufijo **-ito (a)**. A veces, es necesario un cambio ortográfico para mantener el sonido de la palabra original.

    momento → momen**tito**
    cerca   → cer**quita**

4   El sufijo **-cito (a)** se usa en casi todas las palabras de más de una sílaba que terminan en **n** o **r**.

    comedor → comedorcito
    jardín   → jardincito

5   El sufijo **-ecito (a)** se usa en:

    a. las palabras de una sílaba que terminan en consonante o **y**. Si la consonante final es una **z**, ésta se cambia en **c**.
        flor → florecita
        buey → bueyecito
        voz → vocecita

    b. las palabras de dos sílabas que terminan en **a** u **o** con **ei**, **ie** o **ue** en la primera sílaba.
        reina → reinecita
        viento → vientecito
        hueso → huesecito

    c. las palabras de más de una sílaba que terminan en **e**.
        verde → verdecito

6   Todas las reglas mencionadas anteriormente se aplican en el uso de las distintas formas de los otros diminutivos.

7   A veces, el diminutivo puede espresar cierto tono despectivo.

    El **doctorcito** que vive allí.

-illo

De un uso menos frecuente es el sufijo **-illo (a)** con sus formas **-cillo (a)**, **-ecillo (a)**.

tejado → tejadillo
balcón → balconcillo
calle → callecilla

30 ◆ EJERCICIO SOBRE EL USO DE -illo, -cillo, -ecillo

Cambie las siguientes palabras al diminutivo.

tejados
campana
graciosa
balcón
vieja

-uelo

El sufijo **-uelo (a)** es menos frecuente que los mencionados anteriormente y puede expresar un tono despectivo, además de pequeñez.

pequeñuelo   *youngster*
pintorzuelo *bad painter*

Cambios de sentido

En algunos casos, las palabras a las cuales se les han añadido estos sufijos diminutivos, especialmente **-illo**, se han convertido en palabras con significados totalmente diferentes.

zapato	*shoe*	**zapatilla**	*slipper*
bomba	*lamp globe*	**bombilla**	*lightbulb*
bolsa	*purse*	**bolsillo**	*pocket*
paso	*passage*	**pasillo**	*aisle, hallway*
cigarro	*cigar*	**cigarrillo**	*cigarette*
paño	*cloth*	**pañuelo**	*handkerchief*

A estas palabras con diferente significado se les pueden añadir otros sufijos diminutivos.

zapatilla → zapatill**ita** (*cute little slipper*)
pañuelo → pañuel**illo** (*small handkerchief*)

31 ◆ EJERCICIO ESCRITO

Traduzca las siguientes oraciones usando diminutivos para mantener el sentido de cada una de ellas.

The house is at the end of a nice little street. *La casa está al final de callecita.*

The little girl is sick. *La niñita está enferma.*

He's a pretty bad author. *El es un autorzuelo.*

In the distance were seen the little roofs of the village. *En la lejanía se verán los tejadillos de la aldea*

There was one lightbulb above the door. *Hay una bombilla sobre la puerta*

6 Problemas de vocabulario

Devolver, revolver, volver

devolver algo	*to return something, as to its owner*

32 ◆ PREGUNTAS Y RESPUESTAS

Conteste a las siguientes preguntas según indica el ejemplo.

EJEMPLO ¿Ya tienes tu libro?
Sí, Juan me lo devolvió.

¿Ya tienen ellos sus maletas?
¿Ya tiene ella los zapatos?
¿Ya tiene usted el periódico?
¿Ya tienen ustedes su máquina de escribir?
¿Ya tienes tu chaqueta?

revolver	*to revolve*
revolver algo	*to stir up something or turn something upside down*

33 ◆ EJERCICIO DE SUSTITUCIÓN

La mujer revolvía la sopa.
_____ café.
_____ arroz.
_____ papeles.
_____ libros.
_____ todo en la casa.

volver	*to return*
volver algo	*to turn something over*
volverse	*to turn around*

34 ◆ regresar → volver

Regresé a casa.
Regresaste del viaje.
Regresa de la universidad.
Los viajeros regresarán mañana.
Acabamos de regresar de España.

35 ◆ FORMACIÓN DE ORACIONES

Usando **volver**, forme una oración con cada grupo de dos palabras según indica el ejemplo.

EJEMPLO estudiante, hojas
El estudiante vuelve las hojas.

médico, cabeza
mujer, espalda
profesor, página
muchacha, ojos
alguacil, hojas

36 ◆ EJERCICIO DE TRADUCCIÓN

He returned the book to me. *Me devolvía el libro.*
He turned all the books upside down. *Él revolvió todos los*
He read the book again. *Leo el libro de nuevo – Vuelvo a leer el libro*
We turned around. *Nos volvimos.*
We returned. *Volvimos*
We went crazy. *Nos volvimos locos*
We went back on our word. *Nos volvimos atrás. (en nuestra palabra.)*

Sacar

sacar	*to take out, to pull out, to extract*

37 ◆ ANTÓNIMOS → sacar

Escuche cada oración y repítala usando **sacar** en lugar del verbo para darle un sentido opuesto.

EJEMPLO Mete la mano en el bolsillo.
Saca la mano del bolsillo.

Metió una moneda en la bolsa.
Pondré el libro en su sitio.
Metieron dinero en el banco.
La hizo entrar en su casa.
Mete los zapatos en la caja.
Colocó mucho dinero en ese negocio.

38 ◆ SINÓNIMOS → sacar

Escuche cada oración y repítala usando **sacar** en lugar del verbo para darle el mismo sentido.

EJEMPLO El dentista arrancó una muela.
El dentista sacó una muela.

El estudiante sale con las mejores notas.
Los turistas toman muchas fotografías.
Nos hemos ganado un premio de la lotería.
Copié este párrafo de la enciclopedia.
Hicieron varias copias del poema.
¿Compraste los billetes?
El chico suma la cuenta.

39 ◆ EJERCICIO DE TRADUCCIÓN

Traduzca las siguientes oraciones usando el verbo **sacar**.

I make good grades.
I added up the bill.
I took a picture.
I took the prize.
I took out my pencil.

Ahorrar y salvar

ahorrar: economizar, guardar	*to save, as money or time*
salvar: proteger, devolver la salud, conservar intacto	*to save, as a person*

40 ◆ EJERCICIO DE SUSTITUCIÓN

Ahorramos dinero de esta manera.
(Yo) _____ .
Ricardo y Ana _____ .
_____ tiempo _____ .
(Tú) _____ .
Juan y yo _____ .

41 ◆ SINÓNIMOS → salvar

   Escuche cada oración y repítala usando **salvar** en lugar del verbo para darle el mismo sentido.

Libraste al niño del fuego.
El policía protegió a la mujer.
Los médicos curan a los enfermos.
Conservé intacto el honor de la familia.
Debemos proteger nuestra reputación.
Lo libraron de la prisión.

Gastar y *pasar*

gastar	*to spend, as money*
pasar	*to spend, as time*

42 ◆ EJERCICIOS DE SUSTITUCIÓN

Gasté mucho dinero.
_____ cinco dólares.
_____ veinte pesetas.
_____ todo el jornal.
_____ mi herencia.

El médico va a pasar la noche allí.
_____ dos días _____ .
_____ una semana _____ .
_____ medio año _____ .
_____ varios meses _____ .

LECTURA III

LA FELICIDAD

Ana María Matute nació en Barcelona en 1926. Desde muy joven comenzó a escribir y en 1947 aparecieron sus primeros cuentos en la revista *Destino*. Un año más tarde, en 1948, publicó su primera novela, *Los Abel*. Entre sus obras más conocidas y que han sido premiadas se encuentran *Pequeño teatro, Primera memoria, Los hijos muertos* y *Fiesta al noroeste*. "La felicidad" es uno de los veintidós cuentos de su libro *Historias de la Artámila*. La soledad, la muerte, la ternura, el mundo de los niños y el choque entre la fantasía y la realidad son temas que se encuentran presentes en esta obra y que Ana María Matute utiliza con fina sensibilidad.

Cuando llegó al pueblo, en el auto de línea, era ya anochecido. El regatón de la
cuneta[1] brillaba como espolvoreado[2] de estrellas diminutas. Los árboles,
desnudos y negros, crecían hacia un cielo gris azulado, transparente.

El auto de línea paraba justamente frente al cuartel de la Guardia Civil[3].
Las puertas y las ventanas estaban cerradas. Hacía frío. Solamente una bombilla,
sobre la inscripción de la puerta, emanaba un leve resplandor. Un grupo de
mujeres, el cartero y un guardia, esperaban la llegada del correo. Al descender
notó crujir la escarcha[4] bajo sus zapatos. El frío mordiente se le pegó a la cara.

Mientras bajaban su maleta de la baca, se le acercó un hombre.

—¿Es usted don Lorenzo, el nuevo médico?—le dijo.

Asintió.

—Yo, Atilano Ruigómez, alguacil, para servirle.

---

[1] **regatón...cuneta** water in the ditch   [2] **espolvoreado** sprinkled   [3] **Guardia Civil** policía
rural española creada en 1844   [4] **crujir la escarcha** the frost crunch

Le cogió la maleta y echaron a[5] andar hacia las primeras casas de la aldea. El azul de la noche naciente empapaba[6] las paredes, las piedras, los arracimados[7] tejadillos. Detrás de la aldea se alargaba la llanura, levemente ondulada, con pequeñas luces zigzagueando en la lejanía. A la derecha, la sombra oscura de los pinares. Atilano Ruigómez iba con paso rápido, junto a él.

—He de decirle una cosa, don Lorenzo.

—Usted dirá.

—Ya le hablarían a usted de lo mal que andaba la cuestión del alojamiento. Ya sabe que en este pueblo, por no haber, ni posada[8] hay.

—Pero, a mí me dijeron...

—¡Sí, le dirían! Mire usted: nadie quiere alojar a nadie en casa, ni en tratándose del médico. Ya sabe: andan malos tiempos. Dicen todos por ahí que no se pueden comprometer a dar de comer... Nosotros nos arreglamos con cualquier cosa: un trozo[9] de cecina[10], unas patatas... Las mujeres van al trabajo, como nosotros. Y en el invierno no faltan ratos malos para ellas. Nunca se están de vacío[11]. Pues eso es: no pueden andarse preparando guisos[12] y comidas para uno que sea de compromiso[13]. Ya ni cocinar deben saber... Disculpe usted, don Lorenzo. La vida se ha puesto así.

—Bien, pero en alguna parte he de vivir...

—¡En la calle no se va usted a quedar! Los que se avinieron a tenerle en un principio, se volvieron atrás, a última hora. Pero ya se andará...

Lorenzo se paró consternado. Atilano Ruigómez, el alguacil del Ayuntamiento[14], se volvió a mirarle. ¡Qué joven le pareció, de pronto, allí, en las primeras piedras de la aldea, con sus ojos redondos de gorrión[15], el pelo rizado[16] y las manos en los bolsillos del gabán raído[17]!

—No se me altere... Usted no se queda en la calle. Pero he de decirle: de momento, sólo una mujer puede alojarle. Y quiero advertirle, don Lorenzo: es una pobre loca.

—¿Loca...?

—Sí, pero inofensiva. No se apure. Lo único que es mejor advertirle, para que no le choquen a usted las cosas que le diga... Por lo demás, es limpia, pacífica, y muy arreglada.

—Pero loca..., ¿qué clase de loca?

—Nada de importancia, don Lorenzo. Es que... ¿sabe? Se le ponen "humos" dentro de la cabeza, y dice despropósitos. Por lo demás, ya le digo: es de buen

---

[5] **echaron a** comenzaron a   [6] **empapaba** mojaba, humedecía   [7] **arracimados** clustered
[8] **posada** hotel pequeño   [9] **trozo** pedazo   [10] **cecina** dried beef   [11] **de vacío** desocupadas   [12] **guisos** platos   [13] **que... compromiso** con quien no se tiene confianza, que no es un amigo íntimo   [14] **Ayuntamiento** gobierno del pueblo   [15] **gorrión** sparrow
[16] **rizado** ondulado   [17] **gabán raído** abrigo gastado

trato[18]. Y como sólo será por dos o tres días, hasta que se le encuentre mejor acomodo[19]... ¡No se iba usted a quedar en la calle, con una noche así, como se prepara!

La casa estaba al final de una callecita empinada. Una casa muy pequeña, con un balconcillo de madera quemada por el sol y la nieve. Abajo estaba la cuadra[20], vacía. La mujer bajó a abrir la puerta, con un candil[21] de petróleo en la mano. Era menuda, de unos cuarenta y tantos años. Tenía el rostro ancho y apacible, con los cabellos ocultos bajo un pañuelo anudado a la nuca[22].

—Bienvenido a esta casa—le dijo. Su sonrisa era dulce.

La mujer se llamaba Filomena. Arriba, junto a los leños encendidos, le había preparado la mesa. Todo era pobre, limpio, cuidado. Las paredes de la cocina habían sido cuidadosamente enjalbegadas[23] y las llamas prendían rojos resplandores a los cobres[24] de los pucheros[25] y a los cacharros de loza[26] amarilla.

—Usted dormirá en el cuarto de mi hijo—explicó, con su voz un tanto apagada[27]—. Mi hijo ahora está en la ciudad. ¡Ya verá como es un cuarto muy bonito!

Él sonrió. Le daba un poco de lástima, una piedad extraña, aquella mujer menuda, de movimientos rápidos, ágiles.

El cuarto era pequeño, con una cama de hierro negra, cubierta con colcha[28] roja, de largos flecos[29]. El suelo, de madera, se notaba fregado[30] y frotado con estropajo[31]. Olía a lejía[32] y a cal.[33] Sobre la cómoda brillaba un espejo, con tres rosas de papel prendidas en un ángulo.

La mujer cruzó las manos sobre el pecho:

—Aquí duerme mi Manolo—dijo—. ¡Ya se puede usted figurar cómo cuido yo este cuarto!

—¿Cuántos años tiene su hijo?—preguntó, por decir algo, mientras se despojaba[34] del abrigo.

—Trece cumplirá para el agosto. ¡Pero es más listo! ¡Y con unos ojos...!

Lorenzo sonrió. La mujer se ruborizó:

—Perdone, ya me figuro: son las tonterías que digo... ¡Es que no tengo más que a mi Manuel en el mundo! Ya ve usted: mi pobre marido se murió cuando el niño tenía dos meses. Desde entonces...

Se encogió de hombros y suspiró. Sus ojos, de un azul muy pálido, se cubrieron de una tristeza suave, lejana. Luego, se volvió rápidamente hacia el pasillo:

---

[18] **de buen trato** amable   [19] **acomodo** alojamiento   [20] **cuadra** establo   [21] **candil** lámpara   [22] **anudado... nuca** tied at the nape of her neck   [23] **enjalbegadas** whitewashed [24] **cobres** copper   [25] **pucheros** cooking pots   [26] **cacharros de loza** crockery [27] **apagada** baja   [28] **colcha** bedspread   [29] **flecos** fringe   [30] **fregado** scrubbed [31] **estropajo** scouring pad   [32] **lejía** lye   [33] **cal** lime   [34] **despojaba** quitaba

—Perdone, ¿le sirvo ya la cena?

—Sí, en seguida voy.

Cuando entró de nuevo en la cocina la mujer le sirvió un plato de sopa, que tomó con apetito. Estaba buena.

—Tengo vino...—dijo ella, con timidez—. Si usted quiere... Lo guardo, siempre, para cuando viene a verme mi Manuel.

—¿Qué hace su Manuel?—preguntó él.

Empezaba a sentirse lleno de una paz extraña, allí, en aquella casa. Siempre anduvo de un lado para otro, en pensiones malolientes, en barrios[35] tristes y cerrados por altas paredes grises. Allá afuera, en cambio, estaba la tierra: la tierra hermosa y grande, de la que procedía. Aquella mujer—¿loca? ¿qué clase de locura sería la suya?—también tenía algo de la tierra, en sus manos anchas y morenas, en sus ojos largos, llenos de paz.

—Está de aprendiz de zapatero, con unos tíos. ¡Y que es más avisado[36]! Verá qué par de zapatos me hizo para la Navidad pasada. Ni a estrenarlos me atrevo.

Volvió con el vino y una caja de cartón. Le sirvió el vino despacio, con gesto comedido[37] de mujer que cuida y ahorra las buenas cosas. Luego abrió la caja, que despidió[38] un olor de cuero[39] y almendras amargas.

—Ya ve usted, mi Manolo...

Eran unos zapatos sencillos, nuevos, de ante[40] gris.

—Muy bonitos.

—No hay cosa en el mundo como un hijo—dijo Filomena, guardando los zapatos en la caja—. Ya le digo yo: no hay cosa igual.

Fue a servirle la carne y se sentó luego junto al fuego. Cruzó los brazos sobre las rodillas. Sus manos reposaban y Lorenzo pensó que una paz extraña, inaprehensible, se desprendía de aquellas palmas endurecidas.

—Ya ve usted—dijo Filomena, mirando hacia la lumbre—. No tendría yo, según todos dicen, motivos para alegrarme mucho. Apenas casada quedé viuda. Mi marido era jornalero, y yo ningún bien tenía. Sólo trabajando, trabajando, saqué adelante la vida. Pues ya ve: sólo porque le tenía a él, a mi hijo, he sido muy feliz. Sí, señor: muy feliz. Verle a él crecer, ver sus primeros pasos, oírle cuando empezaba a hablar... ¿no va a trabajar una mujer, hasta reventar[41], sólo por eso? Pues, ¿y cuándo aprendió las letras, casi de un tirón[42]? ¡Y qué alto, qué espigado[43] me salió! Ya ve usted: por ahí dicen que estoy loca. Loca porque le he quitado del campo y le he mandado a aprender un oficio. Porque no quiero que sea un hombre quemado por la tierra, como fue su pobre padre.

---

[35] **barrios** neighborhoods   [36] **avisado** listo   [37] **comedido** moderado   [38] **despidió** dejó salir   [39] **cuero** leather   [40] **ante** suede   [41] **reventar** drop, lit., burst   [42] **de un tirón** de una vez   [43] **espigado** alto

Loca me dicen, sabe usted porque no me doy reposo, sólo con una idea: mandarle a mi Manuel dinero para pagarse la pensión en casa de los tíos, para comprarse trajes y libros. ¡Es tan aficionado a las letras! ¡Y tan presumido![44] ¿Sabe usted? Al quincallero le compré dos libros con láminas[45] de colores, para enviárselos. Ya le enseñaré luego... Yo no sé de letras, pero deben ser buenos. ¡A mi Manuel le gustarán! ¡Él sacaba las mejores notas en la escuela! Viene a verme, a veces. Estuvo por Pascua[46] y volverá para la Nochebuena[47].

Lorenzo escuchaba en silencio, y la miraba. La mujer, junto al fuego, parecía nimbada[48] de una claridad grande. Como el resplandor que emana a veces de la tierra, en la lejanía, junto al horizonte. El gran silencio, el apretado silencio de la tierra, estaban en la voz de la mujer. "Se está bien aquí—pensó—. No creo que me vaya de aquí."

La mujer se levantó y retiró los platos.

—Ya le conocerá usted, cuando venga para la Navidad.

—Me gustará mucho conocerle—dijo Lorenzo—. De verdad que me gustará.

—Loca, me llaman—dijo la mujer. Y en su sonrisa le pareció que vivía toda la sabiduría de la tierra, también—. Loca, porque ni visto ni calzo, ni un lujo me doy[49]. Pero no saben que no es sacrificio. Es egoísmo, sólo egoísmo. Pues, ¿no es para mí todo lo que le dé a él? ¿No es él más que yo misma? ¡No entienden esto por el pueblo! ¡Ay, no entienden esto, ni los hombres, ni las mujeres!

—Locos son los otros—dijo Lorenzo, ganado por aquella voz—. Locos los demás.

Se levantó. La mujer se quedó mirando al fuego, como ensoñada[50].

Cuando se acostó en la cama de Manuel, bajo las sábanas ásperas[51], como aún no estrenadas, le pareció que la felicidad—ancha, lejana, vaga—rozaba todos los rincones de aquella casa, impregnándole a él, también, como una música.

A la mañana siguiente, a eso de las ocho, Filomena llamó tímidamente a su puerta:

—Don Lorenzo, el alguacil viene a buscarle...

Se echó el abrigo por los hombros y abrió la puerta. Atilano estaba allí, con la gorra[52] en la mano:

—Buenos días, don Lorenzo. Ya está arreglado... Juana, la de los Guadarramas[53], le tendrá a usted. Ya verá cómo se encuentra a gusto.

Le interrumpió, con sequedad:

---

[44] **¡Y tan presumido!** ¡Y le gusta estar tan bien arreglado!   [45] **láminas** ilustraciones
[46] **Pascua** Easter   [47] **Nochebuena** Christmas Eve   [48] **nimbada** encircled by a halo
[49] **ni visto... doy** no gasto ni en ropa ni en zapatos ni en ningún lujo   [50] **ensoñada** soñando
[51] **ásperas** rough   [52] **gorra** cap   [53] **los Guadarramas** la familia Guadarrama

—No quiero ir a ningún lado. Estoy bien aquí.

Atilano miró hacia la cocina. Se oían ruidos de cacharros. La mujer preparaba el desayuno.

—¿Aquí...?

Lorenzo sintió una irritación pueril.

—¡Esa mujer no está loca!—dijo—. Es una madre, una buena mujer. No está loca una mujer que vive porque su hijo vive..., sólo porque tiene un hijo, tan llena de felicidad...

Atilano miró al suelo con una gran tristeza. Levantó un dedo, sentencioso, y dijo:

—No tiene ningún hijo, don Lorenzo. Se le murió de meningitis, hace lo menos cuatro años.

CUESTIONARIO

1. ¿Cómo llegó el nuevo médico al pueblo?
2. ¿Cuándo llegó al pueblo?
3. ¿Qué tiempo hacía?
4. ¿Quién se le acercó al médico?
5. ¿Qué tiene que decirle Atilano a don Lorenzo?
6. ¿Por qué no quieren alojar a nadie en casa?
7. ¿En qué se fija el alguacil cuando mira a Lorenzo?
8. ¿Quién va a alojar a Lorenzo temporalmente?
9. ¿Qué clase de loca es?
10. ¿Qué clase de casa tiene?
11. Describa a Filomena.
12. Describa su cocina.
13. ¿Dónde dormirá el médico?
14. Describa el cuarto.
15. ¿Cuántos años tiene Manolo?
16. ¿Cuándo murió el marido de Filomena?
17. ¿Cómo está la cena que Filomena prepara para el médico?
18. Según Filomena, ¿dónde está Manolo?
19. ¿Qué regalo le dio a su madre?
20. ¿Por qué ha sido feliz Filomena?
21. Según Filomena, ¿por qué dice la gente que ella está loca?
22. ¿Qué compró Filomena para su hijo?
23. ¿Qué piensa Lorenzo de Filomena? ¿de su casa?
24. ¿Por qué viene el alguacil al día siguiente?
25. ¿Qué dice el alguacil del hijo de Filomena?

COMPOSICIONES DIRIGIDAS

La casa de Filomena   *Idea central:* La casa de Filomena es pobre pero el médico
se siente contento ahí.

Incluya:
1. La casa misma
2. La paz
3. El médico mismo

La ilusión y la realidad   *Idea central:* Filomena no puede enfrentarse con una
realidad demasiado cruel y por eso se crea una ilusión de felicidad.

Incluya:
1. Su situación verdadera
2. Su situación imaginaria
3. El resultado de su ilusión

LECCIÓN 13

1 Oraciones básicas

1 Para trabajar con mayor soltura lo dejaba al cuidado de sus hermanos.

In order to work with greater freedom, she left him in the care of his brothers and sisters.

2 A poco de nacerle éste su séptimo retoño, murió el padre de Fénix.

Shortly after the birth of this one, his seventh child, Fenix's father died.

3 El matrimonio tenía ya seis hijos cuando vino al mundo Félix.

The couple already had six children when Felix came into the world.

4 Dios quiso escuchar sus ruegos y proveyó al fin una salida para el estupendo niño.

God decided to listen to his prayers and finally provided a way out for the magnificent child.

5 Aprovechó su disposición para tratar de averiguar algunos pormenores que le inquietaban en relación con el futuro santuario.

He took advantage of his mood in order to try to find out some details that were bothering him about the new sanctuary.

6 El príncipe le sometió a diversas pruebas de las que el niño conseguiría salir bastante airoso.

The prince put him to various tests from which the child managed to come out quite well.

7 Por su parte, y no sin enorme sacrificio, aquel santo varón hizo traer de la capital algunos libros.

On his own, and not without great sacrifice, that holy man had some books brought from the capital.

8 Sus compañeros lo celebraban o lo envidiaban, pero sólo al cura le produjo asombro.

His classmates either praised or envied him, but only the priest was amazed.

9 Los domingos, después de misa, paseaba a solas por el campo, frecuentaba las cantinas y terminaba borracho.

On Sundays, after mass, he would wander by himself in the countryside, go to the bars, and end up drunk.

10 Su salida de la aldea fue un verdadero acontecimiento.

His departure from the village was a real event.

2 Spanish pronunciation

Diphthongs and monophthongs

A diphthong is a single syllable formed by one of the vowels /i/, /e/, /a/, /o/, /u/ with one of the semivowels /y/, /w/.

Some of the most frequent Spanish diphthongs are /ey/, /ay/, /oy/, and /aw/. English has related diphthongs, but they are pronounced differently. The Spanish diphthongs and monophthongs must be pronounced correctly to distinguish between words that are otherwise identical.

Notice the different pronunciation of the following words:

English (diphthong)	Spanish (diphthong)	Spanish (monophthong)
Ray	rey	re
dice	dais	das

1 ◆ PRONUNCIATION EXERCISE

/e/	/ey/
des	deis
ves	veis
peno	peino
vente	veinte
ceba	ceiba
cese	seise
renal	reinal
fletas	Fleitas

/a/	/ay/
vale	baile
caco	caico
gata	gaita
donare	donaire
sanar	sainar
tara	taira
trago	traigo
racita	raicita

/o/	/oy/
o	hoy
do	doy
so	soy
coma	coima
loca	loica
bonita	boinita
lavó	la voy
izó	y soy

/a/	/aw/
gacho	gaucho
baza	bausa
caro	cauro
case	cauce
fasto	fausto
palo	Paulo
rada	rauda
casa	causa

3   Números cardinales

Números

2 ◆ EJERCICIO DE LECTURA

5 libros	1.000 monasterios
8 plumas	1.250 monasterios
21	1.250 monjas
21 años	30.000 hombres
21 semanas	31.000 hombres
51 libros	31.000 mujeres
51 aldeas	100.000 dólares
100 santuarios	441.000 hombres
130 santuarios	441.000 mujeres
160 jugadas	1.000.000 dólares
230 cuartos	1.000.000 pesetas
231 cuartos	6.000.000.000 pesos
231 camas	6.000.000.000.000 dólares
700 palabras	100.048 dólares
700 cerdos	105.000 pesetas

Decimales

0,8	48,8
0,08	143,54
24,9	1.112,81

Notas gramaticales

1 Sólo se usa la conjunción **y** entre las decenas y las unidades.

treinta **y** uno
sesenta **y** tres

2 Los números desde 16 hasta 19 y desde 21 hasta 29 se pueden escribir formando una sola palabra. (Vea el apéndice, página 367.)

diecisiete   diez y siete
veinticuatro veinte y cuatro

3 Hay dos formas para el número 100 (**cien, ciento**). Cuando 100 va seguido directamente por un nombre o por los cardinales **mil**, **millones** y **billones** se usa la forma corta (**cien**). Cuando va seguido por decenas o unidades se usa la forma larga (**ciento**).

100 pueblos   cien pueblos
104 hombres   ciento cuatro hombres
180 niños   ciento ochenta niños

4 Los números no concuerdan con los nombres que modifican.

30 hombres   treinta hombres
30 mujeres   treinta mujeres
140 pueblos   ciento cuarenta pueblos
140 aldeas   ciento cuarenta aldeas

Las excepciones son las siguientes:

a. Cuando un número termina en 1 (uno), la **o** final desaparece delante de un nombre masculino. Esta **o** final cambia en **a** delante de un nombre femenino.

31   treinta y uno
31 pueblos   treinta y un pueblos
31 aldeas   treinta y una aldeas

Si la palabra **mil** sigue al número que termina en 1 (uno), la forma **un** se usa siempre.

41.000 pueblos   cuarenta y un mil pueblos
41.000 aldeas   cuarenta y un mil aldeas

b. Los múltiplos de 100 concuerdan con el nombre que modifican.

300 pueblos	trescientos pueblos
300 aldeas	trescientas aldeas

5 El punto y la coma que se usan al escribir las cantidades grandes no se emplean de la misma forma en los distintos países donde se habla español. En algunos, como España y Colombia, se usa una coma donde en inglés se usa un punto y viceversa.

Estados Unidos	España, Colombia, etc.
1,985.32	1.985,32

En otros países, el sistema es el mismo que se usa en inglés, mientras que en otros hay variaciones de estos dos sistemas.

6 **Millón** y **billón** son sustantivos y se usa la palabra **de** delante del nombre que modifican. La palabra **de** se omite cuando el número es mayor que un millón o un billón, pero no es un múltiplo exacto.

$2.000.000	dos millones de dólares
2.340.000 aldeas	dos millones trescientas cuarenta mil aldeas

7 En español, un billón es un millón de millones y no mil millones como en los Estados Unidos.

3.000.000.000	tres mil millones
3.000.000.000.000	tres billones

8 Hay dos maneras comunes de leer los números decimales. Éstas dependen de la costumbre de cada país.

0.8	cero punto ocho
0,8	cero coma ocho

También se puede decir **ocho décimos**.

4 Números ordinales

4 ◆ EJERCICIOS DE SUSTITUCIÓN

Es la primera puerta a la izquierda.

_____ cuarto _____.
_____ quinto _____.
_____ clase _____.
_____ tercera _____.
_____ edificio _____.
_____ sexto _____.
_____ cuadra _____.

¿Qué clase? ¿La primera?
¿—— alumno? ¿————?
¿—— capítulos? ¿————?
¿—— día? ¿————?
¿—— mesas? ¿————?
¿—— lista? ¿————?

Notas gramaticales

1 Los números ordinales son masculinos o femeninos según modifiquen o se refieran a un nombre masculino o femenino.

el segundo alumno	el segundo
la quinta alumna	la quinta
los primeros ejemplos	los primeros

2 Los números ordinales pueden preceder o seguir al nombre que modifican. Los números **primero** y **tercero** pierden la **o** final cuando preceden a un nombre masculino singular.

el primer libro	el libro primero
el tercer libro	el libro tercero

3 Después del número ordinal **décimo (a)**, generalmente se usan los números cardinales.

Carlos V	Carlos Quinto
Pío XII	Pío Doce
Capítulo XI	Capítulo Once

5 Direcciones y teléfonos

5 ◆ EJERCICIO DE LECTURA

Calle Real #168.
Calle 46 Nº 2140.
Quinta Avenida Núm. 83.
Avenida de las Américas Nº 1771.
Paseo de la Reforma #246.
Calle Príncipe, 490.

Mi teléfono es 248540.
Su teléfono es 25416.
El teléfono de la oficina es 38338.
El teléfono de su casa es 1659.

Notas gramaticales

1 En español, el número de la casa sigue al nombre de la calle.

   Calle Martí, 114

2 La palabra **número** se puede eliminar por completo si el nombre de la calle no es un número. También se suele abreviar usando una de las siguientes formas:

   #14
   N°14
   Núm. 14

3 Si el número de la casa tiene cuatro cifras, se puede leer de dos formas diferentes.

   9208   nueve mil doscientos ocho
   9208   noventa y dos cero ocho

4 Los números de teléfono se suelen separar en grupos de a dos.

   2465   veinticuatro sesenta y cinco
   192465   diecinueve veinticuatro sesenta y cinco

   Si tienen cinco cifras, generalmente se separan de la siguiente forma:
   98516   noventa y ocho cinco dieciséis

   En algunos países se separan de esta forma:
   98516   nueve ochenta y cinco dieciséis

6 Días de la semana y meses del año

6 ◆ PREGUNTAS DE RESPUESTA LIBRE

   Conteste a las siguientes preguntas.

¿Qué día es hoy?
Y ayer, ¿qué día fue?
Y anteayer, ¿qué día fue?
Y mañana, ¿qué día es?
Y pasado mañana, ¿qué día es?

7 ◆ PREGUNTAS Y RESPUESTAS

   Conteste a las siguientes preguntas de acuerdo con los apuntes según indican los ejemplos.

I. EJEMPLO   (lunes)   ¿Qué día vendrás?
              Iré el lunes.[1]

(domingo)   ¿Cuándo es la prueba?
(miércoles)   ¿Qué día vienes a vernos?   *Iré a verlos el miércoles*
(martes)   ¿Cuándo vas a ver al arquitecto?
(sábado)   ¿Qué día llega su padre?   *Mi padre llegará el sábado*
(jueves)   ¿Cuándo se enfermó el niño?

II. EJEMPLO   (domingos)   ¿Paseas todos los días?
               No, sólo los domingos.

(lunes)   ¿Estudias todos los días?
(jueves)   ¿Trabajan ustedes todos los días?
(sábados)   ¿Vas al cine dos veces a la semana?
(miércoles)   ¿Compra usted pan los miércoles y los sábados?

8 ◆ EJERCICIO DE TRADUCCIÓN

March 15, 1969   *El quince de marzo de mil novecientos sesenta y nueve*
December 25, 1868   *Veint...*
the sixteenth century   *El siglo dieciséis*
the twentieth century   *El siglo veinte*
June 17, 1927   *El*

9 ◆ PREGUNTAS DE RESPUESTA LIBRE

Conteste a las siguientes preguntas.

¿Cuándo es su cumpleaños?
¿Cuál es la fecha? ¿A cuánto(s) estamos?   *estamos a trece de febrero*
¿Qué día descubrió Colón el Nuevo Mundo?
¿Cuál es el último día del año?
¿Cuándo nació usted?
¿Cuál es el día de la Independencia de los Estados Unidos?

---

[1] En español, el uso de los verbos **ir** y **venir** depende del punto de vista del que habla.

——(venir)——→ | el que habla | ——(ir)——→

María, ¿cuándo vendrás a verme?
María, ven acá.
Para el que habla, María se moverá hacia donde está él y, por lo tanto, usa el verbo **venir**.

Iré esta noche.
Ya voy.
El que habla se moverá hacia un lugar diferente y, por lo tanto, usa el verbo **ir**.

1   Se usa el artículo definido para expresar un día específico de la semana y el indefinido cuando no se expresa un día específico.

> **Lo vi el martes.** (el martes de esta semana)
> **Lo vi el martes pasado.** (el martes de la semana pasada)
> **Lo vi un martes.** (no se especifica qué martes)

2   No se usa el artículo cuando el día de la semana es el predicado nominal de un día del mes o de una palabra como **hoy, ayer, mañana**, etc.

> **El tres de abril es jueves.**
> **Hoy es martes.**

3   Se usan números cardinales para los días del mes, excepto para el primero. Generalmente, el número del día precede al mes y se usa la preposición **de** para unirlos.

> 17 de junio   diecisiete de junio
> 1 de junio   primero de junio

4   Se usa el artículo **el** antes del número del día, pero generalmente se elimina al escribir la fecha en cartas, diarios, etc.

> La vi **el** 30 de este mes.

5   Las centenas y los millares no se dividen en decenas como en inglés. Se usa la preposición **de** para unir el mes con el año.

> **El año 711** (setecientos once)   *The year 711* (*seven eleven*)
> Fui en enero **de** 1967. (mil novecientos sesenta y siete)

6   Los números que se usan con los siglos siguen, en general, las mismas reglas que se aplican a los números ordinales, aunque, a veces, se emplean los números cardinales, especialmente con el siglo X.

> siglo I   siglo primero
> siglo V   siglo quinto
> siglo X   siglo décimo, siglo diez
> siglo XIV   siglo catorce

7   La colocación de algunos adjetivos demostrativos: contraste con el inglés

10 ◆ EJERCICIO DE TRADUCCIÓN

Traduzca las siguientes oraciones según indican los ejemplos.

I. EJEMPLO   I saw two other boys yesterday.
           Vi a otros dos chicos ayer.

I saw two other boys yesterday. *Vi a otros dos chicos ayer*
I saw six other boys yesterday. *" " " seis " ayer*
He saw six other girls yesterday. *Vio a otras seis chicas ayer*
He saw five other girls yesterday.
He wrote five other letters yesterday. *Escribía otras cinco cartas ayer*
We wrote three other letters yesterday. *Escribíamos otras tres cartas ayer*
They wrote three other chapters yesterday.
They read three other chapters yesterday. *Escribieron otros tres capítulos ayer.*

 II. EJEMPLO   I have two more brothers.
 Tengo dos hermanos más.

I have two more brothers.
I have four more brothers.
He has five more brothers.
There are five more questions.
There are ten more questions.
There is one more question.
There is one more book.

11 ◆ EJERCICIO DE SUSTITUCIÓN

Trabajamos los dos primeros días.
_____ cuatro _____.
_____ semanas.
_____ tres _____.
_____ últimas _____.
_____ meses.

Nota gramatical

inglés			español		
número cardinal *three*	*other* other	nombre *students*	otros, (-as) **otros** **otras**	número cardinal **tres** **tres**	nombre **alumnos** **alumnas**
número cardinal *two*	*more* more	nombre *days*	número cardinal **dos**	nombre **días**	más **más**
número ordinal, *last* first	número cardinal *two*	nombre *books*	número cardinal **dos**	número ordinal, últimos, (-as) **primeros**	nombre[2] **libros**
last	two	pens	dos	últimas	plumas

---

[2] Aunque ésta es la estructura que más se usa en español, también se puede decir **primeros dos libros** y **últimas dos plumas**.

8 La formación de palabras: aumentativos, despectivos y más diminutivos; -oso

Aumentativos

12 ◆ EJERCICIO ESCRITO

Escriba las siguientes oraciones completándolas con palabras terminadas con los aumentativos **-ón** u **-ona**.

1. Una mujer grande es una ___*mujerona*___.
2. Una cuchara grande es un ___*cucharón*___.
3. Un soltero viejo es un ___*solterón*___.
4. Una caja grande es un ___*cajón*___.
5. Un arca grande es un ___*arcón*___.

Notas gramaticales

1 Los aumentativos, además de añadir la calidad de grande, a veces expresan cierto tono despectivo.

2 El sufijo aumentativo de uso más frecuente es **-ón (-ona)**.

    hombre   **hombrón**
    soltera, *unmarried woman*   **solterona**, *spinster*

3 Normalmente, se usa **-ona** con palabras femeninas cuando es necesario indicar el sexo: **gordona**, *big fat woman*. En algunos casos, **-ón** tiene un valor diminutivo: **rata**, *rat*; **ratón**, *mouse*.

4 Entre los otros sufijos aumentativos se encuentran los siguientes: **-azo (-aza)**, **-ote (-ota)**.

    perro   **perrazo**
    palabra   **palabrota** (palabra ofensiva)

5 El sufijo **-azo** tiene también el sentido de golpe.

    batazo (golpe con un bate)
    cabezazo (golpe con la cabeza)
    manotazo (golpe con la mano)

Despectivos

Entre los sufijos despectivos se encuentran los siguientes: **-acho (-acha)**, **-ucho (-ucha)**.

    rico   **ricacho**, *very rich*
    casa   **casucha**, *shanty*
    flaco   **flacucho**, *very thin*

Más diminutivos

Entre los sufijos diminutivos de uso limitado o regional se encuentran los siguientes: **-ico, -cico, -ecico**

momento	**momentico**
rato	**ratico**

-ín, -ino

espada, *sword*	**espadín**
chiquito	**chiquitín**

-ete (-a), -cete, -ecete

pila, *basin*	**pileta**

-oso y *-ous*

13 ◆ EJERCICIO ESCRITO

Escriba las siguientes oraciones completándolas con adjetivos terminados en **-oso**.

1. Alguien lleno de bondad es _bondadoso_.
2. Algo que es una maravilla es _maravilloso_.
3. Algo que causa asombro es _asombroso_.
4. Algo que tiene gracia es _gracioso_.
5. Alguien lleno de cariño es _cariñoso_.

14 ◆ EJERCICIO DE TRADUCCIÓN

Traduzca las siguientes palabras según indican los ejemplos.

I. EJEMPLO   famous
           famoso

prodigious   _prodigioso_
religious
ingenious   _ingenioso_
curious   _curioso_
precious   _precioso_

II. EJEMPLO   spontaneous
            espontáneo

contemporaneous
extemporaneous
momentaneous
simultaneous

III. EJEMPLO   stupendous
             estupendo

continuous   
serious
precarious
previous
obvious

Notas gramaticales

1 El sufijo **-oso (-osa)** indica posesión de la cualidad expresada.

    misterioso = lleno de misterio   *mysterious = filled with mystery*

2 Hay muchos adjetivos ingleses terminados en *-ous* que equivalen a adjetivos españoles terminados en **-oso.**

    famoso   *famous*

3 No todos los adjetivos ingleses terminados en *-ous* llevan la terminación **-oso** en español.

    espontáneo   *spontaneous*
    ridículo   *ridiculous*

9   Problemas de vocabulario

Salir de, salir a, dejar, dejar de

> **salir de**   *to leave, to depart, to go out*

15 ◆ EJERCICIO DE SUSTITUCIÓN

Juan salió de la casa.
Juan y yo ————.
———————— monasterio.
(Tú) ————————.
———————— aldea.
Tú y tus hermanos——.
———————— cantina.
(Yo) ————————.

> **dejar**   *to leave (someone or something) behind*

16 ♦ EJERCICIO DE SUSTITUCIÓN

Dejé el libro en el cuarto.
———— zapatos ————.
—— María ————.
—— tu madre ————.
—— los dulces ————.
———— niño ————.

---

salir a	*to go out toward* (*a place*)
salir a + infinitivo	*to go out to* (*do something*)

---

17 ♦ PREGUNTAS Y RESPUESTAS

Conteste a las siguientes preguntas de acuerdo con el apunte según indica el ejemplo.

EJEMPLO (patio) ¿Adónde fue Juan?
        Salió al patio.

(jardín)   ¿Adónde fueron tus hermanos?
(escuela) ¿Adónde fue el cura?
(campo)   ¿Adónde fue el arquitecto?
(comer)   ¿Adónde fueron ustedes?
(jugar)   ¿Adónde fuiste?

---

salir a: parecerse físicamente o en la manera de ser	*to look like, to take after*

---

18 ♦ SINÓNIMOS → salir a

Escuche cada oración y repítala usando **salir a** según indican los ejemplos.

EJEMPLOS   El niño es inteligente como su padre.
           El niño salió a su padre.

           El niño no se parece a su padre.
           El niño no salió a su padre.

Mi hijo se parece a mí.
El chico es listo como el abuelo.
Tú no eres trabajadora como tu madre.
Ellos se parecen a la abuela.
Él es alto como yo.   *El salió a mí.*
Ella es dulce como Mercedes.

| dejar de + infinitivo | *to stop or quit doing something* |

---

19 ◆ ya no → dejar de

Escuche cada oración y repítala usando **dejar de** en lugar de **ya no**.

EJEMPLO　Ella ya no trabaja aquí.
　　　　　Ella dejó de trabajar aquí.

¿Ya no fumas?
Ya no estudiamos en la universidad.
Ellos ya no se ocupan del chico.
Ya no pasea a solas por el campo.
Ya no frecuenta las cantinas.
Ya no le escribo a mi padrino.

20 ◆ EJERCICIO DE TRADUCCIÓN

Traduzca las siguientes oraciones usando **salir** o **dejar**.

He left the room.
He left for his room.
He left the book in his room.
He left his brother in his room.
He stopped working in his room.
He takes after his father.

21 ◆ EJERCICIO ESCRITO

Escriba el siguiente párrafo usando la forma correcta de **dejar** o **salir**, según convenga. Añada las preposiciones que sean necesarias.

Cuando el cura _____ la iglesia para ver a la madre del niño, _____ algunas personas que se habían quedado rezando. Al llegar vio que la madre estaba lavando, pero ésta, al ver al cura, _____ trabajar para atenderlo y entraron en la casa. Después de hablar un rato, ella le dijo que era muy pobre y que para _____ trabajar tenía que _____ su hijo al cuidado de sus hermanos. Muchas veces sólo podía _____ unos pedazos de pan y tocino para que almorzaran. Al cura le resultaba imposible ayudarlos a mejorar su situación económica. Antes de irse _____ algunos libros para el niño y después de mirar a su alrededor _____ la iglesia.

| salida | *departure, exit, way out* |

Conteste a las siguientes preguntas de acuerdo con el apunte.

(a las tres) ¿A qué hora es la salida del tren?
(a la derecha) ¿Dónde está la salida?
(dentro de dos horas) ¿Cuándo es la próxima salida?
(un acontecimiento) ¿Cómo fue la salida de la aldea?
(ninguna) ¿Qué salida encontró para esta situación?

23 ◆ EJERCICIO DE TRADUCCIÓN

The exit is through that door.
Departure is in ten minutes.
He has a way out.
It was a sudden departure.
It was a sudden success.

To learn, to find out

aprender	*to learn through study or effort*
aprender de memoria	*to memorize*
aprender a + infinitivo	*to learn to do something*
averiguar	*to learn or find out through inquiry or investigation*
enterarse de	*to learn about or find out about; to become informed about something, not necessarily through one's own efforts*
saber (sobretodo en el pretérito)	*to learn or find out; to become informed*

24 ◆ EJERCICIO DE SUSTITUCIÓN

Tengo que aprender los días de la semana.
_____ números cardinales.
_____ lección de geometría.
_____ los meses del año.
_____ personas de la Santísima Trinidad.
_____ cálculo integral.

25 ◆ PREGUNTAS Y RESPUESTAS

Usando **aprender**, conteste a las siguientes preguntas según indica el ejemplo.

EJEMPLO ¿Sabes cocinar?
Sí, ya aprendí a cocinar.

¿Sabe usted jugar al ajedrez?
¿Sabe tu hermana la lección de latín?
¿Saben ellos recitar bien?
¿Sabes resolver problemas de geometría?
¿Sabe el niño cantar en alemán?

26 ◆ PREGUNTAS Y RESPUESTAS

Usando **averiguar**, conteste a las siguientes preguntas según indica el ejemplo.

EJEMPLO ¿Sabe usted cuándo sale el tren?
No, pero voy a averiguarlo.

¿Sabe usted dónde van a construir el monasterio?
¿Saben ellos adónde llevaron al niño?
¿Sabe el cura el precio de los libros?
¿Sabes la respuesta?
¿Saben ustedes lo que le pasó al niño?

27 ◆ saber → enterarse de

Escuche cada oración y repítala usando **enterarse de** en lugar de **saber**.

EJEMPLO Supe las malas noticias.
Se enteró de las malas noticias.

¿Cómo ha sabido usted eso?
Supimos que Fénix estaba enfermo.
¿Supiste la verdad?
Supe que el prodigio sabía jugar al ajedrez.
El arquitecto supo que el niño hablaba alemán.

28 ◆ EJERCICIO DE TRADUCCIÓN

He learned the song.
He learned to sing.
He learned the truth.
He learned that Fénix had died.
He tried to learn if the train had left.

LECCIÓN 14

1 Oraciones básicas

1 **La madre se quedó en la esquina enjugándose algunas lágrimas con el delantal.**

The mother stayed on the corner drying her tears with her apron.

2 **A las dos o tres semanas volvió a buscarlo para llevárselo a la capital.**

Two or three weeks later he returned to get him and take him to the capital.

3 **Al principio, nadie le hacía caso en la escuela.**

At first, no one paid attention to him in school.

4 **Cuando todos los demás lo ignoraban, él sabía lo que era un triángulo.**

When all the others didn't know it, he knew what a triangle was.

5 **Jugó sendas partidas con tres consumados ajedrecistas.**

He played a game with each of three accomplished chess players.

6 **Fénix lo miró pasmado, desolado, con sus grandes ojos muy abiertos.**

Fenix looked at him, stunned, disconsolate, with his big eyes wide open.

7 **Consiguió del facultativo que fuera con él hasta el rincón donde el niño yacía.**

He succeeded in having the doctor go with him to the corner where the child lay.

8 **No entendía bien sus razones, pero de todas maneras comprendió adónde quería ir el cura con ellas.**

She didn't understand his reasons, but, at any rate, she understood what the priest was getting at.

9 **Ordenó a la sastrería una casaca de seda adornada con encaje.**

He ordered from the taylor's shop a silk coat trimmed with lace.

10 **El cura de la parroquia lo bautizó con el nombre de Fénix.**

The parish priest baptized him with the name of Fenix.

2 Spanish pronunciation

Cognates

Cognates that are similar in sound in English and Spanish pose a particular problem. The student has been hearing and saying the English pronunciation of these words for years, and unless he is careful he may slip back into his native speech habits when he says these "easy" words in Spanish. The interference of his native language habits will affect not only his vowel and consonant sounds, but also his stress and division of syllables.

The following drills present words that are very similar in both languages. The student should listen to the English word and the Spanish word and repeat the latter.

1 ◆ PRONUNCIATION EXERCISE

English	Spanish
/æ/	/a/
Kansas	Kansas
class	clase
gas	gas
aspirin	aspirina
map	mapa
tango	tango
valid	válido
capital	capital
/a/	/o/
comma	coma
pronto	pronto
Don	don
possible	posible
October	octubre
sombrero	sombrero
consul	cónsul
/yu/	/u/
mural	mural
regular	regular
museum	museo
vocabulary	vocabulario

/yu/	/u/
music	música
futile	fútil
cure	cura
mutual	mutuo
university	universidad

/z/	/s/
rose	rosa
visit	visita
president	presidente
present	presente
misery	miseria
Lazarus	Lázaro
physical	físico
Brazil	Brasil

⌐/ʃən/	/syón/
nation	nación
sensation	sensación
action	acción
station	estación
motion	moción
introduction	introducción
revolution	revolución

3 Más usos del adjetivo

2 ◆ EJERCICIO DE TRANSFORMACIÓN

Escuche cada oración y repítala haciendo los cambios que requiera el apunte según indica el ejemplo.

EJEMPLO Ganó muchas partidas y concursos. (concursos y partidas)
  Ganó muchos concursos y partidas.

Recibió muchos dulces y caricias. (caricias y dulces)
Resolvió varias sumas y cálculos. (cálculos y sumas)
Escribió otros poemas y canciones. (canciones y poemas)
Habla con algunas mujeres y hombres. (hombres y mujeres)
Compró mucha seda y encaje. (encaje y seda)

3 ◆ EJERCICIO DE SUSTITUCIÓN

Escuche cada oración y repítala haciendo los cambios que requiera el apunte según indican los ejemplos.

EJEMPLOS   Visitó ciudades y aldeas europeas.   (ciudades y pueblos)
Visitó ciudades y pueblos europeos.

La hermana y el tío están equivocados.   (la hermana y la tía)
La hermana y la tía están equivocadas.

Lavó la sábana y el vestido blancos.   (la sábana y la blusa)
Construyó unas iglesias y unas casas magníficas.   (unos conventos y unas casas)
La camisa y la casaca son muy caras.   (la camisa y los zapatos)
Leyó poesías y novelas españolas.   (poemas y novelas)
Hay alumnas y profesores trabajadores.   (alumnas y profesoras)

Notas gramaticales

1   El adjetivo que precede a dos o más nombres concuerda con el más cercano.

Construyó muchas casas y edificios.
Construyó muchos edificios y casas.

2   El adjetivo que sigue y modifica a dos o más nombres de distinto género, debe ser masculino y plural.

Hay iglesias y monasterios católicos.
Llevan encajes y sedas caros.

Sendos

4 ◆ uno → sendos

Escuche cada oración y repítala usando **sendos** según indica el ejemplo.

EJEMPLO   Cada alumno tiene un libro.
Los alumnos tienen sendos libros.

Cada arquitecto construyó un monasterio.
Cada mujer lava una sábana.
Cada niño recibió un dulce.
Cada bufón tenía una casaca.
Cada hijo recibió un pedazo de pan.

Nota gramatical

Sendos (-as) es un adjetivo numeral que no tiene singular. Significa **uno para cada uno.**

Hay tres niños y cada niño tiene una pluma.
Los tres niños tienen sendas plumas.

Lo + adjetivo + *que* y *lo* + adverbio + *que*

5 ◆ EJERCICIO DE SUSTITUCIÓN

¿El traje? Yo no sabía lo caro que era.

¿Los dulces? _____.

¿Las sábanas? _____.

¿La casaca? _____.

¿Los encajes? _____.

¿La ropa? _____.

¿El mármol? _____.

6 ◆ EJERCICIO ESCRITO

Escriba las siguientes oraciones usando la forma correcta de las palabras en *bastardilla*.

1. El chico llamaba la atención por lo *listo* que era.

2. Se comentaba en la aldea lo *brusco* que eran sus maneras.

3. Él fue a ver lo *adelantado* que estaba la obra.

4. Ignorábamos lo *lejos* que estaba el santuario.

5. Ignorábamos lo *lejos* que estaban los santuarios.

6. No podían hacer nada por lo *limitado* que eran sus recursos.

7. El cura no se dio cuenta de lo *difícil* que resultaban los libros que había hecho traer de la capital.

8. Todos notaron lo *precipitado* que fue su despedida.

Nota gramatical

La estructura española **lo** + adjetivo o adverbio + **que** corresponde a la estructura inglesa *how* + adjetivo o adverbio. Los adjetivos concuerdan en género y número con los nombres que modifican:

Ella sabe lo **listo** que es el **niño**.   *She knows how smart the boy is.*

Ella sabe lo **listas** que son las **niñas**.   *She knows how smart the girls are.*

El adverbio es una parte invariable de la oración y, por consiguiente, permanece igual:

No sabía lo **cerca** que **estaba** la casa.   *I didn't know how near the house was.*
No sabía lo **cerca** que **estaban** las casas.   *I didn't know how near the houses were.*

Adjetivos usados como adverbios

7 ◆ ADVERBIO → ADJETIVO

Repita las siguientes oraciones cambiándolas según indica el ejemplo.

EJEMPLO   El arquitecto caminaba silenciosamente por el campo.
El arquitecto caminaba silencioso por el campo.

Los hermanos lo despidieron alegremente.
El niño lo miró desoladamente al oír la noticia.
Ella descansaba tranquilamente en la capital.
El prodigio salió airosamente de las pruebas.
Ellas vivían felizmente con sus padres.

Nota gramatical

En español, se puede usar un adjetivo en vez de un adverbio, especialmente cuando la acción que se describe se refiere más al estado o condición del sujeto que a la forma en que se realiza esta acción.

Ella trabajaba silenciosamente.   Ella trabajaba silenciosa.
Ellos vivían felizmente.   Ellos vivían felices.

4 Nombres de pila y apellidos

8 ◆ EJERCICIO ESCRITO

Escriba el nombre completo de cada hijo usando los dos apellidos correspondientes.

1. Padre: Manuel López Rodríguez
   Madre: Margarita Pérez Sigla
   Hijo: José _____ _____

2. Padre: Rodolfo Fernández Rosell
   Madre: Matilde Mendoza García
   Hijo: Rodolfo _____ _____

3. A. Padre: Ramiro Montalvo Fernández
      Madre: Hilda Henares Alonso
      Hija: Hilda _____ _____

   B. Hilda se casa con José Velázquez Lamar. Su nombre es ahora _____
      _____ de _____.

4. A. Padre: Rafael Arango Díaz
      Madre: Adela Benítez González
      Hija: Lucía _____ _____

   B. Lucía se casa con Ricardo Miranda Suárez. Su nombre es ahora _____
      _____ de _____.

Notas gramaticales

1 En español, el nombre completo de una persona se forma con:
      a. su nombre de pila: **José**
      b. el primer apellido de su padre: **López**
      c. el primer apellido de su madre [*maiden name*]: **García**
   A veces, se unen los apellidos con la conjunción **y.**
      José López y García

2 Cuando una mujer se casa, su nombre completo se forma con:
      a. su nombre de pila: **Alicia**
      b. el primer apellido de su padre: **González**
      c. **de** + el primer apellido de su esposo: **Jiménez**
         Alicia González de Jiménez

3 Los dos apellidos se usan en identificaciones, contratos, papeles oficiales, etc.,
   pero en la vida diaria casi siempre se usa sólo el primero, o sea el apellido
   paterno. Si el apellido paterno es muy común, se tiende a mantener el
   apellido materno para evitar equivocaciones.
      Benito Pérez Galdós

5 *Count nouns y mass nouns*

Tanto en español como en inglés existe una distinción entre los nombres que se
refieren a cosas que se pueden contar como lápices, libros, mesas, etc., y los
que se refieren a cosas que generalmente se miden por su peso o volumen como
agua, aire, aceite, etc.

Los nombres que se refieren a cosas que se cuentan (*count nouns*) pueden ser
modificados por adjetivos numerales, mientras que los nombres que se refieren

a cosas que se pesan o miden (*mass nouns*) no pueden ser modificados directamente por adjetivos numerales.

Las lenguas dividen estos nombres de diferente manera y, a veces, un nombre que se clasifica entre los que se pueden contar en una lengua pertenece a la otra clasificación en otra lengua y viceversa.

español	inglés
muebles	*furniture*

En inglés, para que la palabra *furniture* pueda contarse, es preciso añadir una expresión como *piece of* entre el adjetivo numeral y el nombre. En español, el adjetivo numeral modifica directamente a la palabra mueble o muebles.

español	inglés
dos muebles	*two pieces of furniture*

9 ◆ EJERCICIO DE TRADUCCIÓN

EJEMPLO A piece of gossip
Un chisme

five pieces of furniture
three bars of soap
five heads of lettuce
four loaves of bread
six pieces of wood

6   División de las sílabas[1]

1 Una sola consonante (incluyendo **ch**, **ll** y **rr**) se une con la vocal que le sigue.

vi-no
re-to-ño
ca-llo
pe-rro
mu-cha-cho

2 Dos consonantes entre vocales se dividen. La primera consonante se une con la vocal anterior y la segunda con la vocal que le sigue.

an-dar
en-viar-lo

---

[1] Las palabras que se encuentran en esta sección y la siguiente no están en el vocabulario a menos que aparezcan en otra parte del texto.

Sin embargo, no se separan si la segunda consonante es **l** o **r** precedidas por **p, b, f, c** y **g**, o **r** precedida por **d** o **t**.

> de-trás
> pro-ba-ble
> pro-ve-cho

3 En un grupo de tres consonantes, las dos primeras se unen a la vocal anterior y la tercera consonante a la vocal que le sigue.

> ins-ta-lar
> trans-por-te

Si la segunda y tercera consonantes forman uno de los grupos con **r** o **l**, la primera consonante se une a la vocal anterior y la segunda y tercera consonantes se unen a la vocal siguiente.

> en-con-trar
> en-fras-ca-do
> mos-trar-se

4 Las vocales fuertes (**a, e, o**) forman sílabas independientes.

> po-e-ta
> al-de-a-no

5 Los diptongos se forman al unirse una vocal fuerte (**a, e, o**) y una débil (**i, u**) o dos débiles. Los diptongos constituyen una sola sílaba.

> sa-bio
> se-ria
> en-tu-sias-ta

Si hay un acento sobre la vocal débil, no hay diptongo sino dos sílabas.

> pa-í-ses
> te-ní-as

La letra **u** después de la **g** y antes de la **e** y de la **i** no se pronuncia y, por lo tanto, las sílabas **gue** y **gui** no constituyen un diptongo. La **u** se pronuncia cuando se le añade el signo llamado diéresis (¨) y las sílabas **güe** y **güi** constituyen entonces un diptongo.

> lin-güis-ta
> a-ve-ri-güe

6 El triptongo es la combinación de una vocal fuerte entre dos débiles en una misma sílaba.

> li-diáis
> pre-ciáis

Si hay un acento sobre la vocal débil, no hay triptongo sino dos sílabas.

> pre-cia-rí-ais
> li-dia-rí-ais

Divida en sílabas las siguientes palabras.

esquina
lágrimas
decidió
ignoraban
ajedrecistas
conseguiríais
monasterio
energías
sirvientes
lingüística

7 Acentuación

En español, las palabras se clasifican de acuerdo con su sílaba tónica en:
agudas (la última sílaba es la tónica)
graves **llanas** (la penúltima sílaba es la tónica)
esdrújulas (la antepenúltima sílaba es la tónica)

Agudas

Las palabras agudas de más de una sílaba llevan acento escrito cuando terminan en **n, s** o vocal.

rincón
feligrés
terminó

No llevan acento escrito cuando terminan en las otras consonantes.

español
mamey
revestir
precocidad

Llanas

La mayor parte de las palabras del español son llanas. Estas palabras llevan acento escrito cuando terminan en consonante que no sea **n** o **s**.

mármol
Fénix
lápiz
fácil

No llevan acento escrito cuando terminan en **n, s** o vocal.

> examen
> tratados
> retoño
> menos

Nótese que las palabras agudas con acento escrito que terminan en **n** o **s** pierden el acento cuando son plurales.

> rincón → rincones
> feligrés → feligreses

Esdrújulas

Estas palabras siempre llevan acento escrito.

> sábana
> párroco
> príncipe
> lápida
> séptimo

Cuando a ciertas formas verbales se les añaden pronombres, la sílaba tónica llega a ser la sílaba anterior a la antepenúltima. Estas palabras se llaman **sobresdrújulas.**

> trayendo + me + lo = trayéndomelo
> termine + se + la = termínesela

Algunas palabras tienen dos sílabas tónicas :

a. los adverbios terminados en **mente**. El acento ortográfico se mantiene si el adjetivo lo tenía originalmente.

> fácilmente
> rápidamente
> irregularmente

b. las palabras compuestas, pero sin llevar acento escrito en el primer elemento aunque éste lo tuviera originalmente.

> decimoséptimo
> asimismo

c. Si las palabras compuestas se escriben con un guión, cada uno de sus elementos lleva acento escrito si lo tenía originalmente.

> teórico-práctico
> ruso-japonés

Diptongos

En los diptongos, la fuerza de la pronunciación cae sobre la vocal fuerte (**a, e, o**) o sobre la segunda vocal si las dos son débiles (**i, u**). Como el diptongo es una sola sílaba de una palabra, se siguen las reglas generales de acentuación.

tiene
aire
adiós
canción
canciones

Si la fuerza de la pronunciación recae sobre la vocal débil, ésta se convierte en fuerte y el diptongo desaparece al dividirse en dos sílabas. Siempre se indica la disolución de un diptongo con un acento escrito.

país
países
poesía
frío

Triptongos

En el triptongo la fuerza de la pronunciación cae sobre la vocal fuerte. Como el triptongo es una sola sílaba de una palabra, se siguen las reglas generales de acentuación.

lidiáis
despreciéis

Si la fuerza de la pronunciación cae sobre una de las vocales débiles, ésta se convierte en fuerte y el triptongo desaparece al dividirse en dos sílabas. Siempre se indica la disolución de un triptongo con un acento escrito.

estudiaríais
comeríais

Las palabras monosílabas no llevan acento escrito: **pie, dio.** Sin embargo, se usa el acento escrito en ciertas palabras monosílabas para diferenciarlas de otras que se escriben igual pero que son átonas o tienen distinto significado.

mí, *me*	**mi**, *my*
tú, *you*	**tu**, *your*
él, *he*	**el**, *the*
sí, *yes*; pronombre	**si**, *if*
sé, *I know*; imperativo de **ser**	**se**, pronombre
té, *tea*	**te**, pronombre
más, *more*	**mas**, *but*

11 ◆ EJERCICIO ESCRITO

Escriba las formas plurales de las siguientes palabras.

1. árbol
2. exterior
3. dimensión
4. interés

5. razón   *razones*
6. sábana *sábanas*
7. mes   *meses*
8. examen *exámenes*

12 ◆ EJERCICIO ESCRITO

Escriba las siguientes palabras añadiendo los pronombres indicados.

1. cayendo   (se)   *cayéndose*
2. dé   (me)   *déme*
3. hacer   (lo)   *hacerlo*
4. llevar   (se lo)   *llevárselo*
5. escribiendo (te la) *escribiéndotela*
6. devuelvan (me los) *devuélvanmelos*

8 Problemas de ortografía

La letra y

En inglés, la letra *y* puede aparecer en una palabra entre consonantes. En español, la letra **y** no aparece en una palabra entre consonantes. Se usa la letra **i**.

sistema	s*y*stem
bicicleta	bic*y*cle

En español, la letra **y** tampoco aparece después de una consonante como letra final de una palabra. Hay varias combinaciones de letras que equivalen a la combinación de una consonante + *y* final del inglés.

infanc**ia**	infanc*y*
ceremon**ia**	ceremon*y*
astrolog**ía**	astrolog*y*
geometr**ía**	geometr*y*
prodig**io**	prodig*y*
monaster**io**	monaster*y*
nove**dad**	novelt*y*
trini**dad**	trinit*y*

ph y /*mf*/

En español, no aparece la combinación de letras *ph*. Se usa la letra **f**.

fenómeno   *ph*enomenon

epitafio   epita*ph*

La combinación de sonidos /*mf*/ del inglés equivale a **nf** en español.

confortable   co*mf*ortable

sinfonía   sy*mph*ony

(handwritten: put m after only p + b)

th

En español, no aparece la combinación de letras *th*. Se usa la letra **t**.

entusiasmo   en*th*usiasm

teología   *th*eology

s + consonante

En español, no hay palabras que comiencen por la letra *s* seguida de consonante. La letra **e** precede a la **s**.

espectacular   *sp*ectacular

escena   *sc*ene

13 ◆ EJERCICIO ESCRITO

Traduzca:

1. The prodigy is studying mythology. *(handwritten: El prodigio esta estudiando mitología)*
2. They visited the amphitheater. *(handwritten: Visitaron el anfiteatro.)*
3. He considered it a personal triumph. *(handwritten: Lo consideró un triunfo personal)*
4. He is a member of a scholastic organization. *(handwritten: El es un miembro de la organización escolástica)*
5. There's an atmosphere of great mystery. *(handwritten: Hay una atmósfera de gran misterio.)*

9   Problemas de vocabulario

Quedarse, quedar, quedar en

quedarse	*to stay, to remain*
quedar	*to stay, to be*
quedar en + infinitivo	*to agree to* + *infinitive*; *to agree on* + *gerund*
Quedó en ir conmigo.	{ *He agreed to go with me.* { *He agreed on going with me.*

14 ◆ EJERCICIO DE SUSTITUCIÓN

El niño se quedó en la corte varios meses.

El arquitecto y el médico _____ .

(Yo) _____ .

El cura y yo _____ .

(Tú) _____ .

El príncipe _____ .

15 ◆ PREGUNTAS Y RESPUESTAS

Conteste a las siguientes preguntas de acuerdo con los apuntes según indican los ejemplos.

I. EJEMPLOS   (cerca de aquí)   ¿Dónde está la hostería?
Queda cerca de aquí.

(tres cuadras de aquí)   ¿Dónde está la escuela parroquial?
Queda a tres cuadras de aquí.

(diez kilómetros de la capital)   ¿Dónde está la aldea?

(lejos de aquí)   ¿Dónde está la cantina?

(un kilómetro)   ¿Dónde está el palacio?

(muy lejos)   ¿Dónde está la tumba del niño?

(dos cuadras de aquí)   ¿Dónde está la sastrería?

II. EJEMPLO   (ir al monasterio)   ¿Qué van a hacer ellos?
Quedaron en ir al monasterio.

(resolver el problema)   ¿Qué vas a hacer ahora?

(estudiar los cálculos)   ¿Qué van a hacer los ayudantes?

(regresar a la aldea)   ¿Qué van a hacer ustedes?

(visitar al enfermo)   ¿Qué va a hacer él?

(llevarle unos libros)   ¿Qué va a hacer usted?

Ignorar, no hacer caso

ignorar	no saber
no hacer caso	no prestar atención

16 ◆ no saber → ignorar

Escuche cada oración y repítala usando **ignorar** en lugar de **no saber**.

EJEMPLO   No sabían lo que era un triángulo.
Ignoraban lo que era un triángulo.

No sabía quién era el arquitecto.
No sabían los nombres de los ajedrecistas.
No sabías quién era el autor.
No sabíamos lo que era un monasterio.
No sabía las respuestas.
No sabías esos poemas.

17 ◆ PREGUNTAS Y RESPUESTAS

Escuche cada pregunta y contéstela, primero con una oración afirmativa y después con una negativa, según indica el ejemplo.

EJEMPLO ¿Le prestaba usted atención al maestro?
Sí, siempre le hacía caso.
No, nunca le hacía caso.

¿Le prestaste atención a sus palabras?
¿Le prestaban atención al niño?
¿Le prestaron atención al cura?
¿Les prestaron atención a los alumnos?
¿Le prestaba él atención a su madre?

18 ◆ EJERCICIO ESCRITO

Escriba el siguiente párrafo usando la forma correcta de **hacer caso** o **ignorar**, según convenga.

Fénix era un niño muy inteligente. Además, era muy obediente y siempre
le _____ a su madre. Al principio, nadie _____ en la escuela, pero
poco a poco comenzaron a reparar en él. Fénix sabía las respuestas de todas las
preguntas que hacía el maestro, mientras que sus compañeros las _____ .
Esto impresionó mucho a todos y llegaron a sentir verdadera admiración por él.
Después de algún tiempo pasó la novedad y dejaron de _____ a Fénix.

Llevar, tomar

llevar: transportar	*to take, as to take someone or something from one place to another*
tomar: coger, recoger, asir, agarrar	*to take, as to pick up in one's hands or arms*

19 ◆ PREGUNTAS Y RESPUESTAS

Usando **llevar**, conteste a las siguientes preguntas de acuerdo con el apunte según indica el ejemplo.

EJEMPLO (arquitecto) ¿Con quién viajó Fénix a la capital?
El arquitecto lo llevó a la capital.

(Juan) ¿Con quién fue Anita a la fiesta?
(arquitecto) ¿Con quién regresará el niño a la aldea?
(padres) ¿Con quiénes visitaban los muchachos el museo?
(yo) ¿Con quién fueron las niñas al médico?
(José y Pedro) ¿Con quiénes fueron tus hermanas al baile?

20 ◆ SINÓNIMOS → tomar

Escuche cada oración y repítala usando **tomar** según indica el ejemplo.

EJEMPLO Recogen los libros.
Toman los libros.

Recoja usted el periódico.
La niña coge las flores.
Recogió los libros que trajiste.
Cogieron unos papeles ayer.
Mi madre y yo recogimos la ropa.

21 ◆ EJERCICIO ESCRITO

Escriba las siguientes oraciones usando la forma correcta de **llevar** o **tomar**, según convenga.

1. El niño estaba llorando en el suelo y su madre lo ___tomó___ en brazos.
2. La criada ___tomó___ el sobre del escritorio y se lo ___llevó___ a don Augusto.
3. Cuando el cura visitó al arquitecto, ___tomó___ de la mano a Félix.
4. Mi hermano mayor sabe conducir y yo no. Por eso me ___llevo___ siempre a la universidad.

Care

cuidar (de alguien)	*to take care (of someone), as to attend to the person's needs*
cuidarse	*to take good care of oneself*
cuidado	*care, worry, attention*
Lo dejaba al cuidado de sus hermanos.	*She left him in the care of his brothers and sisters.*
tener cuidado	*to take care, to be careful*

En inglés, *care* tiene además un sentido de deseo o interés. Tales expresiones se traducen de diferentes maneras en español.

No me importa ⎱ lo que hace. **No me interesa** ⎰	I don't *care* what he does.
No me gusta el tocino.	I don't *care* for bacon.
Le tiene cariño ⎱ a María. **Quiere** ⎰	He *cares* for María.
¿**Quisiera** usted bailar?	Would you *care* to dance?

22 ♦ atender → cuidar de

EJEMPLO Las vecinas atenderán al niño.
Las vecinas cuidarán del niño.

La madre apenas podía atender al pequeño Félix.
Los hermanos mayores atendían al niño.
Mientras la madre trabaja, la tía atiende a la niña.
No atendieron al enfermo.
El médico no atendió al prodigio.

23 ♦ EJERCICIOS DE SUSTITUCIÓN

Tienes fiebre y debes cuidarte.
Eres muy flaco _____.
Andas medio enfermo _____.
Estás muy débil _____.
No eres muy fuerte _____.

¡Tenga cuidado con los aparatos eléctricos!
¡_____ el cuchillo!
¡_____ aquella mujer!
¡_____ el autómata!
¡_____ los cálculos!

24 ♦ EJERCICIO DE TRADUCCIÓN

He takes care of his brother.
He loves her, but she doesn't care for him.
Take good care of yourself.
He is under the doctor's care.
I don't care if he's sick.

Asistir

> **asistir**   ir, estar presente; atender, cuidar

25 ◆ SINÓNIMOS → asistir

Escuche cada oración y repítala usando **asistir** según indican los ejemplos.

I. EJEMPLO   Ellos siempre van a clase.
             Ellos siempre asisten a clase.

Tú siempre vas a las conferencias.
Mis hermanos van a todos los partidos de fútbol.
El maestro siempre está en su clase.
Los buenos alumnos están presentes en todas sus clases.
Yo iré a la reunión de mañana.

II. EJEMPLO   Ella atiende a los enfermos.
              Ella asiste a los enfermos.

El médico atendió a los heridos cuando llegaron.
Mi padre estaba viejo y nosotros lo atendíamos.
Él atiende a los niños de ese hospital.
Ellos no atendieron bien a mi hermano.
Atendí a mi madre durante su enfermedad.

26 ◆ EJERCICIO DE TRADUCCIÓN

He attended the concert.   *El asistió al concierto.*
He attended the sick person.   *El asistió al enfermo.*
He helped him with his work.   *El lo ayudó con su trabajo*
Will you attend the meeting?   *¿Asistirá a la reunión?*

Policía, frente, capital, orden, cura

> Los nombres **policía**, **frente**, **capital**, **orden** y **cura**, sin variar su forma, cambian de significado según sean masculinos o femeninos.
>
> | el policía | *policeman* | la policía | *police force* |
> |---|---|---|---|
> | el frente | *front* | la frente | *forehead* |
> | el orden | *order, neatness* | la orden | *order, command* |
> | el capital | *capital (money)* | la capital | *capital (city)* |
> | el cura | *priest* | la cura | *cure* |

27 ◆ EJERCICIO DE TRADUCCIÓN

The police came on time.
The policeman came on time.
The priest was successful.
The cure was successful.
The soldier was wounded at the front.
The soldier was wounded in the forehead.
Mr. García's capital is in the bank.
The bank is in the capital.
Is this the order in which the books appear?
Is this the order that the prince gave?

Esquina, rincón

esquina	*corner, outside angle*; *street corner*
rincón	*corner, inside angle*

28 ◆ EJERCICIO ESCRITO

Escriba las siguientes oraciones usando las palabras **esquina** o **rincón**, según convenga.

1. Hubo un choque terrible en (el, la) _____ del Palacio de Bellas Artes.

2. María sólo limpiaba lo que la gente podía ver y, como es natural, el polvo se acumulaba en (los, las) _____ y debajo de los muebles.

3. Para que no molestara lo dejaban en (un, una) _____ .

4. Te recojo en (el, la) _____ de la Avenida Real y San Rafael.

5. Ellos viven en la casa blanca que está en (ese, esa) _____ .

6. Buscó el libro por (todos los, todas las) _____ de la casa.

LECTURA IV

EL PRODIGIO

extraordinario intelectual

Francisco Ayala, novelista, crítico literario, ensayista, sociólogo y catedrático, nació en Granada en 1906. Pertenece al grupo de escritores españoles que abandonaron su patria en 1939 como resultado de la Guerra Civil. Su reacción ante el hombre y la sociedad es extremadamente pesimista. Muchas veces, nos presenta escenas crudas y casi repulsivas donde podemos ver la bajeza humana. Sin embargo, en el fondo, es un moralizador que quisiera que estos cuadros que nos presenta produjeran un cambio en la conducta del hombre. Entre sus obras más conocidas se encuentran *La cabeza del cordero. Los usurpadores, Muertes de perro* y *El fondo del vaso.* Ayala ha incluido el cuento "El prodigio" en su libro *Mis páginas mejores,* publicado en 1965, y en *Obras narrativas completas,* publicadas en 1969.

Kind, dessengleichen nie vorhin ein Tag gabahr!
Die Nachwelt wird Dich zwar mit ewigem Schmuck umlauben;
doch auch nur kleinen Theils dein grosses Wissen glauben,
Das dem der Dich gekannt selbst umbegreiflich war.[1]

De esto hace ya muchísimo tiempo, más de dos siglos. Nacido de una buena mujer y de un padre muy simple, el prodigio vio la luz[2] en una aldea de la Europa central, al pie de los Alpes.

Seis hijos tenía ya el matrimonio cuando vino al mundo Félix, o Fénix, con cuyo nombre lo bautizó por propio arbitrio[3] el cura de la parroquia: sus padres, o no sabían cuál ponerle, o les interesaba poco. Ese mismo cura sería también el primero en darse cuenta de que Fénix era una criatura de excepción.

---

[1] Child, no past age ever saw your equal!
Posterity will surely crown you with everlasting laurels,
But it will believe only a small part of your great knowledge,
Which was inconceivable even to those who knew you.

[2] **vio la luz** nació [3] **arbitrio** voluntad

No parece que sea cierto, como se pretende, que—a sólo quince o veinte días de nacido—el catecúmeno[4] hubiera contestado por sí mismo a la pregunta sacramental con la palabra *Volo!*[5] pronunciada en enfática afirmación. Al pueblo le gusta demasiado revestir[6] de leyenda y exagerar hasta lo increíble todo fenómeno que se sale de lo común. En sus primeros días—y ésta es la verdad— el nuevo feligrés[7] parecía un niño como cualquier otro: ni dijo *Volo!* junto a la pila bautismal, ni tampoco había nada en su aspecto exterior que llamara la atención, ninguno de esos signos de precocidad—dientes, pelo de barba—con que otros recién nacidos maravillan al vecindario.

A poco de nacerle éste su séptimo retoño, murió el padre de Félix, cayéndose de un árbol como fruto maduro. La viuda amamantó[8] al infante, y procuró criarlo cuanto mejor pudo. Por desgracia, sus recursos no alcanzaban a lo necesario. Era muy despejado[9] el nene[10], parecía darse cuenta de todo. Flacuchento, desmedradillo[11], sus ojos le comían la carita[12]: listísimo, el pobrecito. Pero su madre apenas podía atenderlo. Para trabajar con mayor soltura, lo dejaba al cuidado de sus hermanos; con ellos empezó a enviarlo a la escuela parroquial cuando no sabía andar todavía. Allí, lo instalaban para que se entretuviera en un rincón, donde algo aprendería, de paso, por el oído. La gente pobre tiene que arreglarse como Dios le da a entender.

Al principio, nadie le hacía caso en la escuela; ¿quién iba a hacerle caso? Pero no tardó mucho en llamar la atención el portentoso Fénix. Adelantándose a los otros, aquel escuerzo[13] que no levantaba un palmo[14] del suelo y apenas si podía tenerse en pie, contestaba las preguntas del maestro, y las contestaba bien siempre. Cuando todos los demás lo ignoraban, sabía él a qué se llama triángulo isósceles, los casos de la tercera declinación latina y quiénes son las personas de la Santísima Trinidad; los nombres de las carabelas de Colón, las dimensiones de un cuerpo en el espacio.

Como la infancia es una edad de milagro, sus compañeros, sin extrañarse, lo celebraban o lo envidiaban; sólo al cura le produjo asombro. El cura lo tomó bajo su cuidado, empezó a protegerlo, le prestó libros, lo llevaba consigo; y la extraordinaria criatura pronto empezó a ocasionarle, no ya admiración, sino también algunas situaciones embarazosas, porque, aun siendo como eran bastantes, y aun excesivos para un párroco de aldea, los conocimientos del bondadoso señor, se encontró a menudo frente a preguntas de su alumno a las que no estaba en condiciones de responder. Humildemente, pues era un buen

---

[4] **catecúmeno** el que va a recibir el bautismo   [5] *Volo!* latín: ¡Quiero!   [6] **revestir** cubrir
[7] **feligrés** el que pertenece a una parroquia   [8] **amamantó** dio su propia leche   [9] **despejado** listo   [10] **nene** niño pequeño   [11] **desmedradillo** débil   [12] **comían la carita** eran demasiado grandes para la cara   [13] **escuerzo** persona delgada y débil   [14] **palmo** medida de unos 21 centímetros

cristiano, a la segunda o tercera vez que esto le ocurría, optó por[15] inclinar la cabeza y reconocer su limitación. Fénix lo miró, pasmado, desolado, con sus grandes ojos muy abiertos; pero al cabo de un rato él mismo propuso la respuesta que había hallado con sus propias fuerzas y sólo gracias a su ingenio[16] natural. "¡Alabado sea Dios!", exclamó el maestro; y al otro día se fue a hablar con la viuda: a aquel niño prodigioso no era posible dejarlo que se malograra[17] en la rusticidad de tan escasa aldea; dejarlo, sería un contradiós.

La pobre mujer, que estaba lavando ropa en el corralito[18] y no podía abandonar su tarea por mucho rato, escuchó sin gran interés las ponderaciones[19] del párroco mientras continuaba refregando las prendas[20] con agitación de todo su cuerpo, volcado[21] sobre la pileta. No entendía bien sus razones, pero de todas maneras comprendió a dónde quería ir a parar el cura con ellas: decía que, siendo Fénix un niño tan listo, era menester[22] procurarle los medios de que se instruyera. Vagamente, por un momento se representó la madre al muchacho vestido de sotana[23]; pero en seguida, interrumpiendo el trabajo, irguió el busto[24] para estrujar[25] una sábana, e hizo al señor cura una pregunta que tampoco supo contestar él: "¿Y qué es lo que puedo hacer yo?", le preguntó. El párroco tuvo que replicar con un suspiro[26].

Por su parte, y no sin enorme sacrificio, aquel santo varón hizo traer de la capital algunos libros—tratados[27] de astrología, de medicina, de cálculo infinitesimal—, en cuyo contenido desistió pronto de meter él mismo las narices, y los puso en las manos débiles del pequeño sabio cuyo porvenir tanto le preocupaba.

Dios quiso escuchar sus ruegos y proveyó al fin una salida para el estupendo niño. La cosa sucedió de esta manera: por devoción de Su Alteza el Príncipe, que había mandado levantar un nuevo santuario y convento, llegó a dirigir las obras cierto famoso constructor, hombre de maneras un tanto bruscas, reservado y raro, que se pasaba el día entero con sus ayudantes y operarios[28] en lo alto de la colina donde el monasterio había de alzarse. De noche venía al pueblo y se encerraba en su cuarto de la hostería (si hostería podía llamarse a tan sórdida posada); y los domingos, después de misa, paseaba a solas por el campo, frecuentaba las cantinas y terminaba borracho la santa jornada. Era persona áspera, difícil de abordar[29]; pero una tarde, con el pretexto de observar el progreso de la obra, se encaminó hacia allá el cura llevando de la mano al pequeño Félix, no sólo para que tomara algo de aire e hiciera ejercicio, sino con

---

[15] **optó por** chose [16] **ingenio** talento [17] **malograra** to waste away [18] **corralito** small patio [19] **ponderaciones** razonamientos [20] **prendas** ropa [21] **volcado** bent [22] **menester** necesario [23] **sotana** traje de los curas [24] **irguió el busto** straightened up [25] **estrujar** to wring out [26] **suspiro** sigh [27] **tratados** estudios [28] **operarios** workmen [29] **abordar** to approach

algunas esperanzas imprecisas y aun con el deseo inocente de lucir[30] aquella maravillosa criatura si la ocasión se presentaba.

La ocasión se presentó del modo más espontáneo; no hubo necesidad de forzarla. El arquitecto, sea que[31] no fuera en el fondo tan intratable[32] como aparentaba, sea que[33] estuviera en un momento particularmente propicio, acogió al sacerdote con disposición amable, y hasta locuaz, cuya disposición aprovechó éste para tratar de averiguar algunos pormenores que le inquietaban en relación con el futuro santuario. Y cuando estaban enfrascados[34] ambos en animada conversación, el arquitecto, que había echado un par de miradas rápidas por encima del hombro de su interlocutor, la interrumpió preguntando en voz alta: "Eh, tú, ¿de qué te ríes tanto, monicaco[35]?". El monicaco interpelado era Fénix, quien, mientras los mayores hablaban, se había puesto a revolver unos legajos[36] que estaban sobre un banco. "¿De qué te ríes, di?", repitió el arquitecto. "Es que estos cálculos están equivocados, señor", le respondió el mocosito[37]. Ahora le tocó la vez de reírse al arquitecto. "Pero, ¿qué dice ese mono[38] sabio?", exclamó con jovialidad inesperada. "¡Vaya un mono sabio!". Su actitud prestó ánimos al cura, muy seguro de su protegido, para recomendar seriamente al señor arquitecto que repasara los cálculos en cuestión, pues lo que aquel niño era, era cosa de no creerlo, y muy probablemente alguno de sus ayudantes habría incurrido en error. Se extendió el cura en alabanzas, en ponderaciones[39] entusiastas; pero cuando se dio cuenta de que al maestro constructor se le había nublado la cara y se mostraba, si no malhumorado, aburrido, se despidió de él con turbada precipitación.

Al otro día, el arquitecto se presentaba en la parroquia preguntando por el niño. Se enteró entonces de que aquella criatura única sabía jugar al ajedrez, aunque ya no tenía con quién hacerlo, porque en seguida ganaba a todos los que en el pueblo conocían ese juego; supo que había predicho una rara conjunción en el firmamento; supo que versificaba con muy buena gracia, que había compuesto un notable poema con ocasión del terremoto de Lisboa[40], lindas imitaciones de Anacreonte[41] y de Catulo[42] y un dístico en latín y en bajo alemán para epitafio de Su Excelencia la Gran Duquesa difunta[43].

El arquitecto quiso conocer este dístico. Luego tuvo una larga plática[44] a solas con el niño (quien más tarde informaría que había versado[45] sobre cálculo de resistencias[46]); y a las dos o tres semanas de esto volvió a buscarlo para

---

[30] **lucir** to show off   [31] **sea que** either   [32] **intratable** poco sociable   [33] **sea que** or   [34] **enfrascados** involved   [35] **monicaco** expresión despectiva   [36] **legajos** papeles   [37] **mocosito** chiquillo   [38] **mono** monkey   [39] **ponderaciones** alabanzas exageradas   [40] **terremoto de Lisboa** Lisbon earthquake. Con toda probabilidad, el autor se refiere al terremoto de 1755.   [41] **Anacreonte** (560–478 a. de J. C.) poeta griego   [42] **Catulo** (¿84?–54 a. de J. C.) poeta latino   [43] **difunta** muerta   [44] **plática** conversación   [45] **versado** tratado   [46] **cálculo de resistencias** resistencia de materiales, técnica usada en la arquitectura

llevárselo a la capital y presentarlo en la pequeña corte. El Príncipe había tenido a bien[47] mostrarse interesado en el prodigio.

Su salida de la aldea fue un acontecimiento. No sólo sus seis hermanos mayores, sino toda la escuela, toda la chiquillería, se reunió en la plaza a ver partir el coche, y la madre del *piccolo*[48] Fénix se quedó en la esquina, enjugándose con el delantal algunas lágrimas, y asintiendo a las frases jubilosas del cura, que celebraba como un triunfo propio, y no sin razón, la nueva fortuna de su protegido.

En cambio, la llegada a Palacio no tuvo nada de espectacular. En su aspecto —y dejando aparte el brillo febril de su mirada—el fenómeno era un niño como cualquier otro, y aun más insignificante que cualquier otro, tan quieto siempre, y tan pensativo. Nadie reparaba en él.

El intendente[49] de Palacio ordenó a la sastrería que le hicieran una casaca de seda, zapatos y demás prendas con que poder presentarlo a Su Alteza; y sobre esta cuestión, a propósito de la calidad o el color de la seda, y de algo relativo a las hebillas[50], tuvo una discusión tremenda, una verdadera riña[51], con el arquitecto, quien, como es natural, deseaba dar una compostura[52] decorosa al prodigio cuya presentación sería un regalo del espíritu curioso. No era hombre el arquitecto al que se pudiera defraudar fácilmente, de modo que Fénix compareció[53] por fin ante Su Alteza, no sólo vistiendo preciosa casaca de seda rosa bordada[54] en plata, sino cuello y puños[55] adornados con encaje de Malinas[56], y un espadín al cinto[57]—juguete precioso que agradó muchísimo en aquella sociedad.

El Príncipe le sometió a diversas pruebas, de las que el niño conseguiría salir bastante airoso: le pusieron a resolver un difícil problema de geometría en competencia con el bufón Sir Anthony Wells, que era matemático fino, y nuestro prodigio obtuvo el resultado antes que su rival. Jugó sendas partidas con tres consumados ajedrecistas, dando jaque-mate a dos de ellos y quedando en tablas[58] con el tercero; sólo frente al autómata que pocos años antes había constituido la sensación de la Corte y ahora tenían medio arrumbado[59], se desconcertó el niño y, lamentablemente, perdió la partida, aunque luego consiguió desquitarse[60] del percance[61]. Le pidieron que recitara, que cantara; y él cantó con discreto gusto, aunque no era extremada su voz... Complació mucho, en suma; recibió dulces y caricias; y una vez que la novedad hubo pasado

---

[47] **había... bien** had been good enough to   [48] *piccolo* italiano: pequeño   [49] **intendente** funcionario importante   [50] **hebillas** buckles   [51] **riña** quarrel   [52] **compostura** arreglo, adorno   [53] **compareció** se presentó   [54] **bordada** embroidered   [55] **puños** cuffs   [56] **Malinas** ciudad de Bélgica que es famosa por sus encajes   [57] **cinto** belt   [58] **en tablas** stalemate   [59] **arrumbado** put away   [60] **desquitarse** to get even   [61] **percance** desgracia, contrariedad

y el arquitecto regresó a su obra, Fénix quedó relegado también al cuarto de los sirvientes, donde le habían dado lecho y mesa[62].

Cuando, varios meses más tarde, volvió el arquitecto a la Corte para urgir unos trámites pendientes[63], tuvo la diligencia de informarse sobre la suerte de su patrocinado[64], como el cura le había importunado tanto para que no se olvidara de hacer. Con gran contrariedad, se enteró de que Fénix andaba medio enfermo desde hacía tiempo. Languidecía, tenía fiebre, había perdido el poco apetito que siempre tuvo, y el médico, que al comienzo le prescribiera lavativas[65] y una dieta muy rigurosa, viendo que no mejoraba, pero que tampoco parecía ponerse peor, lo fue descuidando. Entonces el arquitecto consiguió del facultativo que, una vez más, fuera con él hasta el rincón donde Fénix yacía: tomó el pulso al enfermo, le miró la garganta, y decretó que aquel niño lo que necesitaba era los aires puros del campo. En vista de lo cual, el arquitecto decidió llevárselo consigo cuando, terminadas sus gestiones[66], regresara a su aldea.

Aquello—no hay que decirlo—constituyó una pequeña humillación para el arquitecto, y un penoso contratiempo[67] para el cura, que tantas ilusiones se había forjado[68]. La madre besó a Fénix en la frente, en los ojos, en la boca, y admiró mucho la ropa y zapatitos que traía. Pero, ¿qué hubiera podido hacer la infeliz viuda para curarlo? El niño, que nunca había sido muy fuerte, no mostraba ahora energías ni para moverse de una silla; dormitaba todo el día; y cada vez que la pobre iba a darle una vuelta comprobaba que ni siquiera había tocado el pedazo de pan con tocino que, al irse, solía dejarle para que se alimentara.

Una tarde, después de haber estado trabajando durante varias horas en la huerta[69] del boticario para la cosecha[70] de nabos[71] y otras hortalizas[72], encontró la madre agitación y muchos chiquillos a la puerta de su casa. Quitándose unos a otros la palabra de la boca, le explicaron que habían acudido demasiado tarde; que, cuando acudieron a los gritos, ya Fénix estaba muerto. Ahí estaba, en el suelo, comida una oreja y parte de la cara. También le faltaba una mano. Los encajes de la bocamanga[73] se veían desgarrados[74] y sucios de sangre. Había sido la marrana parida[75] del molino[76], que ahora iba huyendo y gruñendo ante una patulea[77] de chicos desgreñados[78]. (El cerdo, nadie lo ignora, es, como el hombre, animal omnívoro; come de todo.)

¡Desdichado Fénix! Para su tumba, compuso el cura un hermoso epitafio, digno del mármol. Pero no hubo lápida[79] de mármol. El arquitecto había

---

[62] **lecho y mesa** cama y comida   [63] **urgir... pendientes** to expedite some unfinished business   [64] **patrocinado** protegido   [65] **lavativas** enemas   [66] **gestiones** asuntos   [67] **contratiempo** contrariedad   [68] **forjado** hecho   [69] **huerta** vegetable garden   [70] **cosecha** harvest, crop   [71] **nabos** turnips   [72] **hortalizas** legumbres   [73] **bocamanga** puño   [74] **desgarrados** rotos   [75] **marrana parida** cerdo hembra que acaba de parir   [76] **molino** mill   [77] **patulea** grupo   [78] **desgreñados** disheveled   [79] **lápida** tombstone

prometido proporcionar una, de los materiales que sin duda sobrarían en la obra; una lápida pequeña. Y sin duda la hubiera hecho cortar, de no haberse terminado su propia vida antes que la construcción del monasterio.

De todos modos, el epitafio estuvo escrito en una tabla, sobre la cruz de palo[80] que hincaron[81] en la tierra donde descansaban los restos mortales del asombroso niño, hasta que con el tiempo lo borró[82] la lluvia. Creo que su texto es el que figura al comienzo de esta noticia.

---

[80] **palo** madera [81] **hincaron** enterraron [82] **borró** erased

CUESTIONARIO

1. ¿Cuándo ocurrió la acción del cuento?
2. ¿Dónde nació el prodigio?
3. ¿Cuántos hermanos tenía el prodigio?
4. ¿Qué nombre le pusieron al niño y quién se lo puso?
5. Según la leyenda, ¿qué pasó durante el bautizo del niño?
6. Describa el aspecto del niño.
7. ¿Cómo murió el padre? ¿Qué símil usa el autor para describirnos su muerte?
8. ¿Quiénes cuidaban del niño cuando salía la madre?
9. ¿Por qué no tardó mucho el niño en llamarle la atención al cura?
10. ¿Qué situaciones embarazosas le ocasionó Fénix al cura?
11. ¿Qué hacía la madre mientras el cura le hablaba del talento de su hijo?
12. ¿Cómo reaccionó la madre?
13. ¿Qué hizo el cura para ayudar al prodigio en sus estudios?
14. ¿Quién llegó al pueblo?
15. ¿Por qué vino este hombre al pueblo?
16. ¿Qué carácter tenía el arquitecto?
17. ¿Adónde llevó el cura a Fénix? ¿Por qué?
18. ¿Qué miraba Fénix mientras el cura y el arquitecto hablaban?
19. ¿De qué se reía el niño?
20. ¿Cómo reaccionó el arquitecto?
21. ¿Qué hizo el arquitecto al otro día?
22. ¿Adónde llevó el arquitecto al prodigio?
23. Compara la salida de la aldea con la llegada a Palacio.
24. ¿Por qué discutieron el arquitecto y el intendente?
25. ¿A qué pruebas sometieron al niño?
26. ¿Qué le pasó al niño cuando jugó al ajedrez con el autómata?
27. ¿Qué le pasó al niño cuando el arquitecto salió de la capital?
28. ¿Por qué decidió el arquitecto llevar a Fénix a su aldea?
29. Después de regresar al pueblo, ¿cómo pasaba Fénix el tiempo?
30. ¿Cómo murió Fénix?
31. ¿Por qué no había una lápida de mármol en la tumba de Fénix?
32. ¿Qué le pasó al epitafio que escribió el cura?

COMPOSICIONES DIRIGIDAS

La familia del prodigio   *Idea central:* La familia del prodigio es pobre y ni lo entiende ni lo puede ayudar.

El olvido   *Idea central:* En la capital, durante la ausencia del arquitecto, igual que después de su muerte, Fénix queda olvidado.

TEMAS

1. Ejemplos de ironía que se presentan en el cuento.
2. ¿Qué piensa usted de la muerte de Fénix? ¿Por qué lo hizo morir el autor de una manera tan grotesca?
3. ¿Cuál es la intención del autor en este cuento?
4. Compare a Manolo ("La felicidad") con Fénix ("El prodigio"). Tome en consideración no sólo la vida y la muerte de los dos niños, sino también las consecuencias de su temprana desaparición.

APÉNDICE

Números cardinales

1	uno, un, una	28	veinte y ocho, veintiocho
2	dos	29	veinte y nueve, veintinueve
3	tres	30	treinta
4	cuatro	31	treinta y uno (un, una)
5	cinco	32	treinta y dos, etc.
6	seis	40	cuarenta
7	siete	50	cincuenta
8	ocho	60	sesenta
9	nueve	70	setenta
10	diez	80	ochenta
11	once	90	noventa
12	doce	100	ciento, cien
13	trece	200	doscientos, -as
14	catorce	300	trescientos, -as
15	quince	400	cuatrocientos, -as
16	diez y seis, dieciséis	500	quinientos, -as
17	diez y siete, diecisiete	600	seiscientos, -as
18	diez y ocho, dieciocho	700	setecientos, -as
19	diez y nueve, diecinueve	800	ochocientos, -as
20	veinte	900	novecientos, -as
21	veinte y uno (un, una),	1.000	mil
	veintiuno (veintiún, veintiuna)	2.000	dos mil
22	veinte y dos, veintidós	100.000	cien mil
23	veinte y tres, veintitrés	200.000	doscientos(-as) mil
24	veinte y cuatro, veinticuatro	1.000.000	un millón
25	veinte y cinco, veinticinco	2.000.000	dos millones
26	veinte y seis, veintiséis	1.000.000.000	mil millones
27	veinte y siete, veintisiete	1.000.000.000.000	un billón

Números ordinales[1]

first	**primero, -a**[2]	sixth	**sexto, -a**
second	**segundo, -a**	seventh	**séptimo, -a**
third	**tercero, -a**	eighth	**octavo, -a**
fourth	**cuarto, -a**	ninth	**noveno, -a**
fifth	**quinto, -a**	tenth	**décimo, -a**

Los días de la semana

Monday	**lunes**
Tuesday	**martes**
Wednesday	**miércoles**
Thursday	**jueves**
Friday	**viernes**
Saturday	**sábado**
Sunday	**domingo**

Los meses del año

January	**enero**	July	**julio**
February	**febrero**	August	**agosto**
March	**marzo**	September	**septiembre, setiembre**
April	**abril**	October	**octubre**
May	**mayo**	November	**noviembre**
June	**junio**	December	**diciembre**

---

[1] En español, los equivalentes de *1st*, *2nd*, *3rd*, etc., se forman con el número correspondiente y la letra **a** u **o**, según el género del nombre a que se refiere el número ordinal, pero si no se refiere a ningún nombre en particular, se usa la forma masculina: **1°, 2° ejercicio, 3ª pregunta**. Estas formas también se pueden escribir con un punto debajo de la **a** u **o**, o con un punto entre el número y la **a** u **o**: **2.° ejercicio, 2.ª pregunta**. Hay quienes usan una pequeña raya debajo de la letra: **2ª pregunta**.

[2] **Primero** y **tercero** tienen las formas cortas **primer** y **tercer** que se usan delante de un nombre masculino singular o cuando sólo los separa un adjetivo: **el primer ejemplo, el primer buen ejemplo**.

VERBOS

1 Verbos regulares

	I	II	III
infinitivo	**hablar**	**comer**	**vivir**
gerundio	hablando	comiendo	viviendo
participio pasivo	hablado	comido	vivido

Tiempos simples

INDICATIVO

presente			
	hablo	como	vivo
	hablas	comes	vives
	habla	come	vive
	hablamos	comemos	vivimos
	habláis	coméis	vivís
	hablan	comen	viven

imperfecto			
	hablaba	comía	vivía
	hablabas	comías	vivías
	hablaba	comía	vivía
	hablábamos	comíamos	vivíamos
	hablabais	comíais	vivíais
	hablaban	comían	vivían

pretérito			
	hablé	comí	viví
	hablaste	comiste	viviste
	habló	comió	vivió
	hablamos	comimos	vivimos
	hablasteis	comisteis	vivisteis
	hablaron	comieron	vivieron

futuro			
	hablaré	comeré	viviré
	hablarás	comerás	vivirás
	hablará	comerá	vivirá
	hablaremos	comeremos	viviremos
	hablaréis	comeréis	viviréis
	hablarán	comerán	vivirán

potencial	hablaría	comería	viviría
	hablarías	comerías	vivirías
	hablaría	comería	viviría
	hablaríamos	comeríamos	viviríamos
	hablaríais	comeríais	viviríais
	hablarían	comerían	vivirían

SUBJUNTIVO

presente	hable	coma	viva
	hables	comas	vivas
	hable	coma	viva
	hablemos	comamos	vivamos
	habléis	comáis	viváis
	hablen	coman	vivan

imperfecto (-ra)	hablara	comiera	viviera
	hablaras	comieras	vivieras
	hablara	comiera	viviera
	habláramos	comiéramos	viviéramos
	hablarais	comierais	vivierais
	hablaran	comieran	vivieran

imperfecto (-se)	hablase	comiese	viviese
	hablases	comieses	vivieses
	hablase	comiese	viviese
	hablásemos	comiésemos	viviésemos
	hablaseis	comieseis	vivieseis
	hablasen	comiesen	viviesen

IMPERATIVO

	habla	come	vive
	hablad	comed	vivid

Tiempos compuestos

INDICATIVO

pretérito perfecto	he		
	has		
	ha		
	hemos	hablado	comido	vivido
	habéis		
	han		

pretérito anterior	hube			
	hubiste			
	hubo	hablado	comido	vivido
	hubimos			
	hubisteis			
	hubieron			

pretérito pluscuamperfecto	había			
	habías			
	había	hablado	comido	vivido
	habíamos			
	habíais			
	habían			

futuro perfecto	habré			
	habrás			
	habrá	hablado	comido	vivido
	habremos			
	habréis			
	habrán			

potencial compuesto	habría			
	habrías			
	habría	hablado	comido	vivido
	habríamos			
	habríais			
	habrían			

SUBJUNTIVO

pretérito perfecto	haya			
	hayas			
	haya	hablado	comido	vivido
	hayamos			
	hayáis			
	hayan			

pretérito pluscuamperfecto (-ra)	hubiera			
	hubieras			
	hubiera	hablado	comido	vivido
	hubiéramos			
	hubierais			
	hubieran			

pretérito pluscuamperfecto (-se)	hubiese			
	hubieses			
	hubiese	hablado	comido	vivido
	hubiésemos			
	hubieseis			
	hubiesen			

2 Verbos con cambios en la raíz

A Verbos de la primera y de la segunda conjugación (-ar y -er): **e → ie** y **o → ue** en los tiempos indicados.

pensar	contar	perder	volver

presente de indicativo

pienso	**cuento**	**pierdo**	**vuelvo**
piensas	**cuentas**	**pierdes**	**vuelves**
piensa	**cuenta**	**pierde**	**vuelve**
pensamos	contamos	perdemos	volvemos
pensáis	contáis	perdéis	volvéis
piensan	**cuentan**	**pierden**	**vuelven**

presente de subjuntivo

piense	**cuente**	**pierda**	**vuelva**
pienses	**cuentes**	**pierdas**	**vuelvas**
piense	**cuente**	**pierda**	**vuelva**
pensemos	contemos	perdamos	volvamos
penséis	contéis	perdáis	volváis
piensen	**cuenten**	**pierdan**	**vuelvan**

Entre los verbos que pertenecen a esta clase se encuentran:

acertar, atravesar, cegar, cerrar, comenzar, concertar, despertar, empezar, enterrar, fregar, helar, negar, nevar, recomendar, restregar, sentar, temblar, tentar, tropezar; atender, descender, encender, entender, extender, querer, tender, verter; acordar, acostar, almorzar, apostar, aprobar, avergonzar, colgar, consolar, costar, demostrar, forzar, mostrar, probar, recordar, rodar, rogar, soltar, sonar, soñar, tronar, volar, volcar; cocer, disolver, doler, llover, morder, mover, poder, resolver, soler, torcer.

Jugar es el único verbo con el cambio **u → ue**.

B Verbos de la tercera conjugación (-ir): **e → ie, i; o → ue, u** en los tiempos indicados.

sentir	morir

INDICATIVO

presente		
	siento	**muero**
	sientes	**mueres**
	siente	**muere**
	sentimos	morimos
	sentís	morís
	sienten	**mueren**

pretérito	sentí	morí
	sentiste	moriste
	sintió	**murió**
	sentimos	morimos
	sentisteis	moristeis
	sintieron	**murieron**

SUBJUNTIVO

presente	**sienta**	**muera**
	sientas	**mueras**
	sienta	**muera**
	sintamos	**muramos**
	sintáis	**muráis**
	sientan	**mueran**

imperfecto	**sintiera**	o **sintiese**	**muriera**	o **muriese**
	sintieras	o **sintieses**	**murieras**	o **murieses**
	sintiera	o **sintiese**	**muriera**	o **muriese**
	sintiéramos	o **sintiésemos**	**muriéramos**	o **muriésemos**
	sintierais	o **sintieseis**	**murierais**	o **murieseis**
	sintieran	o **sintiesen**	**murieran**	o **muriesen**

gerundio	**sintiendo**	**muriendo**

Entre los verbos que pertenecen a esta clase se encuentran:

advertir, arrepentirse, consentir, convertir, divertir, herir, invertir, mentir, preferir, presentir, referir, requerir, sugerir; dormir.

C Verbos de la tercera conjugación (-ir): **e** → **i** en los tiempos indicados.

pedir

INDICATIVO

presente	pretérito
pido	pedí
pides	pediste
pide	**pidió**
pedimos	pedimos
pedís	pedisteis
piden	**pidieron**

SUBJUNTIVO

presente	imperfecto	
pida	pidiera	o pidiese
pidas	pidieras	o pidieses
pida	pidiera	o pidiese
pidamos	pidiéramos	o pidiésemos
pidáis	pidierais	o pidieseis
pidan	pidieran	o pidiesen

gerundio   **pidiendo**

Entre los verbos que pertenecen a esta clase se encuentran:

competir, conseguir, corregir, derretir, despedir, elegir, impedir, medir, perseguir, reír, rendir, reñir, repetir, seguir, servir, vestir.

3 Verbos con cambios ortográficos

A Verbos terminados en **-car**: **c** → **qu** delante de **e**

sacar

INDICATIVO	SUBJUNTIVO
pretérito	presente
saqué	saque
sacaste	saques
sacó	saque
sacamos	saquemos
sacasteis	saquéis
sacaron	saquen

B Verbos terminados en **-gar**: **g** → **gu** delante de **e**

llegar

INDICATIVO	SUBJUNTIVO
pretérito	presente
llegué	llegue
llegaste	llegues
llegó	llegue
llegamos	lleguemos
llegasteis	lleguéis
llegaron	lleguen

C Verbos terminados en **-guar**: **gu**→**gü** delante de **e**

averiguar

INDICATIVO	SUBJUNTIVO
pretérito	**presente**
averigüé	**averigüe**
averiguaste	**averigües**
averiguó	**averigüe**
averiguamos	**averigüemos**
averiguasteis	**averigüéis**
averiguaron	**averigüen**

D Verbos terminados en **-zar**: **z**→**c** delante de **e**

empezar

INDICATIVO	SUBJUNTIVO
pretérito	**presente**
empecé	**empiece**
empezaste	**empieces**
empezó	**empiece**
empezamos	**empecemos**
empezasteis	**empecéis**
empezaron	**empiecen**

(**Empezar** es uno de los verbos que tiene cambio en la raíz y cambio ortográfico.)

E Verbos terminados en consonante+ **-cer** o **-cir**: **c**→**z** delante de **a** y **o**

vencer

INDICATIVO	SUBJUNTIVO
presente	**presente**
venzo	**venza**
vences	**venzas**
vence	**venza**
vencemos	**venzamos**
vencéis	**venzáis**
vencen	**venzan**

F Verbos terminados en **-ger** o **-gir**: **g**→**j** delante de **a** y **o**

coger

INDICATIVO	SUBJUNTIVO
presente	**presente**
cojo	**coja**
coges	cojas
coge	coja
cogemos	cojamos
cogéis	cojáis
cogen	cojan

G Verbos terminados en **-guir**: **gu**→**g** delante de **a** y **o**

distinguir

INDICATIVO	SUBJUNTIVO
presente	**presente**
distingo	**distinga**
distingues	**distingas**
distingue	**distinga**
distinguimos	**distingamos**
distinguís	**distingáis**
distinguen	**distingan**

H Verbos terminados en **-uir**:[1] cambian la **i** átona en **y** en el pretérito, el imperfecto de subjuntivo y el gerundio.

incluir

INDICATIVO	SUBJUNTIVO
pretérito	**imperfecto**
incluí	**incluyera** (o **incluyese**, etc.)
incluiste	**incluyeras**
incluyó	**incluyera**
incluimos	**incluyéramos**
incluisteis	**incluyerais**
incluyeron	**incluyeran**

gerundio	**incluyendo**

---

[1] Vea también la sección 4 de los verbos irregulares, número 14, p. 380.

Los verbos terminados en **-guir** y el único verbo en **-quir** (delinquir) no pertenecen a este grupo porque la **u** no suena.

I Verbos terminados en vocal + **-er** o **-ir**: cambian la **i** de la terminación en **y** delante de **o** y **e**; la **i** de la terminación del participio pasivo y de las terminaciones de la segunda persona singular y la primera y segunda persona plural del pretérito lleva un acento.

creer

INDICATIVO	SUBJUNTIVO
pretérito	**imperfecto**
creí	creyera (o creyese, etc.)
creíste	creyeras
creyó	creyera
creímos	creyéramos
creísteis	creyerais
creyeron	creyeran

gerundio	**creyendo**
participio pasivo	**creído**

J Verbos terminados en **-iar** o **-uar**: la **i** o la **u** de la raíz llevan un acento en las formas del singular y en la tercera persona plural del presente de indicativo y de subjuntivo.

fiar

INDICATIVO	SUBJUNTIVO
presente	**presente**
fío	**fíe**
fías	**fíes**
fía	**fíe**
fiamos	fiemos
fiáis	fiéis
fían	**fíen**

K Verbos cuya raíz termina en **ll** o **ñ**: la **i** de la terminación se omite delante de **e** y **o**.

bullir

INDICATIVO	SUBJUNTIVO
pretérito	imperfecto
bullí	**bullera** (o **bullese**, etc.)
bulliste	**bulleras**
bulló	**bullera**
bullimos	**bulléramos**
bullisteis	**bullerais**
bulleron	**bulleran**

gerundio	**bullendo**

4 Verbos irregulares

Se incluyen sólo los tiempos que presentan una o más formas irregulares. Estas formas irregulares aparecen en **negrilla**. No se incluyen aquellos tiempos cuyas formas siguen las reglas generales. Por ejemplo: la raíz del *presente de subjuntivo* es la misma de la primera persona singular del presente de indicativo; si un verbo sigue esta regla general, el presente de subjuntivo no se incluye entre las formas irregulares (**caer: caigo** → **caiga**). Otro tanto ocurre con el *imperfecto de subjuntivo*. La raíz de este tiempo es la misma de la tercera persona plural del pretérito de indicativo; el imperfecto de subjuntivo que sigue esta regla general no se incluye en esta lista.

1. **abrir**
   participio pasivo   **abierto**

2. **andar**
   pretérito   **anduve, anduviste, anduvo, anduvimos, anduvisteis, anduvieron**

3. **caber**
   presente de indicativo   **quepo,** cabes, cabe, cabemos, cabéis, caben
   pretérito   **cupe, cupiste, cupo, cupimos, cupisteis, cupieron**
   futuro   **cabré, cabrás, cabrá, cabremos, cabréis, cabrán**
   potencial   **cabría, cabrías, cabría, cabríamos, cabríais, cabrían**

4. **caer**
   presente de indicativo   **caigo,** caes, cae, caemos, caéis, caen
   cambio ortográfico: vea sección 3I, p. 377.

5. conocer[2]

presente de indicativo   **conozco,** conoces, conoce, conocemos, conocéis, conocen

6. conducir[3]

presente de indicativo   **conduzco,** conduces, conduce, conducimos, conducís, conducen

pretérito   **conduje, condujiste, condujo, condujimos, condujisteis, condujeron**

7. cubrir

participio pasivo   **cubierto**

8. dar

presente de indicativo   **doy,** das, da, damos, dais, dan
pretérito   **di, diste, dio, dimos, disteis, dieron**
presente de subjuntivo   **dé, des, dé, demos, deis, den**
imperfecto de subjuntivo   **diera, dieras, diera, diéramos, dierais, dieran**

9. decir

presente de indicativo   **digo, dices, dice,** decimos, decís, **dicen**
pretérito   **dije, dijiste, dijo, dijimos, dijisteis, dijeron**
futuro   **diré, dirás, dirá, diremos, diréis, dirán**
potencial   **diría, dirías, diría, diríamos, diríais, dirían**
imperativo   **di**
gerundio   **diciendo**
participio pasivo   **dicho**

10. escribir

participio pasivo   **escrito**

11. estar

presente de indicativo   **estoy, estás, está,** estamos, estáis, **están**
pretérito   **estuve, estuviste, estuvo, estuvimos, estuvisteis, estuvieron**
presente de subjuntivo   **esté, estés, esté,** estemos, estéis, **estén**

12. haber

presente de indicativo   **he, has, ha, hemos,** habéis, **han**
pretérito   **hube, hubiste, hubo, hubimos, hubisteis, hubieron**
futuro   **habré, habrás, habrá, habremos, habréis, habrán**
potencial   **habría, habrías, habría, habríamos, habríais, habrían**
presente de subjuntivo   **haya, hayas, haya, hayamos, hayáis, hayan**

---

[2] Verbos terminados en vocal + **-cer** o **-cir**: **c→zc** delante de **a** y **o**. (Excepciones: **mecer** y **cocer**)

[3] Verbos terminados en **-ducir**: **c → zc** delante de **a** y **o**; **c → j** en el pretérito y el imperfecto de subjuntivo; terminaciones irregulares en estos tiempos.

13. hacer

presente de indicativo	**hago,** haces, hace, hacemos, hacéis, hacen
pretérito	**hice, hiciste, hizo, hicimos, hicisteis, hicieron**
futuro	**haré, harás, hará, haremos, haréis, harán**
potencial	**haría, harías, haría, haríamos, haríais, harían**
imperativo	**haz**
participio pasivo	**hecho**

14. incluir[4]

presente de indicativo	**incluyo, incluyes, incluye,** incluimos, incluís, **incluyen**

cambio ortográfico: vea sección 3H, p. 376.

15. ir

presente de indicativo	**voy, vas, va, vamos, vais, van**
pretérito	**fui, fuiste, fue, fuimos, fuisteis, fueron**
imperfecto	**iba, ibas, iba, íbamos, ibais, iban**
presente de subjuntivo	**vaya, vayas, vaya, vayamos, vayáis, vayan**
imperfecto de subjuntivo	**fuera, fueras, fuera, fuéramos, fuerais, fueran**
imperativo	**ve**
gerundio	**yendo**

16. jugar

cambio en la raíz: vea sección 2A, p. 372.
cambio ortográfico: vea sección 3B, p. 374.

17. morir

cambio en la raíz: vea sección 2B, p. 372.

participio pasivo	**muerto**

18. oír

presente de indicativo	**oigo, oyes, oye,** oímos, oís, **oyen**

cambio ortográfico: vea sección 3I, p. 377.

19. oler

presente de indicativo	**huelo, hueles, huele,** olemos, oléis, **huelen**
presente de subjuntivo	huela, huelas, huela, **olamos, oláis,** huelan

20. poder

cambio en la raíz: vea sección 2A, p. 372.

pretérito	**pude, pudiste, pudo, pudimos, pudisteis, pudieron**
futuro	**podré, podrás, podrá, podremos, podréis, podrán**
potencial	**podría, podrías, podría, podríamos, podríais, podrían**
gerundio	**pudiendo**

---

[4] Los verbos terminados en **-uir** añaden una **y** delante de todas las vocales menos **i** en el presente de indicativo y el presente de subjuntivo.

21. poner

presente de indicativo	**pongo,** pones, pone, ponemos, ponéis, ponen
pretérito	**puse, pusiste, puso, pusimos, pusisteis, pusieron**
futuro	**pondré, pondrás, pondrá, pondremos, pondréis, pondrán**
potencial	**pondría, pondrías, pondría, pondríamos, pondríais, pondrían**
imperativo	**pon**
participio pasivo	**puesto**

22. querer
cambio en la raíz: vea sección 2A, p. 372.

pretérito	**quise, quisiste, quiso, quisimos, quisisteis, quisieron**
futuro	**querré, querrás, querrá, querremos, querréis, querrán**
potencial	**querría, querrías, querría, querríamos, querríais, querrían**

23. romper

participio pasivo	**roto**

24. resolver
cambio en la raíz: vea sección 2A, p. 372.

participio pasivo	**resuelto**

25. saber

presente de indicativo	**sé,** sabes, sabe, sabemos, sabéis, saben
pretérito	**supe, supiste, supo, supimos, supisteis, supieron**
futuro	**sabré, sabrás, sabrá, sabremos, sabréis, sabrán**
potencial	**sabría, sabrías, sabría, sabríamos, sabríais, sabrían**
presente de subjuntivo	**sepa, sepas, sepa, sepamos, sepáis, sepan**

26. salir

presente de indicativo	**salgo,** sales, sale, salimos, salís, salen
futuro	**saldré, saldrás, saldrá, saldremos, saldréis, saldrán**
potencial	**saldría, saldrías, saldría, saldríamos, saldríais, saldrían**
imperativo	**sal**

27. ser

presente de indicativo	**soy, eres, es, somos, sois, son**
pretérito	**fui, fuiste, fue, fuimos, fuisteis, fueron**
imperfecto	**era, eras, era, éramos, erais, eran**
presente de subjuntivo	**sea, seas, sea, seamos, seáis, sean**
imperfecto de subjuntivo	**fuera, fueras, fuera, fuéramos, fuerais, fueran**
imperativo	**sé**

28. tener

presente de indicativo	**tengo, tienes, tiene,** tenemos, tenéis, **tienen**
pretérito	**tuve, tuviste, tuvo, tuvimos, tuvisteis, tuvieron**
futuro	**tendré, tendrás, tendrá, tendremos, tendréis, tendrán**
potencial	**tendría, tendrías, tendría, tendríamos, tendríais, tendrían**
imperativo	**ten**

29. **traer**

presente de indicativo	**traigo,** traes, trae, traemos, traéis, traen
pretérito	**traje, trajiste, trajo, trajimos, trajisteis, trajeron**
gerundio	**trayendo**
participio pasivo	**traído**

30. **valer**

presente de indicativo	**valgo,** vales, vale, valemos, valéis, valen
futuro	**valdré, valdrás, valdrá, valdremos, valdréis, valdrán**
potencial	**valdría, valdrías, valdría, valdríamos, valdríais, valdrían**

31. **venir**

presente de indicativo	**vengo, vienes, viene,** venimos, venís, **vienen**
pretérito	**vine, viniste, vino, vinimos, vinisteis, vinieron**
futuro	**vendré, vendrás, vendrá, vendremos, vendréis, vendrán**
potencial	**vendría, vendrías, vendría, vendríamos, vendríais, vendrían**
imperativo	**ven**
gerundio	**viniendo**

32. **ver**

presente de indicativo	**veo,** ves, ve, vemos, veis, ven
pretérito	**vi,** viste, **vio,** vimos, visteis, vieron
imperfecto	**veía, veías, veía, veíamos, veíais, veían**
participio pasivo	**visto**

33. **volver**

cambio en la raíz: vea sección 2A, p. 372.

participio pasivo	**vuelto**

VOCABULARIO

Not included in the vocabulary are conjugated verb forms; regular past participles if the infinitive is listed and the meaning is unchanged; regularly formed adverbs ending in **-mente**; regularly formed diminutives if the meaning is clear; personal pronouns; numbers, days of the week, and months of the year, which are included in the appendix; proper names that are explained in the glosses or would cause no problem; words that appear only in pronunciation drills; and cognates that are identical to the English word or only vary slightly in spelling. Gender of nouns is given (*m* or *f*) except for masculine nouns ending in **-o** and feminine nouns ending in **-a**, **-ión**, **-dad**, **-ez**, **-tad**, **-tud**, and **-umbre**. Only the masculine form of adjectives is given if the feminine is regular. If a verb has a radical change, this is indicated in parentheses.

The following abbreviations are used in the vocabulary:

adj	adjective	*irreg*	irregular
adv	adverb	*m*	masculine noun
aux	auxiliary	*n*	noun
coll	colloquial	*p.*	page
f	feminine noun	*pp*	past participle
imp	impersonal	*pl*	plural
inf	infinitive	*prep*	preposition
interj	interjection	*pron*	pronoun

a *prep* to; at; for; in; by; from
abajo below
abandono abandonment
abasto: dar abasto to keep up with, satisfy
abierto (*pp* **abrir**) open, opened
abogado lawyer
abordar to approach
abrazar to embrace, hug
abreviar to abbreviate
abrigo overcoat
abrir to open; **abrirse paso** to get ahead
abstraerse to be lost in thought
abuela grandmother
abuelo grandfather
aburrido boring
aburrir to bore; **-se** to get bored
acá here
acabar to finish; **acabar de** to have just (*see p. 80*); **acabar por** to end up by
Academia: Real Academia Española Royal Spanish Academy, select group serving as authority on the Spanish language
acaso perhaps

acceder to agree, consent
acción action
aceite *m* oil
acento accent
acentuar to accent
aceptar to accept
acerca de about, concerning
acercarse (a) to approach
acero steel
aclaración clarification
aclarar to clarify, explain
aclaratorio explanatory
acodarse to lean one's elbows (on something)
acoger to receive
acomodo lodging
acompañar to accompany
aconsejable advisable
aconsejar to advise
acontecimiento event
acordarse (de) (ue) to remember (*see p. 236*)
acostar (ue) to put to bed; **-se** to go to bed
acostumbrarse to become accustomed

actitud attitude

actor *m* actor

actriz *f* actress

actual current

actualidad : en la actualidad at the present time

actuar to act

acudir to go, come, respond to a call

acuerdo agreement; **de acuerdo con** in agreement with; **estar de acuerdo** to agree

acumular to accumulate

acusar to notice, acknowledge

acusación accusation

achulapada roguish

adelantar to advance, progress; **-se a** to get ahead of

adelante forward; **sacar adelante** to make a go of it, be successful

ademán *m* gesture

además besides; **además de** besides

adentro inside, within; **tierra adentro** inland

adiós goodbye

administrador, -a manager, administrator

admirar to admire

adonde where

adónde where, to where

adornar to adorn, trim

adulterio adultery

adversidad adversity

advertir (ie, i) to notice, warn

afectar to affect

afectivo affectionate

afecto affection

afectuoso affectionate

afeitar to shave

aficionado *n* fan; *adj* fond

afirmación affirmation

afirmar to affirm; **afirmar con la cabeza** to nod one's head

afuera outside; **mar afuera** out to sea

agacharse to crouch

agarrar to cling, hold fast

agazaparse to crouch

agenda : agenda de notas notebook, memorandum book

ágil agile

agitar to agitate

agonía agony; **estar en la agonía** to be on the verge of dying

agradable pleasant, agreeable

agradar to please, give pleasure

agradecer to be grateful (for)

agredir to attack

agresivo aggressive

agrupar to group

agua water

aguda : palabra aguda word with stress on last syllable

aguantar to endure, bear

aguardar to wait

águila eagle

ahí there

ahora now

ahorrar to save (*see p. 308*)

aire *m* air

airoso successful; **salir airoso** to come out well

ajedrecista *m and f* chess player

ajedrez *m* chess

ajeno unaware

ajetreo bustle, hustle

alabanza praise

alabar to praise

alargar to lengthen, stretch out, extend

alcanzar to reach, be enough

aldea village

aldeano villager

alegrar to gladden, make happy; **alegrarse (de)** to be glad, be happy (to)

alegría joy, happiness

alejamiento withdrawal, retiring

alejar to move away; **-se** to go away

alemán *m* German; **bajo alemán** Low German

alfabeto alphabet

alfil *m* bishop (in chess)

algo something, anything

alguacil *m* constable

alguien someone, anyone

alguno (algún) *adj* some, any, a few; *pron* anyone, someone

aligerar to lighten

alimentar to feed, nourish

alma soul
almendra almond
almorzar (ue) to eat lunch
almuerzo lunch
alojamiento lodging
alojar to lodge
alrededor around; alrededor de around;
  mirar a su alrededor m to look around
alterar to alter, disturb; -se to get
  upset, become disturbed
Alteza Highness (title)
alto tall; en lo alto de on top of; en voz
  alta in a loud voice
altura height
alumno student, pupil
alzar to raise
allá there
allí there
amable kind, nice
amamantar to nurse
amante m and f lover; adj loving
amar to love
amargo bitter
amargura bitterness
amarillo yellow
ambición ambition
ambiente m atmosphere, environment
ambigüedad ambiguity
ambos both
amenazar to threaten
americana coat
americano American, Spanish-American
amigo friend
aminorar to lessen, diminish
amistad friendship
amo master
amor m love
ampliar to enlarge, broaden
amplio wide, ample, roomy
análisis (pl -sis) m and f analysis
ancho wide
andada: otra vez a las andadas back to
  the same old tricks
andar to go, walk, be; andar desatado
  to go wild
ande interj come on
anfiteatro amphitheatre
ángel m angel

ángulo angle, corner
angustioso anguished
anhelo desire
anillo ring
animar to encourage, animate
ánimo spirit, courage
aniquilar to annihilate
anoche last night
anochecer to become night, grow dark
anónimo anonymous letter
ante m suede; prep before, in the
  presence of
anteayer day before yesterday
antepenúltimo second to last
anterior previous, prior
anterioridad: con anterioridad previously
antes before, formerly; antes de before;
  antes (de) que before
antiguo former, ancient
antipático disagreeable, unlikeable
antología anthology
anudar to knot
anunciar to announce
añadir to add
año year
apacible gentle, pleasant
apagado extinguished; low
aparato apparatus; aparato eléctrico
  electrical appliance
aparecer to appear
aparentar to pretend; to appear
aparente apparent
aparte aside; aparte de aside from
apasionado passionate
apasionar to arouse passion; -se to be
  very fond of
apelar to appeal
apellido family name, surname
apenas scarcely, hardly
apéndice m appendix
apertura opening
apetecer to wish, desire
apetito appetite; hunger
aplicar to apply
apoyar to lean
apoyo support
apreciar to appreciate
aprender to learn (see p. 334); aprender a

+*inf* to learn to +*inf*; **aprender de memoria** to memorize

aprendiz *m* apprentice; **estar de aprendiz** to be apprenticed

apresurar to hurry; **apresurarse a** +*inf* to hurry to +*inf*

apretado clenched, compressed, intense

apretar to clench

aprovechar to take advantage

aproximado approximate

aproximarse to approach

apunte *m* cue

apurar to drink; to worry; **-se** to be worried

aquel *adj* that

aquél *pron* that

aquí here

árabe *m and adj* Arab, Arabic

aras: en aras de for the sake of

arbitrio will, judgment

árbol *m* tree

arca chest

arcón *m* large chest

archivo archive, file

argentino Argentine

arquitecto architect

arracimado clustered

arraigar to take root

arrancar to extract

arranque: arranque de la escalera bottom of the staircase

arreglado orderly

arreglar to arrange, put in order; **-se** to fix oneself up; to make do

arreglo: con arreglo a according to

arrepentirse (de) (ie, i) to repent, change one's mind

arriba above, upstairs

arrobo ecstasy

arrodillarse to kneel

arrojar to throw

arroz *m* rice

arrumbar to put away

artículo article; **artículo definido** definite article; **artículo indefinido** indefinite article

asaltar to strike, attack

ascensión ascent

asco disgust, repugnance; **me da asco** it makes me sick

asegurar to assure

asentir (ie, i) to assent, agree

asesinato murder

asfixia suffocation

así so, therefore, like that, in this way; **así que** as soon as, and so

asiento seat

asir to seize, grasp

asistir to go, attend, care for (as for a sick person); **asistir a** to be present at (*see p. 355*)

asomar to show, appear; **asomar la cabeza** to stick one's head out; **-se** to look out; to peep in

asombrar to astonish; **-se** to be astonished, amazed

asombro astonishment

asombroso astonishing, wonderful

asomo gesture

aspecto aspect; appearance

asperjar to sprinkle

áspero harsh, rough

astro star, planet

asunto matter

asustar to frighten

atar to tie

atender (ie) to take care of, pay attention

atenerse (ie) to depend, rely; **sin saber a qué atenerse** without knowing what to do

ateo atheist

aterrador terrifying

atmósfera atmosphere

átono unstressed

atontado stupefied, stupid

atrancarse to become obstructed

atrás behind, backward

atreverse (a) to dare (to)

atrevimiento audacity

atribución attribute; power

atribuir to atribute

atusar to twirl

audición hearing

aula classroom

aullido howl

aumentativo augmentative

aun even; **ni aun** not even
aún still; **aún no** not yet
aunque although
ausencia absence
auténtico authentic
auto: **auto de línea** bus
autómata *m and f* automaton
automóvil *m* automobile
autor, -a author
autorizar to authorize
auxiliar auxiliary
avenida avenue
avenirse **(ie)** to agree
averiguar to find out, verify (*see p. 334*)
avión *m* airplane
avisado clever
avisar to let know; to warn
ayer yesterday
ayuda help
ayudante assistant
ayudar to help
ayunar to fast
ayuntamiento town government
azufre *m* sulpher
azul blue
azulado bluish

baca luggage rack
baile *m* dance
bajar to go down, get down; to lower
bajeza lowness, lowliness
bajo *adj* low, short; **en voz baja** in a soft voice; **planta baja** ground floor; *prep* under
balcón *m* balcony
banco bank; bench
barato inexpensive, cheap
barba beard; **barba en punta** pointed beard
barbilla chin
barrio neighborhood, district
basar: **basarse en** to base one's judgment on
base: **a base de** on the basis of, by means of
bastante enough, sufficient
bastar to be enough, be sufficient, suffice
bastardilla italics; **en bastardilla** in italics

bastidor *m* wing of stage scenery
basura garbage; **cubo de basuras** garbage can
bata housecoat
batazo blow with a bat
bate *m* bat
batiente: **puerta batiente** swinging door
bautismal baptismal
bautizar to baptize
bautizo baptism
beber to drink
béisbol *m* baseball
Bélgica Belgium
belleza beauty
bello beautiful
bendición blessing
bendito blessed
beneficio benefit
benévolo benevolent
besar to kiss
beso kiss
bicicleta bicycle
bien *adv* well; very; **no bien** no sooner; *m* good; **bienes** *m pl* goods, property
bienestar *m* well-being, comfort
bienhechor, -a benefactor, benefactress
bienvenido welcome
bigote *m* moustache
billete *m* ticket
bitongo silly, acting silly
blanco white; blank
bledo: **(no) importar un bledo** to not matter in the slightest, not care a bit about
blusa blouse
bobada foolishness, nonsense, stupidity
boca mouth
bocamanga part of the sleeve near the wrist, cuff
boleto ticket
bolsa purse; pocket
bolsillo pocket; purse
bomba lamp globe
bombilla lightbulb
bondad goodness
bondadoso kind, good
bonito pretty
bordado embroidered

borrachera

borrachera drunkenness
borracho drunk
borrar to erase
bosque *m* woods
botar to throw away
botella bottle
boticario apothecary
botón *m* button
brasero brazier (pan for burning coal)
brazo arm; **cogidos del brazo** arm in arm
breve brief, short; **en breves instantes** in a few seconds
brillar to shine
brillo brilliance, shine
brindis *m* toast
brisa breeze
broma joke
bromista joking, kidding
bronce *m* bronze
bruja witch
brusco rude, brusque
bucear to dive; to explore
bueno good; well
bufón *m* buffoon
burgués *m and adj* bourgeois, middle class
burlón mocking, teasing
buscar to look for, seek
busto torso

cabal: **en sus cabales** in one's right mind
cábala cabala, occultism
caballo horse; knight (in chess)
cabello hair
caber to fit into; to be appropriate
cabeza head; **lavarse la cabeza** to wash one's hair; **tener la cabeza a pájaros** to be scatterbrained
cabezazo butt with the head
cabo: **al cabo de** after
cacharro pot; **cacharro de loza** crockery
cachimba pipe
caer to fall; **caer en la cuenta** to get the point; **-se** to fall down
café *m* coffee; cafe
caja box
cajón *m* big box

cal *f* lime
calculador calculating
cálculo calculation, calculus
calidad quality (*see p. 238*)
caliente hot
calificativo modifier, qualifying
calmar to calm
calor *m* heat; **hace calor** it's hot
caluroso hot
calzo: **ni visto ni calzo** I don't spend money on clothes or shoes
callar to be silent; **-se** to be quiet, be silent
calle *f* street; **puerta de la calle** front door
cama bed
camarero waiter
cambiar to change, exchange
cambio change, exchange; **a cambio de** in exchange for; **en cambio** on the other hand
caminar to walk
camino road; **camino de** on the way to
camión *m* truck
camisa shirt
camisón *m* nightgown
campana bell
campante contented
campo field, country
canalla *m* scoundrel
canción song
candelabro candelabra
candil *m* lamp; **candil de petróleo** oil lamp
candor *m* candor
cansar to tire; **-se** to get tired
cantar to sing
cantidad quantity
cantina canteen, tavern
caña cane, reed; a tall, narrow wine glass
capilla chapel
capital *m* capital, money; *f* capital city (*see p. 355*)
capítulo chapter
cara face
carabela caravel, small three-masted ship

390 / Vocabulario

carácter *m* character, nature, disposition
caramba *interj* good heavens
caray *interj* good Lord
carcajada burst of laughter
cardenal *m* cardinal
cargante disagreeable
cargar to carry
cargo charge, burden; **corre a cargo de** it's the responsibility of
caricia caress
cariño affection
cariñoso affectionate
carne *f* meat
caro expensive
carrera career
carrillo cheek
carro car
carta letter
cartera wallet; purse
cartero mailman
cartón *m* cardboard
casa house; firm
casaca coat
casamiento marriage
casarse (con) to marry (*see p. 16*)
cáscara shell
casi almost
casino club
caso case; **en caso de que** in case; **hacer caso** to pay attention (*see p. 351*)
castigar to punish
castigo punishment
casualidad chance; **por casualidad** by chance, by any chance
casucha shanty
catecúmeno catechumen, one who is under instruction in the elements of Christianity
catedrático professor
católico catholic
causa cause; **a causa de** because of
causante *m and f* person responsible
causar to cause
cecina dried beef
ceja eyebrow
celebrar to praise, celebrate
celoso jealous
cena supper, dinner

cenar to have supper, have dinner
centavo cent
centenas hundreds
centro center, middle
cera wax; **ponerse como la cera** to turn pale
cerca *adv* near; **cerca de** *prep* near
cercano *adj* near
cerdo pig
cerrado closed; closed in
cerrar (ie) to close
cerrojo lock
certeza certainty; **tener la certeza** to be certain
certificar to certify
cesar to stop
cielo sky; *coll* honey
científico *n* scientist; *adj* scientific
cierto certain, sure; a certain; **por cierto** certainly, of course
cifra figure, number
cigarrillo cigarette
cigarro cigar
cincuentón *adj* in his fifties
cine *m* movies, movie theater
cinto belt
circunflejo circumflex, pointed
cita quotation
citar to cite, quote; to summon
ciudad city
ciudadano citizen
claridad clarity, light
claro clear, light; of course
clase *f* class, kind; **clase media** middle class
clásico classic
clasificar to classify
clavar to nail, fasten
clave *f* key, explanation
cliente *m and f* client, customer
clima *m* climate
club *m* club
cobrar to collect
cobre *m* copper
cocina kitchen
cocinar to cook
cocinera cook
coche *m* car

coger to take, pick up; **coger frío** to take a chill; **cogidos del brazo** arm in arm

cola tail

colcha bedspread, quilt

colegio school

cólera anger

cólico colic, sharp intestinal pain

colina hill

colocación placement, location

colocar to place, put; **colocar de patitas en la calle** to kick out

Colón Columbus

color *m* color; **lámina de colores** colored illustration

comedia comedy, play

comedido moderate

comedor *m* dining room

comenzar (ie) to begin

comer to eat; **dar de comer** to feed

cometer to commit

comida meal, food

comienzo beginning; **al comienzo** at first, in the beginning

comitiva retinue

como how, as, like; **como si** as if

cómo how; **cómo no** of course, naturally, why not

cómoda chest of drawers, bureau

cómodo comfortable

compañero companion, friend

comparar to compare

comparecer to appear

compás: las piernas entreabiertas en compás legs spread apart

compasivo compassionate

competencia competition

complacer to please, humor

complaciente obliging

complemento object; **complemento con preposición** object of a preposition; **complemento directo** direct object; **complemento indirecto** indirect object

componer to write, compose

compostura neatness of dress; outfit

comprar to buy

comprender to understand

comprensión understanding

comprensivo *adj* understanding

comprimido compressed, repressed

comprobar (ue) to verify, confirm, find out

comprometer to compromise, endanger; **-se a** to obligate oneself to

compromiso compromise, obligation

compuesto compound; **tiempo compuesto** compound tense

común common

comunista *m and f, adj* communist

con *prep* with; **con tal (de) que** provided that; **con todo** however

conceder to grant

conciencia conscience

concierto concert

concluir to conclude, finish

concordancia agreement

concordar (ue) to agree

concurso contest

condenar to condemn

condición: en condiciones de in a position to

conducción conduction, transfer

conducir to lead, carry; to conduct; to drive

conferencia lecture (*see p. 18*)

confesar (ie) to confess; **-se** to confess

confiado confident (*see p. 216*)

confianza confidence, trust (*see p. 216*)

confidencia confidence, confidential remark (*see p. 215*)

confundir to confuse

conjugar to conjugate

conjunción conjunction

conjunto entirety

conjuro conjuration

conmigo with me, with myself

conmover (ue) to move (with emotion)

conocer to know (as to be acquainted with) (*see p. 57*); to meet

conocido well-known

conocimiento knowledge

conque then, well then

consciente conscious

consecuencia consequence; **en consecuencia** consequently

conseguir (i) to get, obtain, attain
consejo advice
consentir (ie, i) to consent, allow, permit;
consentir en to consent to
conserje *m* janitor, caretaker
conservar to save, conserve, keep
consignar to mention, point out
consigo with oneself; with himself
(herself, themselves)
consiguiente: por consiguiente consequently
constar to be evident; **constar que** to be
certain that
consternado alarmed
constituir to constitute
constructor builder
construir to build, construct
consumado accomplished, excellent
contar (ue) to tell, count; **contar con**
alguien to count on someone
contemplar to contemplate
contemporáneo contemporaneous,
contemporary
contenido contents
contento contented, glad
contestar to answer, reply
contigo with you
contiguo next, adjoining
continuar to continue, go on
continuo continual, continuous
contra against
contradiós *m* sacrilege
contrariedad contradiction, irritation,
disappointment
contrario contrary; **al contrario** on the
contrary; **contrario a** contrary to
contratiempo disappointment, misfortune
contrato contract
convencer to convince
convenir (ie) to be appropriate, be suitable; to agree
conversar to converse, talk
convertirse (en) (ie, i) to become
convulso convulsive, very excited
copa goblet, glass; drink
copiar to copy
corazón *m* heart

corbata tie
cordero lamb
corear to approve heartily, chime in
coronar to crown; **ni demonios coronados**
nor anything
corral yard
correcto correct, right
correo mail
correos post office
correr to run; **corre a cargo de** it is the
responsibility of
corresponder to correspond, belong
corrida race, bullfight; **corrida de toros**
bullfight
corriente *f* current; *adj* usual, common
cortar to cut; **cortar en seco** to cut
short
corte *f* royal court
cortesano courteous
cortesía courtesy
cortina curtain
cosa thing
cosecha crop, harvest
coser to sew
costa coast
costar (ue) to cost; **costar trabajo** to be
difficult (*see p. 38*)
costumbre *f* custom, habit
crear to create
crecer to grow, increase
crecido grown, big, long
creciente growing
crecimiento growth, increase
creencia belief
creer to believe, think; **ya lo creo** of
course
criada maid
criado servant
criar to raise, bring up
criatura child
crimen *m* crime
criminal *m and f* criminal
crisis (*pl* -**sis**) *f* crisis
cristal *m* glass
cristiano Christian
crítico *n* critic; *adj* critical
cruce *m* crossing; **cruce de miradas**
exchange of glances

crujir to crunch

cruz *f* cross; **hacer la cruz** to make the sign of the cross

cruzar to cross; **cruzarse de brazos** to fold one's arms

cuadra stable; city block

cual which, who, whom

cuál which, what

cualidad quality, characteristic (*see p. 238*)

cualquier *adj* any; *pron* anyone; **esa cualquiera** that nobody, that good for nothing

cuando when, while, as

cuándo when

cuantitativo quantitative

cuanto everything that, all that, whatever; **en cuanto** as soon as

cuánto how much; **cuántos** how many; **¿a cuánto(s) estamos?** what is the date?

cuarteado old

cuartel *m* barracks

cuarto room

cubierto (*pp* **cubrir**) covered

cubo can, pail; **cubo de basuras** garbage can

cubrir to cover

cuclillas: en cuclillas squatting

cucharón *m* big spoon, ladle

cuchillo knife

cuello neck; collar

cuenta bill; account; **caer en la cuenta** to get the point, see; **darse cuenta (de)** to realize (*see p. 119*); **perder la cuenta** to lose count; **por su cuenta** on his own

cuento story, short story

cuerdo sane (*see p. 216*)

cuero leather

cuerpo body

cuestión matter, question (*see p. 283*)

cuidado care, worry, attention; **tener cuidado** to be careful

cuidadoso careful

cuidar (de) to take care (of), care for; **-se** to take good care of oneself (*see p. 353*)

culpa blame, fault

cumpleaños *m* birthday

cumplir to fulfill

cuneta road ditch; **regatón de la cuneta** water in the ditch

cura *m* priest; *f* cure (*see p. 355*)

curar to cure

curiosidad curiosity

curioso curious

cursi in bad taste, common

cursilito in bad taste, common

curso course; **seguir cursos** to take courses

cuyo whose

chaleco vest

champaña *m* champagne

chaqueta jacket

charla conversation

chasquido crackle; **chasquido de dedos** snapping of fingers

chica girl, little girl; **chica de servir** maid, servant

chico *n* boy; *adj* small

chiflar to be very pleasing

chiquillada childish notion or action

chiquillería children, large group of children

chiquitín very small

chiquito small, tiny

chisme *m* gossip

chistoso funny, witty

chocar to shock, surprise

choque *m* accident, collision

chupa: poner de chupa de dómine to treat harshly, mistreat

dama lady; queen (in chess)

dar to give; **dar abasto** to keep up with, satisfy; **dar con la mano** to pat; **dar contra** to hit; **dar de comer** to feed; **dar en** to hit; **dar igual** to be the same thing; **dar la espalda** to turn one's back on; **darse cuenta (de)** to realize (*see p. 119*); **darse prisa** to hurry up; **dar tierra** to bury; **dar una patada** to kick; **dar un susto** to frighten; **dar vueltas** to go around in circles; **me da lo mismo** it's all the same to me; **me da asco** it makes me sick

dato fact, datum

de *prep* of; from

deambular to stroll

debajo under, underneath; **debajo de** under

deber to owe; to have to; should (*see p. 199*); **debido a que** due to

débil weak

decenas tens

decidir to decide; **decidirse a** to decide to

décimo tenth

decir to say, tell; **es decir** that is to say; **querer decir** to mean

decisivo decisive

declinación declension, inflection

decoroso decorous

decretar to decree; to decide

dedicar to dedicate

dedo finger

deducir to deduce

defectivo defective; **verbo defectivo** defective verb (verb that lacks one or more forms)

defender (ie) to defend

defensor *m* defender

definido definite

defraudar to cheat; to discourage

dejar to let, allow; to leave (*see p. 331*); **dejar de** + *inf* to stop, quit (*see p. 333*); **no dejar de** + *inf* not to fail to + *inf*

delantal *m* apron

delante before, in front; **delante de** in front of; **por delante** ahead; **todo el tiempo por delante** all the time in the world

delator, -a denouncing, accusing

delectación pleasure

delgado thin

delicado delicate

delicia delight

delirar to be delirious; to rave

demarcación zone, demarcation

demás: lo demás the rest; **los demás** the rest, the others

demasiado *adv* too; too much; *adj* too much; **demasiados** too many

demonio devil

demostrar (ue) to show

denegar (ie) to deny; **denegar con la cabeza** to shake one's head no

denotar to denote, indicate

dentista *m and f* dentist

dentro inside; **dentro de** inside

denunciante denouncing, accusing

dependencias *f pl* quarters; **dependencias del servicio** servants' quarters

depender to depend; **depender de** to depend on

deporte *m* sport

deportivo *adj* sport

derecha right

derechura straightness; **en derechura de** straight to

derivado derivative

derivar to derive; **-se** to be derived

derramar to spill

derretir to melt

desabotonar to unbutton

desacreditar to discredit

desafío defiance

desagradable unpleasant

desaparecer to disappear

desaparición disappearance; death

desarrollar to develop

desastre *m* disaster

desatar to untie; **andar desatado** to go wild

desayuno breakfast

descansar to rest

descender (ie) to descend

desconcertarse to become confused

desconocido unknown

descorchar to uncork

descorrer to slide back, push aside

descotado low-cut

describir to describe

descubrir to discover

descuento discount

descuidar to neglect

desde from, since; **desde luego** of course, immediately; **desde que** since

desdeñoso disdainful

desdichado unfortunate

desear to wish, want

desenfado self-confidence, ease
desengaño disillusionment
desenvuelto forward, free
deseo wish, desire
deseoso desirous
desesperación despair
desesperanza despair
desesperar to despair
desfile *m* parade
desgarrar to tear
desgracia misfortune; **por desgracia**
  unfortunately
desgraciado unfortunate
desgreñar to dishevel
deshacer to undo
deshonor *m* dishonor
desigual unequal
desinflar to deflate
desistir (de) to desist (from), give up
desjarretar: desjarretar un tiro to fire a
  shot, shoot
desmedradillo weak
desmedrado weak, worn out
desmesurado excessive
desnudo nude, bare
desocupado unoccupied, idle
desolado desolate
desorbitado wide-open
desordenar to disturb, upset
desorientar to disorient, throw off one's
  bearings
despacio slowly
despacho office
despectivo depreciative, derogatory
despedida farewell; departure
despedir (i) to dismiss; to give off; **-se**
  to say goodbye
despegar to unglue, detach; **-se** to come
  loose
despejado smart
despertar (ie) to arouse, wake up
despistar to put off the track
despojarse to undress, take off
despreciable contemptible, insignificant
despreciar to scorn
desprecio scorn
desprender to unfasten; **-se** to come
  unfastened; to be deduced

despreocuparse to stop worrying
despropósito absurdity, nonsense
después after, afterward; **después de**
  after; **después que** after
desquitarse to get even
destino destiny, fate
detalle *m* detail
detener (ie) to stop
determinado definite
detestar to detest
detrás behind, after; **detrás de** behind,
  after
devolver (ue) to return (*see p. 306*)
día *m* day; **al día siguiente** the next
  day; **algún día** someday; **al otro día**
  the next day; **buenos días** good morning, hello; **de día** by day, daytime;
  día de gala holiday, special occasion;
  hoy en día nowadays; **todos los días**
  every day
diablo devil
dialogar to converse
diario *m* diary; *adj* daily
dibujo sketch
dicho (*pp* **decir**) said, told
dichoso damned
diente *m* tooth; **entre dientes** between
  one's teeth
diéresis *f* dieresis
diestro right
dieta diet
diferenciar to differentiate; **-se** to be
  different
diferente different; **diferentes** different,
  various
difícil difficult
dificultad difficulty
difunto deceased, late
dignidad dignity
digno worthy
diligencia errand; diligence
diluir to dissolve
diminutivo diminutive
diminuto diminutive, tiny
dinero money
Dios God
diptongar to form a diphthong
diptongo diphthong

dirección direction; address
dirigir to direct, guide; **-se** to go toward
disco record
discreto discreet, fairly good
disculpar to excuse
discurso speech
discusión argument, discussion
discutir to discuss
disgusto grief; displeasure
disminuir to diminish
disolución dissolution, breaking up
disonar (ue) to clash, be inharmonious
disparar to shoot, fire; **disparar un tiro** to fire a shot
disparate *m* absurdity, nonsense
dispensar to excuse
disponerse (a) to get ready, prepare oneself (*see p. 99*)
disposición disposition, mood
dispuesto ready
dístico distich, couplet
distinguir to distinguish
distinto different, distinct
distraer to distract
diverso diverse, different; **diversos** various
divertir (ie, i) to entertain; **-se** to enjoy oneself, have a good time
divino divine
divisa foreign exchange
docena dozen
doctor, -a doctor
dólar *m* dollar
doler (ue) to ache, hurt (*see p. 174*)
dolor *m* pain, ache; **tener dolor (de)** to ache (*see p. 174*)
doloroso painful
dómine: poner de chupa de dómine to treat harshly, mistreat
dominio control
don *m* title of respect used before first names
donde where, in which
dónde where
doña *f* title of respect used before first names
dorado gilt, golden

dormido asleep
dormir (ue, u) to sleep; **-se** to fall asleep
dormitar to dose, nap
dos: de dos en dos two by two
dosis (*pl* **-sis**) *f* dose
drama *m* drama, play
dramaturgo playwright
duda doubt; **sin duda** certainly
dudar to doubt
dueño owner
dulce *m* candy, bonbon; *adj* sweet, pleasant
dulcería candy store
duplicación duplication, redundancy
duque *m* duke
duquesa duchess
durante during
durar to last
duro hard

e and (before words beginning with vowel sound /i/)
economizar to save
ecuatoriano of Ecuador
echar to throw; **echar una partida** to play a game; **-se** to throw on; **-se a** to begin (to)
edad age; **Edad Media** Middle Ages
edificio building
educación education, upbringing
educar to educate, raise
efecto effect; **en efecto** in effect, in fact
egoísmo selfishness
egoísta *m and f* egoist; *adj* egoistic, selfish
egolatría self-idolatry
ejemplo example
ejercer to practice
ejercicio exercise
elaborar to elaborate
ele *f* letter *l*
elefante *m* elephant
elevar to elevate, raise
eliminar to eliminate
eludir to avoid
emanar to emanate, issue
embajada embassy
embarazoso embarrassing

embargo: sin embargo   nevertheless
empapar   to soak, saturate
empeñarse (en)   to insist (on)
empezar (ie)   to begin
empinado   steep
empleado   employee
emplear   to employ, use
empleo   use; job
empujar   to push
en prep   in; on; at
enajenar   to dispossess, alienate; to deprive (of one's senses)
enamorarse (de)   to fall in love (with) (see p. 16)
encaje m   lace
encaminar   to head to
encantar   to charm, enchant, delight
encantador, -a   charming
encanto   charm
encarar   to face
encargar   to order, request; encargar una misa   to have a mass said
encender (ie)   to light
encerrar (ie)   to enclose, contain; to lock
encima   above; encima de   on top of
encogerse   to shrink down, crouch; encogerse de hombros   to shrug one's shoulders
encontrar (ue)   to meet; to find; -se   to be found; to be; to meet; encontrarse con alguien   to meet someone
encuentro   meeting
endurecer   to harden
energía   energy
energúmeno   violent person
enfadar   to anger; -se   to get angry; enfadarse con alguien   to get angry with someone
énfasis m   emphasis; dar énfasis   to emphasize
enfático   emphatic
enfermarse   to get sick
enfermedad   sickness
enfermo   sick
enfrascado   involved
enfrentarse (con)   to confront; -se a   to face
engañar   to deceive

engaño   deceit
enigmático   enigmatical
enjalbegar   to whitewash
enjugar   to dry; to wipe off
enloquecer   to become crazy, go crazy
enmienda   correction; improvement
ennoblecer   to ennoble
enojar   to anger; -se   to be angry, become angry
enorme   large, enormous
enroque m   castling (in chess)
ensayista m and f   essayist
ensayo   rehearsal; essay
enseñar   to teach; to show
ensoñado   daydreaming
entender (ie)   to understand
enterado   informed; aware
enterarse (de)   to find out (about) (see p. 334)
entero   whole, full
enterrar (ie)   to bury
entierro   burial
entonces   then
entrambos   both
entrada   entrance
entrañable   affectionate
entrar   to enter, come in; to leave the stage (in stage directions)
entre prep   between, among
entreabierto   half open, partially spread
entregar   to give, deliver
entretenerse (ie)   to amuse oneself
entristecerse   to become sad
entusiasta   enthusiastic
enumerar   to enumerate
enviar   to send
envidiar   to envy
episodio   episode
epitafio   epitaph
época   time, epoch
equivocación   mistake
equivocar   to mistake; -se   to make a mistake; to be mistaken
erguir (i)   to straighten up
error m   error
escalera   stairway; escaleras abajo   downstairs; escaleras arriba   upstairs
escalofrío   shiver

escarcha frost
escaso limited, scanty; small
escena scene; stage
escenario stage
escenografía scenery
escoger to choose
escribir to write
escrito (*pp* **escribir**) written
escritorio desk
escolástico scholastic
escuchar to listen (to)
escuela school
escuerzo person who is weak and thin
escueto plain
escupir to spit
esdrújula: palabra esdrújula word with stress on second to last syllable
ese *adj* that
ése *pron* that
esencial essential
esfuerzo effort
eso that; **a eso de** about (with reference to time) (*see p. 277*)
espaciar to space
espacio space
espada sword
espadín *m* small gala sword
espalda back; **dar la espalda** to turn one's back on; **estar de espaldas** to have one's back turned
espantoso frightening, dreadful
España Spain
español *m and adj* Spanish
esparcir to scatter
específico specific
espectáculo spectacle
espectador, -a spectator; audience
espejo mirror
esperanza hope
esperar to expect; to hope; to wait
espetar to throw (a question)
espía *m and f* spy
espigado tall
espíritu *m* spirit
espolvorear to sprinkle
espontáneo spontaneous
esposa wife
esquema *m* outline

esquina corner (*see p. 356*)
establecer to establish
establo stable
estado state
Estados Unidos United States
estallar to burst
estancia living room, room
estar to be (*see p. 93*); **estar de acuerdo** to agree; **estar de espaldas** to have one's back turned; **estar de frente** to be facing; **estar de mal humor** to be in a bad mood; **estar de pie** to be standing; **estar de rodillas** to be kneeling; **estar de vacaciones** to be on vacation; **estar de viaje** to be on a trip; **estar de vuelta** to be back; **estar dispuesto** to be willing; **estar en condiciones de** to be in condition to
estatua statue
este *adj* this
éste *pron* this
estereofónico stereophonic
estilística stylistics
estilo style; **al estilo** in the style
estimar to esteem; to judge
esto *pron* this
estómago stomach
estrecho narrow
estrella star
estrenar to use, wear, perform for the first time
estribo stirrup; **perder los estribos** to lose control of oneself
estropajo scouring pad
estropear to ruin, spoil, damage
estructura structure
estrujar to wring out, squeeze
estudiante *m and f* student
estudiar to study; **estudiar leyes** to study law
estudioso studious
estupefacto stupefied
estupendo stupendous
eternidad eternity
eterno eternal
etiquetero formal
Europa Europe
europeo European

evidente evident, obvious
evitar to avoid
exactitud exactness
exagerar to exaggerate
exaltarse to get excited
examen *m* examination
excelencia excellence
Excelencia Excellency
excelente excellent
excesivo excessive
excitar to excite
exclamar to exclaim
exculpatorio apologetic; making excuses
excusa excuse, apology
excusar to excuse
exento exempt
existir to exist
éxito success; **tener éxito** to be successful (*see p. 81*)
experimentar to experience
explicación explanation
explicar to explain; **-se** to understand
exponer to expose, show
exposición exhibition
expreso expressed
expulsar to expel
éxtasis (*pl* -sis) *m* ecstasy
extemporáneo extemporaneous
extender (ie) to extend
externo external
extranjero foreign; **al extranjero** abroad; **papel moneda extranjero** foreign exchange
extrañar to wonder at, surprise
extraño strange
extraordinario extraordinary
extremado extreme

fábrica factory
fabricar to build
fácil easy
facultativo medical doctor
facha something ugly
faja band, newspaper wrapper
falta lack; mistake; **hacer falta** to be necessary
faltar to be lacking, be missing; to die; **¡no faltaba más!** why, the very idea!

fama fame
familia family
famoso famous
fantasma *m* ghost
fantasmal ghostly
fastidiar to ruin
fatalidad destiny, fate
fatiga fatigue
favor: a favor de in favor of; **favor de, haga el favor de, por favor** please
febril feverish
fecha date
felicidad happiness; **felicidades** congratulations
felicitar to congratulate
feligrés *m* parishioner
feliz happy
fenómeno phenomenon
feo ugly
feudo domain
fiebre *f* fever
fiesta party
figura piece (in chess)
figurar to figure, form, represent; **-se** to imagine
fijarse (en) to notice
fijo fixed
filiación affiliation
filosofía philosophy
fin *m* end; **a fin de que** so that; **al fin** finally; **en fin** well; **por fin** finally
final *m* end; **al final** finally, in the end; **al final de** at the end of; *adj* final
fingimiento pretense
fingir to pretend
fino fine, refined
firmamento sky
firmar to sign
firmeza firmness
físico physical
flaco thin
flacuchento rather thin
flacucho very thin
flauta flute
fleco fringe
flor *f* flower
fondo back, background; heart, depths; **en el fondo** at heart, fundamentally

forjar   to build
forma   form; **de todas formas**   at any rate
formar   to form
formulario   formulary, of formality
foro   back, rear (of a stage)
forzar (ue)   to force
foto *f*   photo
fotografía   photography, photograph
fotógrafo   photographer
francés, -esa *n*   French language, French-man, French woman; *adj* French
franela   flannel
frase *f*   sentence, phrase
fray *m*   friar, brother (religious title used before names)
frecuentar   to frequent
frecuente   frequent
fregar   to scrub
frente *m*   front; *f* forehead (*see p. 355*); **frente a**   in front of
fresco *m*   cool wind; *adj* fresh, cool
frialdad   coldness
frío   cold; **coger frío**   to take a chill; **hace frío**   it's cold
frito   fried
frotar   to rub
fruición   fruition, pleasure
fruta   fruit
fruto   fruit
fuego   fire
fuera   out, outside; **fuera de**   outside
fuerte   strong
fuerza   force, strength; **con sus propias fuerzas**   by himself, on his own; **con todas sus fuerzas**   with all his might
fumar   to smoke
función   function
funcionar   to function, work
funcionario   employee; official; clerk
fundar   to base one's opinion
fúnebre *adj*   funeral, funereal
fútbol *m*   football
futuro   future

gabán *m*   overcoat
gafas *f pl*   eyeglasses
gala : día de gala   holiday, special occasion

gallo   rooster; **otro gallo les cantara**   it would be another story
gambito   gambit; **gambito de rey**   king's gambit (in chess)
gana   desire; **tener ganas de**   to want, be eager to (*see p. 198*)
ganar   to win, earn; to win over; **ganarse la vida**   to earn a living
garabato   scrawl, scribble
garantizar   to guarantee
garganta   throat
garra   claw
gastado   worn, worn out
gastar   to spend (*see p. 309*)
gato   cat
gaveta   drawer
general : por lo general   generally
género   gender
gente *f*   people; **ser gente**   to be somebody
gentil   genteel, courteous
geográfico   geographic
gerundio   gerund, present participle
gestión   negotiation, arrangement
gesto   gesture, expression
gobierno   government
golpe *m*   blow; move (in a game)
golpear   to strike, hit
gorra   cap
gorrión *m*   sparrow
gota   drop
gracia   grace, charm; favor; joke
gracias   thanks; **dar las gracias**   to thank
gracioso   gracious, amusing, cute
grado   degree; **grado superlativo**   super-lative degree
graduarse   to graduate
grande   big, great
gratis   gratuitously
griego *m and adj*   Greek
gris   gray
gritar   to shout
grito   shout, cry
grotesco   grotesque
gruñir   to grunt
grupo   group
guante *m*   glove; **con los guantes puestos**   with one's gloves on
guapo   handsome, beautiful

guardar to save, keep

guardia guard; member of the Guardia Civil, the Spanish rural police

guerra war

guiar to guide

guiño wink

guión *m* hyphen

guisa: a guisa de like, in the manner of

guiso dish, food

gustar to like, be pleasing (*see p. 54*)

gusto taste; pleasure; **a gusto** comfortable; **de mal gusto** in poor taste

haber *aux verb* to have; **haber de** to have to, must (*see p. 199*); **había** there was, there were; **hay** *imp irreg form of* **haber** there is, there are; **hay que** one must, it is necessary to (*see p. 198*)

habitación room

hábito habit

hablar to speak, talk; **hablar solo** to talk to oneself

hacer to do, make; **hace calor** it's hot; **hacer caso** to pay attention (*see p. 351*); **hacer el favor** please (in request); **hacer falta** to be necessary, need; **hacer mutis** to exit; **hacer reposo** to relax; **-se** to become (*see p. 100*); **hacerse a la idea** to get used to or become adjusted to the idea; **hacer señas** to signal; **hacer una pregunta** to ask a question; **no hacer más que** only; **hace frío** it's cold; **hace + TIME EXPRESSION** ago; **hace + TIME EXPRESSION + que** for (*see p. 193*); **le hace mirar** he has him look

hacia toward; about

hale *interj* let's go, come on

hallar to find; **-se** to be

hambre *f* hunger

hasta even; until, up to; **hasta luego** so long, goodbye; **hasta que** until

hay *imp irreg form of* **haber** there is, there are

hebilla buckle

hechicero sorcerer

hecho (*pp* **haber**) done, made; *n* fact, deed

helado *n* ice cream; *adj* frozen

hembra female

heredar to inherit

hereje heretic

herencia inheritance

herido wounded

hermana sister

hermano brother

hermoso beautiful

hielo ice

hierro iron

hígado liver

hija daughter

hijo son, child

hincar to drive into the ground

hipócrita *m and f* hypocrite; *adj* hypocritical

hirviente boiling

Hispanoamérica Spanish America

historia story

histórico historical

hoja leaf; page

holandés *m* Dutch (language)

hombre *m* man; **hombre de mundo** man of the world; **de negocios** businessman

hombro shoulder; **encogerse de hombros** to shrug one's shoulders

hombrón *m* big man

honor *m* honor

hora hour, time; **a toda hora** all the time, at all times; **a última hora** at the last moment; **¿qué hora es?** what time is it?

horizonte *m* horizon

hortaliza vegetables

hostería inn

hospital *m* hospital

hotel *m* hotel

hoy today

hueco *n* hole; *adj* hollow, void

huérfano orphan

huerta vegetable garden

hueso bone

huevo egg

huir to flee, run away

humedecer to dampen

humilde humble

humillación humiliation

humo smoke; vapor; **a humo de pajas** lightly

humor *m* mood; **estar de mal humor** to be in a bad mood
hundir to sink
huracán *m* hurricane
huy *interj*

ida going
idéntico identical
identificar to identify
idilio idyl
idioma *m* idiom, language
iglesia church
ignorar to be ignorant of, not to know (*see p. 351*)
igual equal, the same; **da igual** it's the same thing; **igual que** the same as
igualdad equality
ilusión illusion
ilustración illustration
imaginario imaginary
imaginarse to imagine
impaciente impatient
impasibilidad impassibility
impedir (i) to impede, prevent
ímpetu *m* force
implicar to imply
imponer to impose
impopular unpopular
importar to matter, be important
importunar to importune, pester
imposible impossible
impreciso imprecise, indefinite
impregnar to impregnate, saturate
impresionar to impress
imprevisto unforeseen
improviso: de improviso suddenly
impuro impure
inacentuado unaccented
inaprehensible inapprehensible
incitante provocative
inclinar to incline, lean, bow, tip
incluso including
incómodo uncomfortable
incorrección improper word or deed
increíble unbelievable
incurrir to incur, commit; **incurrir en error** to make a mistake
indefinido indefinite
independencia independence

independiente independent
indeterminado indefinite
indicar to indicate
indiferencia indifference
indisposición indisposition, discomfort
individuo individual
indumentaria clothing
inesperado unexpected
infame infamous
infancia infancy, childhood
infante infant, male child
infeliz unhappy
inflamado inflamed, enthusiastic
informar to inform, tell
informe report
infortunio misfortune
infructuoso unsuccessful, unfruitful
ingeniero engineer
ingenio talent
ingenioso ingenious
Inglaterra England
inglés *m and adj* English
iniciar to begin
injurioso insulting, offensive
injusto unjust
inmaterial immaterial
inmediato immediate
inmensidad immensity
inmenso immense
inmoral immoral
inmortalidad immortality
inmóvil immobile
inmovilidad immobility
inmutarse to show emotion
innecesario unnecessary
inocente innocent
inofensivo inoffensive, harmless
inquietar to worry, disturb
inquieto anxious, restless
inquietud anxiety, uneasiness
inseguridad uncertainty
insistir (en) to insist (on)
insoportable unbearable
inspeccionar to examine
instalar to install
instantáneo instantaneous
instante *m* instant; **en breves instantes** in a few seconds
instrucción instruction, direction

instruir to educate, instruct
insultante insulting
inteligente intelligent
intención: con intención deliberately
intendente intendant; government
  official
intercalar to insert
intercambiar to interchange
interés *m* interest
interesante interesting
interesar to interest
interno internal
interpelado person spoken to
interrumpir to interrupt
intranquilizar to upset
intratable unsociable
introducir to introduce; **-se** to get in,
  enter
intuir to feel by intuition
inútil useless
invierno winter
invitado guest
invitar to invite
ir to go; **ir a** + *inf* to be going to +
  inf; **irle bien a** to go well with; **-se**
  to go away, go out
ironía irony
irónico ironical
irreal unreal
irregular irregular
irregularizarse to become irregular
irreligioso irreligious
irreprimible irrepressible
irresponsable irresponsible
izquierda left

jabón *m* soap, cake of soap
jactarse to boast
jamás never
jamba: jamba de la puerta doorjamb
jamón *m* ham
jaque-mate *m* checkmate
jardín *m* garden
jarra pitcher
jarrón *m* large vase
jefe *m* boss
jornada day
jornal *m* day's wages
jornalero day laborer

joven young
jovialidad joviality, gaiety
joya jewel; **joyas** jewels, jewelry
joyería jewelry store
jubiloso joyful, merry
juego game, trick
juez *m* judge
jugada play, move (in a game)
jugador, -a player
jugar (ue) to play; **jugar a** to play a
  game or sport (*see p. 79*)
juguete *m* toy
juicio judgment
junto near, close; **junto a** next to
jurar to swear
justicia justice
justo just, fair; exact
juvenil juvenile, youthful
juventud youth
juzgar to judge

kilo kilogram (2.2046 pounds)
kilómetro kilometer (.621 mile)

ladear to tilt, incline to one side
lado side; place
ladrar to bark
ladrido bark (of a dog)
lágrima tear
lamentable lamentable, deplorable
lamentar to regret; to lament
lámina illustration; **lámina de colores**
  colored illustration
lámpara lamp; **lámpara de pie** floor
  lamp
lana wool
languidecer to languish
lápida tombstone
lápiz *m* pencil
largar to loosen, let go; **-se** to go away
largo long, big; **a lo largo de** along
lástima shame, pity
latín *m* Latin
latino *adj* Latin
Latinoamérica Latin America
lavar to wash, do the wash; **lavarse la**
  cabeza to wash one's hair
lavativa enema
lección lesson

lectura reading (passage) (*see p. 17*)
lechal *adj* milk
leche *f* milk
lecho bed
lechuga lettuce, head of lettuce
leer to read
legajo file, bundle of papers
legalizar to legalize
legua league (measure of distance)
legumbre *f* vegetable
lejanía distance
lejano distant
lejía lye
lejos far; **lejos de** far from
lema *m* motto
lengua language, tongue
lenguado a fish of the sole family
lenguaje *m* language
lentes *m pl* eyeglasses
lento slow
leño log, piece of firewood
leon, -a lión, lioness
letra letter (of alphabet); **letras** letters, literature
levantar to raise, build; **-se** to rise, get up
leve *adj* light
ley *f* law
leyenda legend
libra pound
librar to free, save
libre free
librería bookstore
libro book
lienzo drop scene (for a play); **lienzo del fondo** backdrop
ligero *adj* light
limitativo limiting
límite *m* limit
limpiar to clean
limpio clean
lindo pretty
línea line; **auto de línea** bus
lingüista *m and f* linguist
Lisboa Lisbon
lista list
listo ready; clever
literario literary
loco crazy
locuaz talkative, loquacious

locura madness
lógica *n* logic
lógico *adj* logical
lograr to achieve, obtain, produce
longitud length
lotería lottery
loza earthenware; **cacharro de loza** crockery
lucir to show off, exhibit
lucha fight, struggle
luchar to fight, struggle
luego then; **luego que** as soon as; **desde luego** of course, immediately; **hasta luego** so long, goodbye
lugar *m* place; **en lugar de** in place of; **tener lugar** to take place
lujo luxury
lumbre *f* fire; brightness
luz *f* light; **ver la luz** to be born

llama flame
llamada knocking, call
llamar to call, knock; **llamar al timbre** to ring the doorbell; **llamar la atención** to call the attention
llano *adj* flat; **palabra llana** word with stress on next to last syllable
llanto weeping, crying
llanura plain
llave *f* key
llegada arrival
llegar to arrive; **llegar a ser** to become (*see p. 101*)
llenar to fill
lleno full
llevar to carry, take (*see p. 352*); to wear
llorar to cry; to mourn
llover (ue) to rain
lluvia rain

macho male
madera wood
madre *f* mother
maduro ripe
maestro teacher
magnífico magnificent
mago magician
mal badly; **¿tan mal le va?** are things going so badly for you?

maldición curse, damnation
maldito cursed, damned
maleficio curse
malestar *m* indisposition
maleta suitcase
malévolo malevolent, bad
malhechor, -a malefactor, malefactress
malhumorado ill-humored
malicia malice
malo bad; **mala educación** bad manners
malograr to waste away
maloliente bad-smelling
malparado: salir malparado to come out badly
malvado evil person
manco *adj* one-armed
manchar to stain, soil
mandar to send; to command, order
mandato command
manera way (*see p. 197*); **maneras** manners; **de manera que** so that; **de todas maneras** at any rate
manifestarse to show up
manifiesto manifest, clear; **poner de manifiesto** to make clear
maniquí (*pl* -**quíes**) *m* manikin
mano *f* hand; **dar con la mano** to pat; **manos a la obra** to work!, get to work
manotazo slap
mantel *m* tablecloth
mantener (ie) to maintain, keep, support
mantequilla butter
manzana apple
manzanar *m* apple orchard
manzanilla type of white sherry wine
manzano apple tree
mañana *f* morning; **a la mañana siguiente** the next morning; *adv* tomorrow; **pasado mañana** the day after tomorrow
mapa *m* map
máquina machine; **máquina de escribir** typewriter
maravilla marvel, wonder; **de maravilla** very well
maravillar to marvel, amaze
maravilloso marvelous
marcar to mark

marchar to walk, go; **-se** to go away
mareado dizzy
marido husband
mármol *m* marble
marrana female pig
martirizar to martyrize, torture
más more, most
matar to kill
mate *m* checkmate
matemáticas *f pl* mathematics
matemático mathematician
materia material
materno maternal
matrimonio matrimony; married couple
máximo maximum; **como máximo** at most
mayor greater, greatest; older, oldest
mayores elders
mecer to rock
mechón *m* lock of hair
mediante by means of
medicina medicine
médico doctor
medida measure
medio *n* middle; means; medium, environment; **medios** means; *adj* half, middle (*see p. 172*); *adv* half; **a medio abrir** half open; **clase media** middle class
mediodía *m* noon
medir (i) to measure
mejilla cheek
mejor better, best
mejorar to improve
melancólico *adj* melancholy
memoria memory; memoir; **aprender de memoria** to memorize
mencionar to mention
menester necessary
meningitis *f* meningitis
menor less, least; slightest
menos less, least; **al menos** at least; **a menos que** unless; **por lo menos** at least; *prep* except
mentir (ie, i) to lie
mentira lie; **parece mentira** it's unbelievable
menudo small; **a menudo** often

merecer to deserve

mérito merit; credit; **darle mérito a una persona** to give credit to a person

mes *m* month

mesa table; food; **mesa camilla** (*see note 7, p. 123*); **mesa de noche** nightstand; **poner la mesa** to set the table

meter to put

metro meter

mexicano Mexican

México Mexico

mezclar to mix

miedo fear; **sentir miedo** to be afraid; **tener miedo** to be afraid

miembro member

mientras (que) while

milagro miracle

millares thousands

mimar to spoil, pamper

mínimo minimum

minuto minute

mirada glance; **cruce de miradas** exchange of glances

mirar to look (at)

misa mass

mismo same; self; **me da lo mismo** it's all the same to me

misterio mystery

misterioso mysterious

mitad *f* half, middle (*see p. 172*)

mitología mythology

mobiliario furniture, furnishings

mocoso inexperienced young boy

moderado moderate

modificar to modify

modo way (*see p. 197*); mood (referring to verbs); **de modo que** so that; **de todos modos** anyway, at any rate

mojar to dampen, wet; **-se** to get wet

molestar to molest, bother

molesto annoying, bothersome

molino mill

momentáneo momentaneous

momento moment; **de momento** at the moment

monasterio monastery

moneda coin, money; **papel moneda extranjero** foreign exchange

monicaco whippersnapper

monja nun

monje *m* monk

mono *n* monkey; *adj* cute

monosílaba monosyllable

montaña mountain

morada dwelling

moralizador, -a moralizer

morar to live

morder (ue) to bite

mordiente biting

moreno brown, brunette, dark

morir (ue, u) to die; **-se** to die, be dying

mosca fly

mostrar (ue) to show; **-se** to appear

motivo motive, reason

mover (ue) to move; **-se** to move

movimiento movement, motion

muchacho boy

mucho much, a lot of; **muchos** many

mudar to remove; to change; **-se** to move; to change clothes

mueble *m* piece of furniture; **muebles** furniture

muela molar tooth

muerto (*pp* **morir**) dead, died

mujer *f* woman; wife

mujerona big woman

múltiplo multiple

mundo world; **hombre de mundo** man of the world; **todo el mundo** everybody

muñeca doll

muralla wall

musaraña: pensar en las musarañas to daydream, be absent-minded

museo museum

música music

músico musician

mutis *m* exit; **hacer mutis** to exit

mutuo mutual

muy very

nabo turnip

nacer to be born

naciente beginning

nacimiento birth

nacionalidad nationality

nada *n* nothingness; *pron* nothing

nadar to swim
nadie no one, nobody, anyone, anybody
naranja orange
naranjal *m* orange grove
naranjo orange tree
nariz *f* nose; **narices** nose
natación swimming
Navidad *f* Christmas; **Navidades** Christmas season
necesario necessary
necesidad necessity
necesitar to need
negar (ie) to deny
negociante *m* businessman
negocio business affair; **hombre de negocios** businessman
negrilla boldface
negro black
nene *m* infant, small child
nervio nerve
nerviosidad nervousness
nervioso nervous
neutro neuter
nevar (ie) to snow
ni neither, nor, not even; **ni . . . ni** neither . . . nor
nieta grandaughter
nieto grandson, grandchild
nieve *f* snow
nilón *m* nylon
nimbar to encircle with a halo
ninguno no, no one, none; any, anyone
niña little girl
niñez *f* childhood
niño little boy, little child; **de niño** as a child
noche *f* night; **esta noche** tonight; **de noche** at night, nighttime; **mesa de noche** nightstand
Nochebuena Christmas Eve
nombre *m* name; noun; renown; **nombre de pila** first name
noroeste: al noroeste in the northwest
nota note; grade; **sacar buenas notas** to make good grades
notar to note, notice
notaría notary's office
notario notary, notary public
noticia news; report, document

notorio evident, obvious
novedad novelty
novela novel
novelista *m and f* novelist
novia fiancée; bride
novio fiancé; bridegroom
nublar to cloud
nuca nape of the neck
nuevo new; **de nuevo** again
número number
nunca never, ever

o or; **o . . . o** either . . . or
obedecer to obey
objetivo objective
oblicuo oblique
obligar to oblige, compel
obra work, as a work of art; building; **manos a la obra** to work!, get to work
obrar to work; to act
observar to observe, look into
obtener (ie) to get, obtain
obvio obvious
ocasión occasion; **con ocasión de** on the occasion of
ocasionar to cause
ocultar to hide
oculto hidden
ocupación occupation, business
ocupar to occupy; **ocuparse de** to pay attention to
ocurrir to occur
odiar to hate
odio hatred
ofender to offend
ofensivo offensive
oficina office
oficio position, trade, occupation
ofrecer to offer
oído ear, inner ear; hearing (*see p. 59*)
oír to hear
ojalá (que) I (we) hope, wish (*see p. 23*)
ojo eye; **no quitarle ojo a alguien** not to take one's eyes off someone
oler to smell
olivar *m* olive grove
olivo olive tree
olmo elm tree
olor *m* smell, odor

olvidar to forget; **olvidarse (de)** to forget (*see p. 237*)
omnívoro omnivorous
ondulado wavy
operar to operate
operario workman
oportunidad opportunity
oportuno opportune
optar: optar por to choose
opuesto opposite
oración sentence, clause
orden *m* order, arrangement; *f* order, command; religious order (*see p. 355*); **a sus órdenes** at your command
ordenanza ordinance
ordenar to command, order
oreja ear, outer ear (*see p. 59*)
organización organization
orgullo pride
orgulloso proud
originalidad originality
oro gold
ortografía orthography, spelling
ortográfico orthographic, spelling
otorgar to grant
oscuro dark
otoño autumn
otro other, another; **al otro día** the next day; **otra vez** again

paciencia patience
pacífico peaceful
padre *m* father
padrino godfather
paf *interj*
pagar to pay
página page
país *m* country, nation
paja straw; **a humo de pajas** lightly
pájaro bird; **tener la cabeza a pájaros** to be scatterbrained
palabra word
palabrota offensive word, vulgarity
palacio palace
pálido pale
palma palm
palmo measure of length (about 8 inches)
palmotear to pat
palo wood

pan *m* bread, loaf of bread
pánico panic; **tenerle pánico a algo** to be very afraid of something
pantalones *m pl* pants, trousers, slacks
paño cloth
pañuelo handkerchief
papa potato
papá *m* dad, papa
papel *m* paper
paquete *m* package
par *m* pair
para *prep* for, to, toward, in order to (*see p. 111*); **para con** toward; **para que** so that
parapetarse to protect oneself
parar to stop; **-se** to stop; to stand
parecer to seem; **-se a** to resemble; **lo que me parezca** whatever I want; **parece mentira** it's unbelievable
parecido similar
pared *f* wall
paréntesis (*pl* -sis) *m* parenthesis
pariente, -a relative
parir to give birth
párrafo paragraph
párroco parson
parroquia parish
parroquial parochial
parsimonioso ceremonious
parte *f* part, share; **por su parte** as for him, on his own; **por todas partes** everywhere
participio participle; **participio pasivo** past participle
partida game; **echar una partida** to play a game
partido game
partir to leave, depart; **a partir de** starting from
pasado past; **pasado mañana** the day after tomorrow
pasador *m* bolt
pasaje *m* passage
pasaporte *m* passport
pasar to pass; to happen; to spend (referring to time) (*see p. 309*)
Pascua Easter
pasear to take a walk
paseo promenade

pasillo hallway
pasmado stunned
pasmarón *m* a dumbfounded person
paso passage; pass; step; **abrirse paso** to get ahead; **de paso** in passing; **dicho sea de paso** by the way
pastel *m* pie
pastor *m* shepherd
pata leg, as furniture leg; foot, usually of an animal; **colocar de patitas en la calle** to kick out
patada kick; **dar una patada** to kick
patata potato
patente clear
paterno paternal
pato duck
patraña lie
patria country, native land
patriarca *m* patriarch
patrocinado protégé
patrón *m* pattern, style
patulea group
pausa pause
pausado calm
paz *f* peace
pecado sin
pecador, -a sinner
pecar to sin
peculiaridad peculiarity
pecho chest, breast
pedazo piece
pedir (i) to ask for, order, request (*see p. 283*)
pegar to glue; to hit; **-se** to stick, cling
peinado combed, groomed
peinar to comb; **-se** to comb one's hair
película film, movie
peligro danger
peligroso dangerous
pelmazo disagreeable person
pelo hair; **tomar el pelo** to kid
pellizcar to pinch
pena grief, worry, hardship, pain
pendiente unfinished
penoso painful, embarrassing
pensamiento thought
pensar (ie) to think; to intend; **pensar de** to think about, have an opinion of; **pensar en** to think about, think of (*see*

p. 37); **pensar en las musarañas** to daydream, be absent-minded
pensativo pensive
pensión boardinghouse; board
penúltimo next to last
peón *m* pawn (in chess)
peor worse, worst; **ponerse peor** to get worse
pequeñez smallness, trifle
pequeño small
pequeñuelo youngster
percance *m* misfortune, accident
percibir to perceive
perder (ie) to lose; **perder la cuenta** to lose count; **perder los estribos** to lose control of oneself
perdón pardon
perdonar to pardon
perecer to perish
perilla pointed beard
periódico newspaper
permanecer to remain
permiso permission
permitir to permit
pero but (*see p. 170*)
perrazo big dog
perro dog
personaje *m* character (in a play or literary work)
personificado personified
persuadir to persuade
pertenecer to belong
pesado heavy, tiresome
pesar to weigh; *m* regret; **a pesar de** in spite of
pescado fish
peseta monetary unit of Spain
pesimismo pessimism
pesimista *m and f* pessimist
peso monetary unit in some Spanish-American countries
pesquisición investigation
pestañear to wink
petición request
petróleo petroleum; **candil de petróleo** oil lamp
piadoso pious; kind
pianista *m and f* pianist
pícaro rogue

pie *m* foot; **al pie** at the foot; **a pie** on foot; **de pie** standing; **ponerse de pie** to stand up; **tenerse en pie** to stay on one's feet

piedad piety; pity

piedra stone

piel *f* fur

pierna leg, as part of the body

pieza piece; room; play

pila basin; **nombre de pila** first name

pileta sink, basin

pinar *m* pine grove

pino pine tree

pintado: el más pintado the cleverest, the bravest person

pintor painter

pintura painting

pío, pío, pío peep, peep, peep

pipa pipe

pisar to walk; to step on

piso floor, story

pista trail, track

placer *m* pleasure

planta floor; **planta baja** ground floor; **planta superior** upper story

planeta *m* planet

plata silver

plática conversation

plato dish

playa beach

plaza square

pleno full; **a pleno pulmón** at the top of his lungs

pluma pen

pluscuamperfecto pluperfect

pobre poor; unfortunate

poco *adj* little; **pocos** few, some; *adv* little; **a poco** shortly after; **poco a poco** little by little; **poco** + *adj* in-, un-; **poco frecuente** infrequent

poder (ue) to be able, can

poema *m* poem

poesía poetry, poem

poeta *m* poet

policía *m* policeman; *f* police (*see p. 355*)

político political

polvo dust

ponderación exaggeration; consideration

ponderativo exaggerating, hyperbolic

poner to place, put; **poner de chupa de dómine** to treat harshly, mistreat; **poner de manifiesto** to make clear; **poner de patitas en la calle** to kick out; **poner la mesa** to set the table; **poner la zancadilla** to trip; **-se** to become (*see p. 99*); **-se a** to begin (to), start (to); **ponerse de pie** to stand up; **ponerse peor** to get worse

por by, for, for the sake of, in place of, because of, through, along, in exchange for, during, around (*see p. 111*)

pormenor *m* detail

porque because

por qué why

porqué *m* reason

portarse to behave

portentoso prodigious

porvenir *m* future

posada inn, boarding house

posponer to put after

postura posture, position

potencial *m* conditional

Prado: Museo del Prado famous museum in Madrid

precario precarious

precedente preceding

preceder to precede

precedido (de) preceded (by)

preciar to appraise

precio price

precioso beautiful

precipitación haste

precipitado precipitate, hasty

precisar to make necessary

predecir to predict

predicado predicate; **predicado nominal** predicate noun

preferir (ie, i) to prefer

prefijo prefix

pregunta question (*see p. 283*); **hacer una pregunta** to ask a question (*see p. 283*)

preguntar to ask (a question); **preguntar por** to ask for (e.g., someone) (*see p. 283*)

premiar to reward

premio prize

prenda clothes
prender to seize, catch; to fasten; to catch fire
preocupar to preoccupy, worry; **-se** to be preoccupied, worried
preparar to prepare; **-se** to get ready
prepositivo prepositional
prescribir to prescribe
presencia presence
presenciar to witness
presentación presentation, introduction
presentar to introduce, present; **-se** to turn up, come up
prestar to lend, give
presumido particular; vain
presuroso rapid
pretender to pretend, claim
previo previous
primavera spring
primo cousin
principal principal, main
príncipe *m* prince
principiar to begin
principio beginning; **al principio** at the beginning, at first; **en un principio** at the beginning, at first
prisa speed, haste; **darse prisa** to hurry up; **tener prisa** to be in a hurry
prisión prison
privilegiar to favor
probabilidad probability
probar (ue) to taste; to try, test; to prove
problema *m* problem
proceder to proceed; to originate
proceso process
procurar to try; to get, obtain
prodigio prodigy
prodigioso prodigious
producir to produce
profesor, -a professor
profético prophetic
profundo profound, deep
programa *m* program
progresivo progressive; **forma progresiva** progressive tense
progreso progress
prohibición prohibition, ban
prohibir to prohibit, forbid
prójimo fellow man

prometer to promise
pronombre *m* pronoun
pronto soon; **de pronto** suddenly; **por de pronto** for the present; **tan pronto como** as soon as
pronunciar to pronounce
propicio propicious
propio proper, suitable; own; same; **con sus propias fuerzas** on his own, by himself
proponer to present, propose
proporcionar to provide, supply
propósito purpose, intention; **a propósito de** in connection with
prórroga extention
prosa prose
proteger to protect
protegido protégé
provecho benefit
proveer to provide
provocativo inciting
próximo near, next; **próxima** next to
prudencial prudent, wise; discreet
prueba test
psas *interj*
público public, audience
puchero pot
pueblo town; people
puente *m* bridge
pueril puerile, childish
puerta door; **puerta batiente** swinging door; **puerta de la calle** front door
pues well
puesto (*pp* **poner**) put, placed; on, put on; **puesto que** since; *n* post, position
pulcritud pulchritude, neatness
pulcro neat
pulmón *m* lung; **a pleno pulmón** at the top of his lungs
pulso pulse; **tomar el pulso** to feel one's pulse
punto point, period; **a punto** opportunely; **un punto de cólera** a touch of anger
puño fist; cuff
pureza purity
puro pure

que that, which; who, whom; **el que**

who; which; the one who; **más que**
more than; **no más que** only

qué what; what a; how

quedar to remain, be (*see p. 350*); **quedar en** to agree to; **-se** to stay; **quedarse con** to keep

queja complaint

quejarse to complain

quemar to burn; **quemarle la sangre a alguien** to burn somebody up, annoy

querella quarrel

querer (ie) to wish, want; to love; **querer decir** to mean; **¿quieres?** okay?

quien, quienes who, whom

quién, quiénes who, whom

quieto quiet, calm, immobile (*see p. 218*)

química chemistry

quincalla small wares

quincallero dealer in small wares

quitar to take off, take away (*see p. 217*); **no quitarle ojo a alguien** not to take one's eyes off someone

quizá, quizás perhaps

rabiar to rave

rabo tail

radical *m* radical

radio *m and f* radio

raído old, threadbare, worn out

raíz *f* root, stem; **a raíz de** shortly after

rama branch, twig

ranchero rancher

rancho ranch

raro rare; strange, odd; **raras veces** rarely

ras con ras on the same level

rata rat

rato little while, short time

ratón *m* mouse

rayo: como un rayo like a flash

razón *f* reason, explanation; **tener razón** to be right

reaccionar to react

real real; royal

Real Academia Española Royal Spanish Academy, select group serving as authority on the Spanish language

realizar to fulfill, carry out, realize (*see p. 118*)

recaer to fall (upon)

receloso suspicious

receta recipe

recibir to receive

recién (contraction of **reciente**) recent, new; **recién nacido** newborn

recíproco reciprocal

recitar to recite

recobrar to recover; **-se** to recover, get control of oneself

recoger to pick up

recomendar (ie) to recommend

reconocer to recognize

reconocidísimo many thanks

recordar (ue) to remember (*see p. 236*)

recuerdo memory

recuperar to recuperate

recurso resource

rechazar to reject

rechistar to speak, talk back

redondo round

reducir to reduce

reemplazar to replace

referirse (ie, i) to refer

reforma reform

reforzar (ue) to reinforce

refregar (ie) to rub, scrub

refrenar to refrain

regalar to give, donate

regalo gift

regatón: regatón de la cuneta water in the ditch

registrar to register

regla rule

regresar to return

reina queen

reincidir to return to

reír to laugh; **-se** to laugh

rejilla grating

relación relation, relationship

relacionar to relate

relegar to relegate, confine

religioso religious

reloj *m* watch, clock

relojería watch repair shop

remedar to imitate

remedio remedy; **no hay más remedio que . . .** there is nothing to do but . . .

remordimiento remorse

remoto remote, unlikely

rencor *m* resentment
renta rent, income; **rentas** rent
renunciar to renounce
reparar (en) to notice
repartir to distribute
repasar to review, check
repentino sudden
repetido repeated; **repetidas veces** often
repetir (i) to repeat
replicar to reply
reposar to rest
reposo rest, repose; **dar reposo** to rest; **hacer reposo** to relax
representarse to imagine
requerir (ie) to require
reservado reserved
residir to reside; to belong (to)
resistencia resistance
resistir to resist, tolerate, endure
resolver (ue) to resolve
respecto respect, reference (*see p. 219*); **respecto a, con respecto a, respecto de** with regard to
respetar to respect
respeto respect, reverence (*see p. 219*)
respirar to breathe
resplandor *m* splendor, brightness
responder to answer
responsabilidad responsibility (*see p. 240*)
responsable responsible (*see p. 240*)
respuesta answer
restorán *m* restaurant
restos *m pl* remains
restregar (ie) to rub
resucitar to bring back to life
resuelto (*pp* **resolver**) resolved
resultado result
resultar to result, prove to be
retador, -a defiant
retirada retreat, retirement; **en retirada** in retreat
retirar to retreat, withdraw; **-se** to go
retoño sprout; child
retroceder to come back
reunión meeting
reunirse to meet, assemble
reventar (ie) to exhaust; **hasta reventar**
until one drops (from exhaustion)
revés *m* reverse; **al revés** in the opposite way
revestir (i) to cover
revisar to review
revista magazine
revolver (ue) to revolve, turn upside down; to stir (*see p. 306*)
rey *m* king; **gambito de rey** king's gambit (in chess)
rezar to pray
ricacho very rich
rico rich
ridículo ridiculous
rigor *m* rigor; **en rigor** in reality
riguroso strict, rigorous
rincón *m* corner (*see p. 356*)
riña quarrel
río river
risa laughter
ritmo rhythm
rizar to curl
robar to steal
roble *m* oak tree
rodar (ue) to roll, fall down (rolling)
rodear to encircle, surround
rodilla knee; **estar de rodillas** to be kneeling
rogar (ue) to beg, ask
rojo red
romper to break; to tear
rondador *m* type of cane flute
rondar to go around
ropa clothes
rosa rose
rostro face
roto (*pp* **romper**) broken, torn
rozar to graze; to touch lightly
rubí (*pl* **-bíes**) *m* ruby
rubio blond
ruborizarse to blush
ruego prayer, request
ruido noise
rusticidad rusticity, simplicity

sábana sheet
saber to know, know how to; to learn (*see p. 57*); **saber de** to know about

sabiduría wisdom

sabio *n* scholar; *adj* wise, learned

sacar to pull out, take out (*see p. 307*); **sacar adelante** to make a go of it, be successful; **sacar billetes** to buy tickets; **sacar buenas notas** to make good grades; **sacar copias** to make copies; **sacar la cuenta** to figure up the bill; **sacarse un premio** to win a prize; **sacar una fotografía** to take a picture

sacerdote *m* priest

sacrificar to sacrifice

sacrificio sacrifice

sala parlor, living room, room

salada *coll* honey

salida departure, exit; way out; (*see p. 333*); opening (in certain games)

salir to leave; to come out on stage (in stage directions); **salir a** to go toward (*see p. 332*); **salir a alguien** to take after or to look like some individual (*see p. 332*); **salir bien** to do well; **salir de** to go out of (*see p. 331*); **salir de lo común** to be out of the ordinary

saltar to jump

salto jump; **dar un salto** to jump

salud *f* health

saludar to greet

salvar to save (*see p. 308*)

salvo *prep* except

sandalias sandals

sangre *f* blood; **quemarle la sangre a alguien** to burn somebody up, annoy

sano healthy, wholesome (*see p. 216*)

Santísima Trinidad Blessed Trinity

santo *n* saint; *adj* saint, saintly, holy

santuario sanctuary

sastrería tailor's shop

satírico satirical

satisfecho satisfied

secar to dry

seco dry; **cortar en seco** to cut short

sed *f* thirst

seda silk

seductor, -a attractive

seguida: en seguida immediately

seguir (i) to follow; to continue; **seguir cursos** to take courses

según *prep* according to, as

seguridad security, certainty

seguro sure, certain

seleccionar to select

semana week; **a las dos o tres semanas** two or three weeks later; **la semana pasada** last week

semanal weekly

semejante similar

sencillo simple

sendos *pl adj* one each, one for each

seno bosom

sensibilidad sensitivity

sensible sensitive

sentar (ie) to seat; **-se** to sit down

sentencioso sententious, grave

sentido sense, meaning

sentimiento feeling

sentir (ie, i) to feel; to regret; **lo siento mucho** I'm very sorry; **-se** to feel, be

seña signal; **hacer señas** to signal

señal *f* sign

señalar to point out

señor *m* mister, gentleman

señora Mrs., lady

señorita miss

señorito master

separar to separate

sequedad dryness

ser *m* being

ser to be (*see p. 93*); **a no ser que** unless; **¿qué va a ser de mí?** what's going to become of me?; **sea que . . . sea que** either . . . or

serenar to calm down

serenidad serenity

sereno serene

serie *f* series

seriedad seriousness

serio serious

servicio servants; service

servir (i) to serve; **chica de servir** maid, servant

si if, whether

sí yes, indeed

sibilino prophetic

siempre always, ever

siglo century

significación meaning
significado meaning
significar to mean
signo sign
siguiente following
sílaba syllable
silencio silence
silencioso silent
silla chair
símil simile
simpatía liking, sympathy
simpático nice, good-natured
simular to feign
simultáneo simultaneous
sin *prep* without; **sin embargo** nevertheless; **sin que** without
sinceridad sincerity
sinfonía symphony
siniestro left
sino but; **sino que** but (*see p. 170*)
sinónimo *n* synonym; *adj* synonymous
sintáctico syntactic
sinuoso sinuous; evasive
sinvergüenza *m and f* scoundrel
siquiera even; **ni siquiera** not even
sirvienta maid
sirviente *m* servant
sisa armhole
sistema *m* system
sitio place
situar to situate, locate
sobra: de sobra more than enough, all too well
sobrar to be more than enough; to be unnecessary
sobre *m* envelope; *prep* on, over, about
sobresalir to stand out
sobresaltarse to be startled
sobresdrújula: palabra sobresdrújula word with stress on third to last syllable
sobretodo above all
sobrina niece
sobrino nephew
sociedad society
sociólogo sociologist
socorro help
sol *m* sun
solamente only (*see p. 285*)

solapa lapel
soldado soldier
soledad solitude
soler (ue) to be accustomed to (*see p. 174*)
solo *adj* single, alone (*see p. 285*); *adv* only; **a solas** alone
sólo *adv* only (*see p. 285*)
soltar (ue) to let loose
soltera unmarried woman
soltero unmarried man
solterón *m* old bachelor
solterona old maid
soltura freedom
sollozo sob
sombra shadow, shade
sombrero hat
someter to submit
sometimiento submission
son *m* sound; **en son de** as
sonar (ue) to sound, ring (*see p. 175*); **sonar a falso** to sound false
sonido sound
sonoro sonorous
sonreír to smile; **-se** to smile
sonriente smiling
sonrisa smile
soñar (ue) to dream (*see p. 175*); **soñar con** to dream about
sopa soup
sopetón: de sopetón quickly
soplar to blow
soportar to stand, bear (*see p. 117*)
sor *f* sister (religious title)
sórdido sordid, lowly
sorprendente surprising
sorpresa surprise
sortilegio sortilege, sorcery
sosegado peaceful
sospecha suspicion
sospechar to suspect
sostener to support (*see p. 118*)
sotana cassock
suave suave, smooth; mild
suavizar to soften
subir to climb; to bring up
subjetivo subjective
subordinado subordinate

subsistir   to subsist; to exist
suceder   to happen (*see p. 80*)
sucio   dirty
sueldo   salary
suelo   floor
sueño   dream; **tener sueño**   to be sleepy
suerte *f*   luck
suéter *m*   sweater
suficiente   sufficient
sufijo   suffix
sufrimiento   suffering
sufrir   to suffer
sujeto   subject (of a verb)
suma   addition, sum; **en suma**   in short
sumar   to add up
sumo   supreme, high
superar   to exceed, surpass
suponer   to suppose, assume
suprimir   to supress
supuesto: **por supuesto**   of course
suspirar   to sigh
suspiro   sigh
sustantivación   nominalization
sustantivar   to use as a noun
sustantivo *n and adj*   noun
sustitución   substitution
sustituir   to substitute
susto   fright; **dar un susto**   to frighten
sutil   subtle

tabique *m*   partition wall
tabla   board; **tablas**   draw, stalemate
tablero   chessboard
tal   such, such a; **con tal (de) que**   provided that; **tal y como**   the way
también   too, also
tampoco   neither, not even
tam-tam   tom-tom
tan   so, as; such; **tan . . . como**   as . . . as
tanto   as much, so much; **por lo tanto**   therefore; **tanto . . . como**   as much . . . as; **tantos**   so many; **tantos . . . como**   as many . . . as
tapar   to cover
tardar (en)   to be long (in), delay (*see p. 119*)
tarde *f*   afternoon; *adv*   late
tarea   task, work

tarifa   rate
tarjeta   card; **tarjeta postal**   postcard
tate *interj*   so it is
taza   cup
té *m*   tea
teatro   theater
técnica   technique
techo   ceiling
tejado   roof
telefonear   to telephone
teléfono   telephone
telegrama *m*   telegram
telón *m*   theater curtain
tema *m*   theme
tembloroso   trembling
temer   to fear
tempestad   storm
temporada   period of time
temporal   temporary; **conjunción temporal**   conjunction of time
temprano   early
tender (ie)   to tend
tener (ie)   to have; to wear; to be (years old); **tener a bien**   to find convenient, deem best; **tener cuidado**   to be careful; **tener dolor (de)**   to ache (*see p. 174*); **tener entendido**   to be under the impression, understand; **tener éxito**   to be successful (*see p. 81*); **tener ganas de**   to want, be eager to (*see p. 198*); **tener la cabeza a pájaros**   to be scatterbrained; **tener lugar**   to take place; **tener miedo**   to be afraid; **tener prisa**   to be in a hurry; **tener que**   to have to (*see p. 198*); **tener que ver con algo**   to have to do with something; **tener razón**   to be right; **tenerse en pie**   to stay on one's feet; **tener sueño**   to be sleepy; **Tengo a mi hijo enfermo**   I have a sick son. (My son is sick.)
tenis *m*   tennis
teología   theology
teológico   theological
terminación   ending
terminar   to end
término   end; **en términos generales**   in general terms
ternera   calf

ternura tenderness
terremoto earthquake
terreno *n* land; *adj* earthly
testamento will
testigo *m and f* witness
tía aunt
tic-tac tick-tock
tiempo time (*see p. 173*); weather (*see p. 195*); verb tense; **al mismo tiempo** at the same time; **a tiempo** on time
tienda shop
tierra land, soil; **dar tierra** to bury; **rodar por tierra** to fall on the floor
tigresa tigress (gallicism. The correct Spanish expression is **tigre hembra**.)
timbre *m* bell; **timbre de la puerta** doorbell; **tocar el timbre** to ring the doorbell
timidez shyness
tímido timid, shy
tío uncle
típico typical
tipo type, kind
tirar to throw
tiro shot
tirón *m* jerk; **de un tirón** all at once
título title
tocar to play (as a musical instrument) (*see p. 79*); to touch; **tocar el timbre** to ring the doorbell
tocino bacon
todavía still; **todavía no** not yet
todo *adj* every, any; *pron* all, everything; *adv* all, completely; **todo el mundo** everybody
toilette *f* (French) costume, attire
tolerar to tolerate, bear
tomar to take (*see p. 352*); to drink, to eat; **tomar asiento** to sit down; **tomar el pelo** to kid; **tomar el pulso** to feel one's pulse; **tomar el sol** to sunbathe
tónico stressed
tono tone
tontería foolishness, stupidity
tonto foolish, stupid
torear to bullfight
torero bullfighter

toro bull
toser to cough
trabajador, -a hard-working
trabajar to work
trabajo work
traducción translation
traducir to translate
traer to bring; to wear
traicionar to betray
traje *m* dress, suit
trámite *m* business transaction
tramo part
trance *m* critical moment, last moment of life
tranquilizar to tranquilize, calm down
tranquilo tranquil, calm
transcurrir to happen, take place
transición transition, change
transitorio temporary
transporte *m* transport
tras *prep* behind, after
traslucirse to shine or show through
tratado treatise
tratamiento treatment
tratar to treat, deal with; to try; **tratar de** + *inf* to try to + *inf*; **tratarse de** to be a question of (*see p. 38*)
trato treatment; behavior; **ser de buen trato** to be sociable, be hospitable
través: a través de through, across
travesura mischief
trayecto path
tremendo tremendous, terrible
tren *m* train
triángulo triangle
tripa gut, intestine
triptongo triphthong
triste sad
tristeza sadness
triunfador, -a triumphant
triunfo triumph
trompeta trumpet
trozo piece
trueno clap of thunder
tumba tomb
turbado embarrassed, confused
turbio shady
turista *m and f* tourist

u or (before words beginning with vowel sound /o/)
último last; latest
umbral *m* threshold
único unique, only (*see p. 285*)
unidad unity; **unidades** ones
unir to unite
universidad university
universitario *adj* university
universo universe
uña fingernail
urgir to expedite, hasten
usurpador, -a usurper
utilidad utility, usefulness

vaca cow
vacaciones *f pl* vacation; **estar de vacaciones** to be on vacation
vaciar to empty
vacío empty; **estar de vacío** to be idle
vago vague
valer to be worth; **valer la pena** to be worth the trouble
valiente brave, valiant
valor *m* value
vanidoso vain
variar to vary
varios several
varón *m* male; man
vaso glass
vecindad vicinity
vecindario neighborhood
velar to watch over
velocidad velocity, speed; **a toda velocidad** at full speed
vencer to win, defeat
vender to sell
venida coming, arrival
venir (ie) to come
ventaja advantage
ventana window
ver to see; **a ver** let's see; **tener que ver con algo** to have to do with something; **ver la luz** to be born
veraneante *m and f* summer vacationer
veraneo summer vacation; **lugar de veraneo** summer resort
veraniego *adj* summer

verano summer
veras: de veras really
verdad truth; **de verdad** really; real; **es verdad** it's true; **¿verdad?** isn't that so?
verdadero *adj* real
verde green
vergonzoso shameful
vergüenza shame
versar (sobre) to treat (of)
versificar to versify
vertiginoso dizzy
vértigo dizziness
vestido dress
vestir (i) to dress; **ni visto ni calzo** I don't spend money on clothes or shoes
vez time; turn (*see p. 173*); **a la vez** at the same time; **a su vez** in turn; **de una vez** all at once; **de una vez por todas** once and for all; **en vez de** instead of; **otra vez** again; **veces** *f pl*: **a veces** sometimes; **muchas veces** often; **raras veces** rarely
viajar to travel
viaje *m* trip
viajero traveler
vida life; **vidita** *coll* honey; **ganarse la vida** to earn a living
vidriería glazier's shop
vidrio glass
viejo *n* old man; *adj* old
viento wind
vigilar to watch over, keep an eye on
vino wine
violencia violence
violentar to force
violento violent; unnatural
virgen *f* virgin
virtud virtue; **en virtud de** by virtue of
visado visa
visita: en visita in company
visitar to visit
vista view, sight
visto (*pp* ver) seen
visto: ni visto ni calzo I don't spend money on clothes or shoes
viuda widow
viudo widower

vivir to live
vocal *f* vowel
volcar (ue) to bend
volumen *m* volume
voluntad will
voluntario voluntary, willing
volver (ue) to turn; to return; to turn over (*see p. 307*); **volver a** + *inf* to ... again (*see p. 175*); **-se** to become (*see p. 100*); to turn around; **volverse atrás** to go back on one's word, change one's mind; **volverse loco** to go crazy
votación vote
voz *f* voice; **en voz alta** in a loud voice; **en voz baja** in a soft voice
vuelo flight

vuelta return; **estar de vuelta** to be back; **dar vueltas** to go around in circles
vuelto (*pp* volver) returned, turned

y and
ya already, now, soon; **ya no** no longer
yacer to lie

zancadilla: poner la zancadilla to trip
zapatero shoemaker
zapatilla slipper
zapato shoe
zigzaguear to zigzag
zozobra anxiety
zumbona waggish, jocose

ÍNDICE DE MATERIAS

a
con pronombres, 56, 169
con verbos de movimiento, 181
con verbos e infinitivos, 180–81
+ infinitivo en lugar de si + imperfecto de subjuntivo, 110–11
personal, 45–46, 48
/a/
English, 338
in contrast with /aw/, 321
in contrast with /ay/, 320
in contrast with English /æ/, 338
in strong-stress syllables, 40
in weak-stress syllables, 20–21
/æ/, English, 338
a eso de, 277–78
a fin de que y el subjuntivo, 75
a medio + infinitivo, 173
a menos que y el subjuntivo, 73, 75
a no ser que y el subjuntivo, 75
acá, 276–77, 299n
acabar
acabar de + infinitivo, 80, 181
acabar por + infinitivo, 181
acentuación, 346–49
con palabras que implican una pregunta, 58n
acerca de, 277–78
acordarse de, 236–37
adjetivo
colocación del, 189–92, 323–24, 327–28
demostrativo, 185–89
en la formación de adverbios terminados en -mente, 281–82
forma comparativa del, 225–30
forma positiva del, 226–28
formas cortas del, 189–92
forma superlativa del, 227, 230
género del, 159–62
interrogativo, 208–10
más usos del, 339–42
numeral, 191, 321–23
posesivo pospuesto, 223–25
sendos, 340–41
superlativo absoluto del, 231–32
sustantivación del, 15–16
terminaciones -ico y -no del, 241
usado como adverbio, 342
V. TAMBIÉN lo
adverbio
forma comparativa del, 226–30

forma superlativa del, 227, 230
hasta, 275
superlativo absoluto del, 231–32
sustituido por adjetivo, 342
terminado en -mente, 281–82
V. TAMBIÉN lo
afuera, 296, 298–99
agudas. V. acentuación
ahí, 276–77
ahorrar, 308–09
al + infinitivo, 158–59, 203
algo, como palabra afirmativa, 34, 36
alguien
como antecedente de una oración subordinada adjetiva, 47–49
como palabra afirmativa, 34, 36
con la a personal, 46
alguno
apócope de, 36, 192
como palabra afirmativa, 34–37
con la a personal, 46
con valor negativo, 35–37
alrededor de, 277–78
allá, 276–77, 299n
allí, 276–77
ante, 295, 298
antes de, 76, 297
antes (de) que y el subjuntivo, 74–75
antes que, 297
apellidos, 342–43
aprender, 334–35
aprender a + infinitivo, 335
aquel, 186–88
aquél, 186–88
como equivalente de the former, 189
aquello, 189
aquí, 276–77
artículo definido
con el infinitivo, 158, 160
con las partes del cuerpo, 165–67
con los artículos de vestir, 165–67
con nombres de personas, 183–85
omisión del, 182–85
artículo indefinido, 204–07
con predicado nominal modificado, 205–06
omisión del, 205–06
repetición del, 206–07
artículo neutro, 213–15
con adjetivo o participio pasivo, 213–14
con de + nombre, 214

/ m /, 62*n*, 268
mandato indirecto, 51, 53
manera, 197–98
   de manera que y el subjuntivo, 75
más
   en exclamaciones, 234–36
   en oraciones comparativas y superlativas, 226–30
mass nouns, 343–44
medio, 172–73
   a medio + infinitivo, 173
meses del año, 326–27, 368
/ mf /. V. ortografía
misleading cognates, 17–18, 80–81, 117–19, 215–19
mismo usado con pronombre, 270. V. TAMBIÉN sustantivación
mitad, 172
modo, 197–98
   de modo que y el subjuntivo, 75
monophthongs, 320–21

/ n /, 268
   in contrast with / ñ /, 290
/ ŋ /, 269
nada, 34–36
nadie
   como antecedente de una oración subordinada adjetiva, 47–49
   como palabra negativa, 34–36
   con la **a** personal, 46
negativo, 34–37
ni aun, 275
ni siquiera, 275
ninguno, 35–37
   apócope de, 36, 192
   con la **a** personal, 46
no hacer caso, 351–52
nombre
   cambio de significado según el género sin variar la forma, 355–56
   con **de** para modificar a otro nombre, 183–85
   género del, 159–62
   para referirse a algo en general, 182–84
   plural del, 159–62
nombres
   de personas, 183–85
   de pila, 342–43
/ nt /, 269

números
   cardinales, 191, 321–23, 367
   ordinales, 191, 323–24, 367
nunca, palabra negativa, 34, 36

o
   como palabra afirmativa, 34, 36–37
   sustituida por **u,** 54
/ o /
   in contrast with English / a /, 338
   in contrast with English / ow /, 40
   in contrast with / oy /, 32
   in strong-stress syllables, 40
   in weak-stress syllables, 21
oído, 59
ojalá
   y el imperfecto de subjuntivo, 89, 91
   y el presente de subjuntivo, 24, 26
olvidar, 237
   olvidarse de, 237
   olvidársele a uno, 237
open juncture, 7
oraciones
   de pasiva refleja, 271, 273
   recíprocas, 269–70, 272
   reflexivas, 270–73
   subordinadas adjetivas, 24, 46–49
   subordinadas adverbiales, 24, 73–76
   subordinadas sustantivas, 24, 27–30, 89–90
oreja, 59
ortografía, 240–41, 349–50
/ ow /, 40
/ oy / in contrast with / o /, 321

/ p /, 40–42
   in contrast with / b /, 62
para y **por,** 111–17
para que y el subjuntivo, 73–75
parecer, 55–56
partes del cuerpo, 165–67
participio pasivo
   en la voz pasiva, 13–14
   en el pretérito perfecto, 10–13
   formas irregulares, 12–13
   usado como adjetivo, 10–13
pasar, 309
pedir, 283–85
pensar
   + infinitivo, 181
   + oración subordinada, 181
   pensar de, 37–38

reflexivo (cont.)
    con valor intransitivo en inglés, 272–73
    en lugar de expresiones equivalentes a
       become, 101
    en lugar de la tercera persona
       plural, 271, 273
    en lugar de la voz pasiva, 14–15
    en oraciones de pasiva refleja, 14–15,
       271, 273
    en oraciones recíprocas, 269–70, 272
    en otras oraciones reflexivas, 270–73,
       292–95
    para acciones imprevistas, 291–92,
       294
    pronombre, 33–34
reparar en, 119
respecto, 219
respeto, 219
responsabilidad, 240
responsable, 240
revolver, 306–07
rhythm, 6–7
rincón, 356

s + consonante en inglés. V. ortografía
/ s /
    as / h /, 202
    at the beginning and end of words, 202
    before / R /, 203
    in contrast with English / z /, 339
    [s] in contrast with [z], 202
saber, 56–58
    como equivalente de **enterarse de,** 335
    en el pretérito, 73
    y **conocer,** 57–58
sacar, 307–08
salida, 333–34
salir
    salir a, 332
    salir a + infinitivo, 332
    salir de, 331, 333
salvar, 308–09
sano, 216–17
santo, 185*n*
seguir y las formas progresivas, 77–78
según, 115
    con indicativo y subjuntivo, 74, 76
sendos, 340–41
sentir, 271, 273
    sentirse, 271, 273
ser
    con adjetivos posesivos, 223–25

    con **de quién,** 93
    en la voz pasiva, 13–14
    ser caliente o **frío,** 196–97
    y **estar,** 93–98
si y la concordancia de los
    tiempos, 109–11
siempre, palabra afirmativa, 34, 36
sílabas. V. división de las sílabas
sin que y el subjuntivo, 73–75
sino, 170–71
sino que, 171
sobre, 295
sobresdrújulas. V. acentuación
solamente, 285–87
soler, 174–75
solo, 285–87
sólo, 285–87
sonar, 175
sonido, 175
soñar, 175
    soñar con, 175
soportar, 117–18
sostener, 118
stress, 2–3
subjuntivo
    con **como si,** 90–91
    concordancia, 107–09
    con verbos que expresan duda, 28
    después de **ojalá,** 24–26, 89–91
    en oraciones impersonales, 29–30
    en oraciones subordinadas adjetivas,
       24, 46–49
    en oraciones subordinadas adverbiales,
       24, 73–76
    en oraciones subordinadas sustantivas,
       24, 27–30, 89–90
    en vez del infinitivo, 29
    formas irregulares del presente, 25,
       42–43
    formas regulares del presente, 25
    función del, 23–24
    imperfecto de, 89–92
    let's, 26–27
    pretérito perfecto, 107–09
    pretérito pluscuamperfecto, 107–09
    pretérito pluscuamperfecto con
       si, 109–11
    verbos con cambios ortográficos en el
       presente, 44–45
    verbos que cambian en la raíz, 26
suceder, 80–81
sueño, 175

A 0
B 1
C 2
D 3
E 4
F 5
G 6
H 7
I 8
J 9